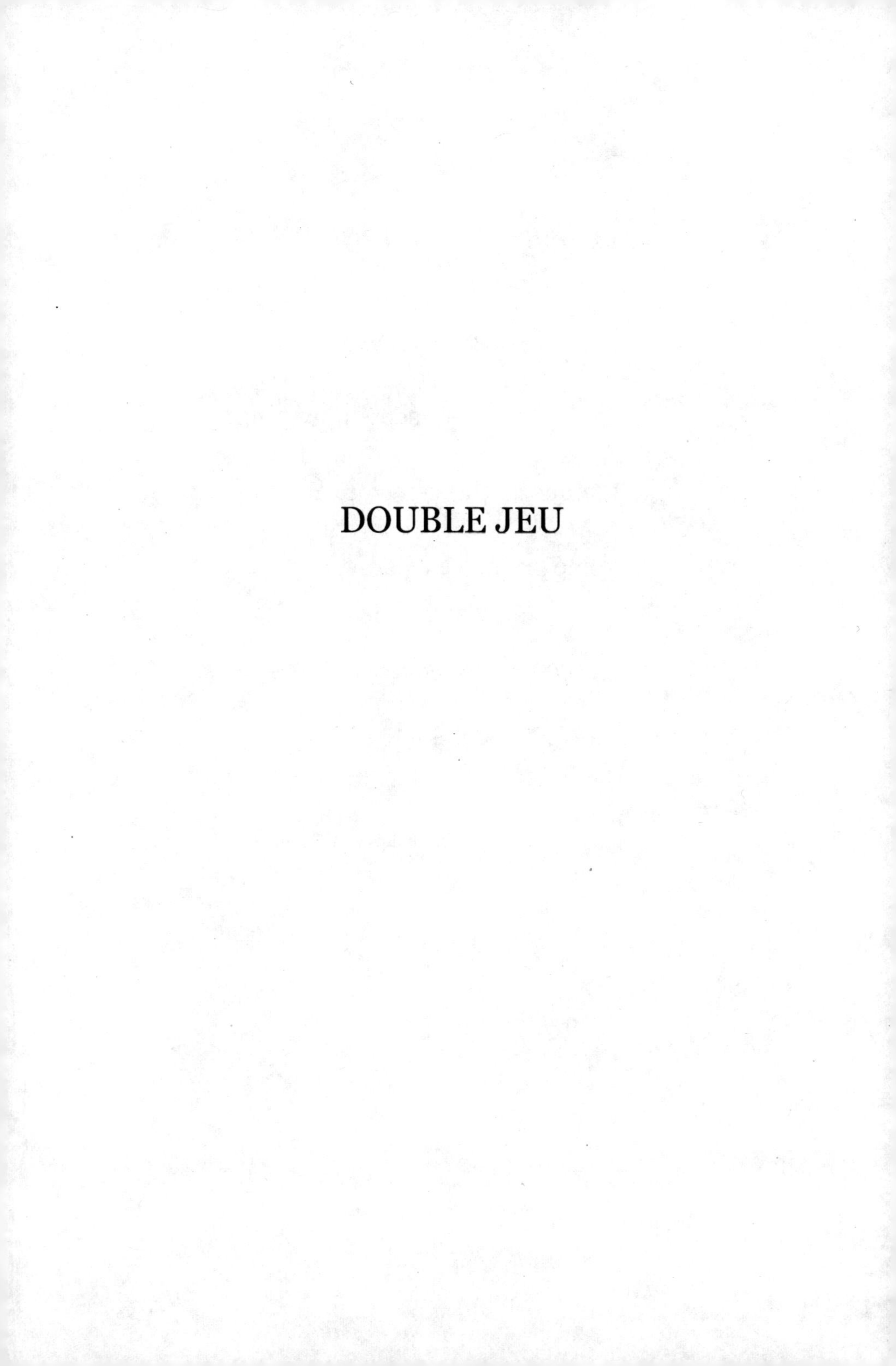

DOUBLE JEU

Aux Éditions EAUX TROUBLES

Dans la série Réseau Ambassador :

L'Envol des Faucons septembre 2014.

Panique au Vatican mars 2015.

Xtrême préjudice à paraître 2017.

Dans la série Espionnes du Salève :

L'Envers du miroir à paraître 2017.

MARK ZELLWEGER

DOUBLE JEU

THRILLER

EAUX TROUBLES

Ceci est une œuvre de fiction. Les situations et les personnages décrits dans ce livre sont purement imaginaires : toute ressemblance avec des personnages ou des événements existants ou ayant existé ne serait que pure coïncidence.

Retrouvez-nous sur : www.thrillers-editionseauxtroubles.com

ISBN : 978-2-9700993-7-6

Dédicace

L'écriture de ce roman a commencé, il y a déjà plus de deux ans. Il venait de partir chez ma correctrice quand les terribles attentats à Paris du 13 novembre 2015 ont été perpétrés. Étant romancier de livres d'action qui se déroulent dans le monde entier et dans des contextes géopolitiques brûlants comme le terrorisme, je ne pouvais rester muet.

C'est la raison pour laquelle, je dédie ce livre, où la situation en Syrie prend sa part, à toutes les victimes de toutes les barbaries dans ce monde, quelle qu'en soit l'idéologie qui les motive. Il n'y a qu'une chose qui vaut : le respect !

Remerciements

Je tiens, ici, à remercier tout particulièrement, Anne-Lou, ma femme. Pour tout dire, c'est elle qui m'a convaincu d'utiliser mon expérience de stratège en géopolitique et de raconter des histoires où l'action, le suspense et l'espionnage s'entremêlent. Elle se révéla un soutien indéfectible depuis le début de l'aventure du Sword. Je profite de ce troisième opus de la série Réseau Ambassador pour lui rendre justice.

Prologue

Juin 1985

Le soleil rougeoyait de plus en plus intensément, comme s'il allait embraser la brousse. La nuit prendrait bientôt le pas sur le jour et sa chaleur typiquement africaine. Elle apporterait enfin une fraîcheur, toute relative, fort appréciée tant des habitants des alentours que des animaux, qui en profiteraient pour se désaltérer à la première source d'eau.

Au fur et à mesure que la luminosité diminuait, des lampes à gaz s'allumaient et laissaient apparaître un immense campement militaire au cœur même de la savane. De nombreuses tentes vert kaki faisaient office de logements. Au centre se trouvaient les services principaux : une cantine, un arsenal, les tentes des chefs d'unité... Un peu à l'écart, une infirmerie était installée sous une tente arborant un cercle blanc et une croix rouge, peints maladroitement à même la toile.

À l'intérieur, plusieurs lits de camp étaient occupés par des hommes visiblement dans un état préoccupant. De toute façon, ceux qui n'étaient que légèrement blessés reprenaient leur poste aussitôt les premiers soins prodigués.

Il n'y avait ni infirmière ni médecin au chevet de ces hommes plus proches de la mort que de la guérison. À la lumière d'une des lampes, on pouvait discerner un personnage longiligne, de type occidental, vêtu d'une chemise blanche presque immaculée et d'un pantalon gris anthracite, suivi comme son ombre par un jeune Africain dans un habit militaire trop grand pour lui. Cela aurait paru parfaitement incongru pour qui ne connaissait ni le lieu ni le contexte dans lesquels tout ceci se passait.

Cette tente était le fruit d'une longue tractation entre un jeune prêtre tout frais émoulu du séminaire de Lisbonne et le chef attitré de ce camp de l'UNITA, situé dans la province du Kwando Kubango en Angola, aux confins des frontières avec la Zambie et la Namibie.

Le père Joao de Queiros Alvès, de l'ordre des frères spiritains, avait demandé à servir en Angola, en proie depuis 1975 à une guerre civile des plus terribles qui opposait le MPLA* à l'UNITA**. Si l'ordre des Spiritains avait pour mission de partir à travers le monde afin d'évangéliser les diverses populations, le Père Joao pensait que son devoir premier était d'apporter de la compassion, du réconfort et un peu d'humanité là où celle-ci semblait avoir totalement déserté.

Alors qu'il était encore à Menongue, capitale de la province, et qu'il s'apprêtait à rejoindre le sud de celle-ci, il avait été molesté par toute une troupe de mercenaires peu recommandables accompagnés d'une nuée de gamins hauts comme trois pommes, débraillés et dépenaillés, casquettes de travers, des kalachnikovs en bandoulière.

Le père Joao avait, certes, entendu parler de ces enfants enrôlés de force et transformés, la drogue aidant, en machines à tuer. Mais il n'en avait encore jamais rencontrés et le choc fut terrible.

---

* *Union nationale pour l'indépendance totale de l'Angola.*

** *Mouvement populaire de libération de l'Angola.*

À cet instant précis, il avait su, en son for intérieur, que sa mission serait d'accompagner ces jeunes enfants soldats et d'essayer de leur apporter la parole du Christ, non à dessein de prosélytisme, mais pour soulager au mieux leurs souffrances physiques, psychiques et spirituelles, par l'exemple de son vécu de l'Évangile au jour le jour.

C'est ainsi qu'en accord avec son responsable local, il avait finalement suivi cette horde jusqu'à l'extrémité sud-est de l'Angola où une grande partie des troupes des rebelles de l'UNITA, sous les ordres de Jonas Savimbi, leader historique du mouvement, s'était établie. C'était leur base de repli. Le MPLA, quant à lui, avait ses quartiers dans la capitale, Luanda.

Cela faisait maintenant sept ans qu'il les accompagnait, et il ne regrettait à aucun moment son choix, même s'il lui avait fait vivre des périodes difficiles. De fait, un jeune séminariste n'était pas préparé à être confronté aux horreurs de la guerre. Cependant, il avait la conviction qu'il était d'un soutien important pour ces enfants, à la fois victimes et bourreaux.

Après avoir suivi, d'abord contre leur gré, ces rebelles qui ne souhaitaient en aucun cas recevoir des leçons de morale d'un curé, il avait fini par se faire accepter par les commandants des unités combattantes, mais aussi à leur faire comprendre que ses talents d'infirmier leur seraient utiles. En définitive, il s'était rendu indispensable.

Il en avait profité pour tisser des liens avec ces hommes et ces enfants, en apportant à ces derniers, affection et attention. Il avait également compris que, tant que ces enfants seraient sous l'emprise de l'alcool, de la drogue et de leur haine, ils ne pourraient pas s'en sortir.

Aussi avait-il essayé d'aider certains d'entre eux à se passer de stupéfiants, et en avait profité pour leur dispenser l'éducation et l'instruction qui leur faisaient défaut. Tous n'étaient pas motivés, loin de là. Cependant, un petit groupe y trouvait son compte et venait régulièrement rejoindre le padre Joao dans son repaire, juste à côté de la tente infirmerie, quand ils n'étaient pas d'astreinte au campement ou bien à la guerre.

C'est ainsi qu'il arriva avec patience à instruire quelques enfants en leur enseignant notamment la lecture et l'écriture. Quand il le pouvait, il poussait au-delà et leur donnait un vernis de culture générale. Cependant, aucun d'entre eux n'égalait en assiduité et en envie d'apprendre celui qu'il avait nommé Barnabé dès leurs premières rencontres.

Cela faisait quelques jours qu'il était arrivé dans les environs de Jamba après avoir quitté Menongue. Les rebelles étaient revenus d'une razzia aux alentours, accompagnés comme de bien entendu, de jeunes enfants arrachés à leurs parents, assassinés et dépouillés de leur peu de biens.

Parmi ces enfants, il y avait un jeune adolescent d'une douzaine d'années, à moitié nu, et terrorisé. Padre Joao était aussitôt venu voir ce qui se passait, prodiguer les soins qu'il pouvait à ces enfants et apporter le peu de réconfort affectueux que la situation lui permettait.

Le jeune s'était placé instantanément sous la protection de l'ecclésiastique. Le prêtre en fit donc son protégé, lui évitant de toucher à la cocaïne et de partir trop souvent au combat. Il réussit à le garder auprès de lui, sous prétexte qu'il avait besoin d'un aide-soignant. Par chance, il ne lui fut pas nécessaire de négocier âprement la chose, les rebelles se contentant finalement d'autres enfants enlevés le même jour.

C'est ainsi qu'une relation filiale s'était établie entre le jeune Xindonga et le prêtre d'origine portugaise. Barnabé était le fils de petits paysans éleveurs de chèvres au bord de la Luengue, une rivière non loin de Jamba, un peu plus au nord. Son ethnie, implantée dans l'extrême sud-est du pays, ne représentait qu'un pourcent de la population de l'Angola et parlait une langue de la famille bantoue.

Bien évidemment, le jeune Barnabé n'avait jamais été à l'école et, au début, ne communiquait qu'en Xindonga, ou par gestes. Padre Joao lui avait appris à lire et à écrire dès son arrivée. Son protégé avait montré des aptitudes à comprendre et à apprendre particulièrement élevées. Il lui avait fallu peu de temps pour acquérir un rudiment de portugais, ce qui simplifia grandement leurs échanges.

Une fois cette étape cruciale franchie, le père Joao avait décidé de concocter à l'attention de son protégé tout un programme éducatif. Il obtint tout le matériel nécessaire auprès de sa hiérarchie à Lisbonne. Parlant lui-même le français, pour avoir étudié à Paris, il avait saisi l'occasion de lui apprendre également cette langue, pensant que cela lui donnerait un bagage supplémentaire non négligeable et lui ouvrirait d'autres possibilités.

À présent, Barnabé avait bien grandi et, s'il mesurait près d'un mètre quatre-vingt-dix, il pesait à peine soixante-quinze kilos, et présentait cette silhouette élancée et frêle typique des habitants de cette région. Padre Joao considérait qu'il avait atteint un niveau scolaire lui permettant d'intégrer une université. Cependant, ce n'était certainement pas dans un pays en guerre que cela pourrait se réaliser. Sans parler du fait que, pour les rebelles, Barnabé était une prise de guerre, et devait le rester.

Il n'y avait donc que peu de choix pour les deux hommes. Soit Barnabé demeurait avec les rebelles et finissait, tôt ou tard, par devoir guerroyer, soit il s'échappait.

Or, Barnabé ne voulait en aucun cas devenir soldat et devoir tuer des hommes et des femmes de son pays. Il était pacifiste et désirait, plus que tout, être un jour médecin et soigner son peuple.

Dès lors, seule la fuite du camp pouvait lui offrir la possibilité de rejoindre un lieu de liberté, où il pourrait étudier et se soumettre aux examens nécessaires afin d'entrer à l'université. Le fait que son tuteur soit prêtre se révéla un immense avantage. L'Église catholique était très présente en Afrique et avait, dans certains pays, une très grande influence, tout particulièrement dans les domaines de l'éducation et de la santé.

Il ne fut donc pas difficile pour le père Joao d'entrer en contact avec d'autres prêtres et de trouver les meilleures solutions pour l'avenir de Barnabé. Il s'avéra que la ville de Lubumbashi, au Zaïre, à quelques centaines de kilomètres au nord-est, possédait tous les atouts nécessaires au projet des deux hommes.

L'Église catholique y était particulièrement représentée. L'évêché supervisait un hôpital et un séminaire faisant aussi office d'université. Quelques mois auparavant, le père Joao avait laissé la responsabilité de l'infirmerie à Barnabé pour se rendre à Lubumbashi. Il y rencontra l'évêque et ses subordonnés, auxquels il expliqua la situation.

Il fut décidé que, s'il réussissait à faire venir Barnabé d'une manière ou d'une autre, celui-ci serait totalement pris en charge par l'évêque pour parfaire son instruction. Il serait libre de choisir sa voie, la médecine, par exemple, s'il en possédait les aptitudes.

Cela faisait maintenant plusieurs semaines que les deux compères avaient élaboré leur plan pour fuir. Ils savaient l'un et l'autre qu'ils n'avaient pas le droit à l'erreur, car aussitôt leur absence signalée, une chasse à l'homme serait probablement lancée contre eux. Il leur fallait donc bien réfléchir à tout anticiper.

Le moment tant attendu était arrivé. Padre Joao voulait encore une fois revoir les points cruciaux de leur projet. La nuit venait juste de tomber et les hommes du camp s'activaient pour le dîner. Barnabé et le prêtre en profitèrent pour prendre leur repas, devant la tente de ce dernier, attenante à l'infirmerie, parlant à voix basse.

— Barnabé, le grand jour arrive. Mais la fuite sera dangereuse. Est-ce que tu es prêt à partir, ou préférerais-tu retarder ton départ ?

— Padre, j'attends ce jour depuis déjà plusieurs semaines. Je connais les dangers, mais je veux vivre libre et apprendre la médecine. Je refuse de rester soldat.

— C'est parfait ! Dans ce cas, parlons de notre projet. De mon côté, j'ai averti les commandants que, dans une semaine, je devrai m'absenter quelques jours pour me rendre auprès de mon évêque. Je pense que nous aurions intérêt à ne pas partir le même jour, et éviter ainsi d'éveiller leur méfiance. Ils pourraient décider de nous rechercher à tout prix, pour faire un exemple.

— Je crois que tu as raison. Si je pars, ce ne sera pas la première fois qu'un soldat fuit. Mais si toi tu pars en même temps, je doute fort qu'ils apprécient beaucoup la chose, d'autant plus qu'ils ne sont pas de fervents catholiques.

— Barnabé, je vois que tu analyses la situation de la même manière que moi. Dans ce cas, lequel de nous deux partira en premier du camp ?

— J'y ai longuement réfléchi ces dernières semaines. Si tu quittes le campement juste après moi, cela leur paraîtra suspect et ils vont nous pourchasser. Le mieux serait certainement que tu partes comme tu l'as annoncé. Moi je me débrouillerai pour te rejoindre le plus vite possible, soit la nuit de ton départ, soit celle d'après, selon les évènements qui se présentent.

— Mais Barnabé, tu n'as pas peur que l'on t'en empêche ?

— Ne t'inquiète pas. Je les connais bien après sept années en semi-captivité... « semi » grâce à toi. Au moment opportun je me glisserai hors du camp sans bruit et je rallierai notre point de rencontre.

— Tu as sans doute raison.

— Tu sais Joao, je ne suis plus le petit garçon effarouché et frêle que tu as recueilli. Je suis plus grand que toi !

Le jeune homme sourit de toutes ses dents.

— Je suis trop protecteur avec toi, je suis désolé.

— Non, je sais que tu veux bien faire. (Barnabé lui fit un geste affectueux du revers de la main.) Mais maintenant, je suis un adulte.

— Oui, et un jeune homme beau et intelligent, par-dessus le marché.

— « Revenons à nos moutons », comme tu disais quand j'étais distrait durant tes leçons. Tu pars de jour dans une semaine, officiellement pour aller à Luanda. Moi, je me débrouille pour partir le plus vite possible après toi. Est-ce que l'on maintient l'itinéraire initial ?

— Oui. Je crois que c'est la meilleure solution. Il nous faudra rejoindre la bande de Caprivi au sud, le long du fleuve Kubango, et surtout, de la frontière avec la Namibie, sur l'autre rive. Cela nous fera environ quatre-vingts kilomètres à parcourir, certainement en grande partie à pied. Une fois que nous nous serons retrouvés, nous suivrons le Kubango plein est pour rejoindre la ville de Kalima, en Zambie, et ainsi nous rendre à Lubumbashi.

— Pour avoir étudié la carte de la région que tu m'as donnée, je crois que nous n'avons aucune alternative si nous voulons être en sécurité le plus vite possible. Partir directement à l'est vers la Zambie prendrait cinq fois plus de temps avant d'être à l'abri.

— Nous sommes bien d'accord. Alors, on se retrouve à ce point-là, dit le prêtre en indiquant un petit village, encore en Angola, au bord de la rivière Kubango.

— Ne te fais pas de souci, Padre. Tout ira bien. N'oublie pas que les Xindonga connaissent parfaitement la brousse.

Il sourit affectueusement à celui qui était à présent sa seule famille, lui ayant servi à la fois de mère et de père depuis que ces derniers avaient été abattus.

— Je crains d'être devenu un peu trop mère poule à ton contact, dit le prêtre.

— Oui, certainement. Mais tu as toujours pris soin de moi et j'ai conscience de la chance que j'ai eue.

— Arrête, on ne va pas se mettre à faire trop de sentiments.

Il restait très pudique, même si, en réalité, il aimait le jeune Barnabé comme son fils.

— Bon, tu pars quand, exactement ?

— Mercredi prochain, dans la matinée.

— Alors ne t'inquiète pas. Pars comme prévu et je te rejoindrai dans une semaine au plus tard, au point convenu, le long de la rivière.

— Soit.

Sur ces mots, ils se levèrent, et vaquèrent à leurs occupations habituelles de fin de soirée.

1

Mark Walpen venait tout juste de déposer ses deux enfants chez leurs grands-parents maternels à Boston, pour les trois prochaines semaines de vacances d'été.

Ayant pris un taxi, il repartit de Beacon Hill, quartier résidentiel chic de la capitale de la Nouvelle-Angleterre, pour rejoindre le centre-ville où se situait son hôtel habituel, le Langham.

Depuis la disparition de son épouse, Shannon, et de sa fille, Tallia, dans l'explosion de leur avion lors des attentats du 11 septembre, son départ pour l'Europe et son installation en Suisse, il revenait au moins une fois par an à Boston. Il amenait ses deux enfants auprès de leurs grands-parents, et en profitait pour gérer ses affaires.

Parmi celles-ci, il y avait bien évidemment une visite programmée au Boston Marketing Group, qu'il représentait en Suisse. Cependant, cette fois-ci, il avait prévu de rester plus longtemps que d'habitude sur le sol américain, ayant planifié toute une série de rencontres importantes.

Si Mark Walpen dirigeait un groupe d'audit et de consulting en stratégie pour les entreprises aux abords de Lausanne, il supervisait aussi un département dédié à l'analyse géopolitique pour le compte du gouvernement suisse, parmi d'autres.

Cette activité l'avait déjà conduit à créer une structure autonome forte d'une petite équipe, ayant des compétences tant en géostratégie qu'en analyse, en informatique et en action clandestine en cas de besoin. Comme lors d'une prise d'otage, qui avait constitué leur baptême du feu*.

Si, à présent, le nombre de combattants s'était bien étoffé, et que tous s'étaient bien installés dans leur centre d'entraînement de Zermatt, Mark considérait qu'il fallait absolument renforcer le département de géostratégie de son entreprise, le Sword International Consulting Board, que tous abrégeaient en Sword. Il était constitué de têtes pensantes spécialisées en stratégie et analyse, ainsi que des experts en technologies de l'information. C'est ainsi qu'il rencontrerait des candidats présélectionnés, essentiellement aux USA, en Europe et en Asie.

Avant d'entreprendre cette partie professionnelle de son voyage, il avait prévu de se rendre à Key West, en Floride, pour inspecter son bungalow, qu'il avait laissé à l'abandon depuis la tragédie qui l'avait frappé en 2001. Il considérait que le moment était venu d'y revenir.

Après trois jours passés à Boston, il prit donc un vol pour l'aéroport international de Key West, avec escale à Atlanta. Son ami Tom, qui possédait l'île depuis sa revente par l'armée américaine, l'attendait, ravi de le revoir après aussi longtemps.

Sunset Island avait longtemps servi de réservoir de carburant pour la marine américaine. Dans les années quatre-vingt-dix, celle-ci avait choisi de s'en séparer et Tom, industriel de Boston, mais qui se rendait très régulièrement à Key West, se porta acquéreur de ce bout de terre à seulement quelques centaines de mètres du port. Il décida de le transformer en un complexe hôtelier, et en confia la gestion à

---

* Voir *L'Envol des Faucons*.

une enseigne américaine bien connue, non sans se réserver une surface constructible suffisamment vaste pour y bâtir son propre cottage.

À la même époque, il discuta avec son conseiller juridique, maître Shannon Walpen-Fitzsimmons, et lui proposa de lui céder une partie de son terrain. Mark et Shannon, alors jeunes mariés, saisirent l'occasion et se portèrent acquéreur d'une parcelle de 600 mètres carrés constructibles dans le style des Caraïbes. Cette surface suffisait largement, car le projet de Tom était de concevoir son complexe hôtelier comme un ensemble de bungalows répartis sur toute l'île, où toute clôture serait bannie.

Lui-même se fit construire une magnifique villa créole de plusieurs centaines de mètres carrés non loin d'une des nombreuses plages de l'île. Mark et Shannon optèrent pour une construction de plain-pied de deux cents mètres carrés dans le même style avec une immense terrasse couverte, de laquelle ils pouvaient admirer les couchers de soleil.

La bâtisse avait été aménagée très simplement, mais avec beaucoup de goût et les Walpen avaient pris l'habitude d'aller s'y ressourcer quasiment tous les week-ends, leur maison de Boston devenant presque leur résidence secondaire. Ils étaient très attachés à ce bout de paradis, et le plaisir de retrouver Tom et son épouse n'y était certainement pas étranger.

C'étaient eux, d'ailleurs, qui avaient assuré l'entretien du bungalow depuis le tragique accident. Mark fut enchanté de voir Tom et Jane à l'arrivée de son vol United Airlines.

— Jane, Tom, quel plaisir de vous revoir !

— À qui le dis-tu, répondirent les sexagénaires au teint tanné par le soleil de Floride. On ne s'y attendait plus nous-mêmes.

Tom éclata de rire.

— C'était le moment de revenir, je crois.

Sourire de Mark.

— Bon, allons-y, on y sera mieux pour refaire le monde.

— Tu as raison.

— On a réservé une limousine pour venir, comme d'habitude. Le chauffeur nous attend, juste devant, et il nous déposera au port de Key West où nous prendrons mon yacht. Donne-moi ta valise, touriste.

Tom repartit dans un rire communicatif, heureux de retrouver son ami pour lequel il s'était, malgré tout, inquiété.

Mark était dans le même état d'esprit joyeux. Il n'avait pas, jusque-là, réalisé à quel point le couple dont il avait été si proche lui avait manqué. Sa seule crainte concernait sa réaction quand il reverrait la villa où tant de souvenirs heureux se trouvaient encore.

Ils partirent aussitôt rejoindre la limousine garée en double file à l'entrée de l'aéroport. Le chauffeur s'empressa de décharger Tom, puis Mark. Cinq minutes plus tard, le cortège roulait en direction d'une marina de Key West. La limousine s'immobilisa à l'entrée de la Key West Yacht Club Marina où une magnifique embarcation d'une bonne vingtaine de mètres de long, toute blanche et parée de boiseries acajou, était amarrée en bout de jetée.

— James, vous pouvez nous laisser là.

— Je vous accompagne à bord, cela me dégourdira les jambes.

Le chauffeur sourit.

Tous les quatre remontèrent le ponton en bois exotique délavé alors que le soleil les plombait. Cinq minutes plus tard, Tom démarrait les gros moteurs in-board, et s'orientait plein est pour rejoindre cette île de Sunset Key Island.

Un quart d'heure plus tard, alors qu'une très légère brise soufflait, Tom fit le tour de l'île pour s'immobiliser exactement face à leurs demeures, laissant Mark bouche bée devant cette magnifique villa coloniale. Après un temps de silence, il s'adressa à Tom :

— Elle paraît toute neuve, avec ses couleurs ocre et blanc pour les bardages et les contours de porte. Sans parler de ce bleu turquoise des volets ! Tu as fait quoi ?

— En fait, avec le temps et l'humidité, la peinture s'écaillait fortement. J'avais prévu de t'en parler quand tu m'as averti que tu venais. Alors, sur les conseils avisés de Jane, j'ai pris sur moi de faire repeindre toute la maison aux couleurs d'origine. Les ouvriers ont achevé les travaux la semaine dernière.

— C'est absolument magnifique ! On dirait qu'elle est neuve.

— Oui, c'est vrai. Tu as bien fait de l'avoir construite qu'avec du bois dur du Guyana et du Brésil. C'est grâce à ça qu'elle n'a pas bougé. Il n'y avait que la peinture à refaire.

— Merci, Tom, cela me fait plaisir. Je craignais de retrouver une maison en piteux état. Je savais que tu t'en étais bien occupé, mais avec l'humidité et le soleil....

— Si tu te souviens bien, je m'étais amusé de ta recherche de bois durs d'Amérique du Sud. Mais je dois reconnaître que la structure en Greenheart n'a pas bougé d'un millimètre. Même chose pour le parquet en Purpleheart et le deck en Massaranduba. Il a suffi de les enduire d'une couche de lasure spéciale pour maintenir la teinte d'origine et éviter qu'ils ne grisaillent. C'est le souci, avec ces bois durs, lorsqu'ils restent sans traitement.

— Si on allait à terre ? J'aimerais l'admirer de plus près.

— Vos désirs sont des ordres !

Tom sourit à son ami, heureux de sa surprise.

Le pilote fit légèrement pivoter le bateau pour aller se stationner près du ponton privé, face à leurs deux propriétés. Mark sauta à quai et amarra les aussières avec fermeté. Laissant ses bagages à bord, il partit vers la villa, suivi de Jane et Tom, tout sourire.

On a laissé la porte ouverte, histoire d'aérer encore les lasures.

— T'inquiète pas je voulais juste la voir de près. Elle est dans un état incroyable ! Le fait que tu l'aies fait repeindre dans sa totalité lui donne un cachet impressionnant.

— Je te propose de prendre tranquillement possession de ton bien, suggéra Jane. Passe plus tard à la maison, on préparera un barbecue pour ton retour.

— Merci beaucoup. À tout à l'heure, dit Mark, avant de replonger dans ses pensées.

Ses amis éclipsés à pas de velours, Mark saisit ses bagages et pénétra dans la maison. Il en fit tout le tour pour mieux s'en imprégner, comme s'il la découvrait. Après une demi-heure de visite silencieuse, il ressortit pour s'asseoir dans le rocking-chair du patio face à la mer.

À sa grande surprise, il était heureux de retrouver ce lieu paradisiaque qu'il avait longtemps évité et se dit que, prochainement, il reviendrait passer les vacances avec les enfants.

C'est ainsi, calmement, dans la nonchalance des Caraïbes, que Mark passa une semaine de repos, la plupart du temps en compagnie de Jane et Tom. Il en profita pour procéder à quelques réaménagements de la villa, qui atténuèrent le rappel de la décoration supervisée, à l'époque, par Shannon. Il serait bien resté ainsi encore quelques jours. Cependant son périple en Amérique du Nord devait se poursuivre.

2

Avant que Mark ne parte en vacances aux États-Unis, une réunion de travail avait eu lieu au siège du groupe avec les différents membres du *Board*, qu'ils soient spécialistes en stratégie ou en actions clandestines.

Ce ne fut qu'à la fin de la conférence que Mark lança un pavé dans la mare en se demandant à voix haute : « Maintenant que les effectifs des combattants ont été largement étoffés*, ne serait-il pas temps d'en faire de même, au siège, avec les stratèges, les analystes et les informaticiens, afin de mieux répondre aux diverses sollicitations ? »

Sa proposition fut accueillie par un enthousiasme certain, tout particulièrement par Alexia Pictet, directrice de géopolitique du groupe, soulagée de découvrir que son département serait renforcé. Le père de Mark, Ralf Walpen, venait tout juste de quitter le Sword auquel il collaborait tout en assumant les responsabilités de stratège et directeur du Réseau Ambassador, chargé de collecter des informations dans le monde entier au travers des ambassades helvétiques.

Les conseils du vieux renard parti précipitamment à la retraite de la Confédération manquaient déjà à toute l'équipe qui n'attendait

---

* Voir *Panique au Vatican*.

qu'une chose : du renfort. Si Mark avait négocié avec la Conseillère fédérale responsable des Affaires étrangères, Simona Zanetta, afin qu'elle désigne rapidement un successeur lui convenant à la tête du Réseau Ambassador, il devait lui-même compléter son équipe d'analystes et de récolteurs d'informations sur Internet.

Il avait chargé Alexia et Sven d'effectuer les premières démarches afin de détecter quels seraient les meilleurs éléments susceptibles de rejoindre le Sword. Ils prirent contact avec les centres d'excellence du monde entier, et parvinrent à dresser une liste sélective, après un processus complet de recrutement. Mark n'avait plus qu'à rencontrer tout le monde pour un avis final.

Concernant l'analyse et la géostratégie, le choix consistait à coopter des spécialistes travaillant auprès des *think tanks* les plus éminents dans le monde, et de préférence, connus pour être indépendants de tout pouvoir politique.

Mark avait déjà rencontré trois personnes à Boston. L'une était issue du *Belfer Center for Science and International Affairs*, à Harvard. La seconde avait été conseillée par Michael Porter, qui avait été son professeur de stratégie durant son MBA. En prenant un homme du monde des affaires, il voulait élargir les vues du Sword. Dans la foulée, il était passé au MIT[*], pour s'entretenir avec un jeune docteur en informatique de la meilleure université dans le domaine.

Avant de quitter les États-Unis, il s'arrêterait à Washington, au *Center for Strategy and International Affairs*, puis à New York, au *Council on Foreign Affairs*. Auparavant, il se rendrait également à San Francisco au département de *Computer Science* de Stanford, ainsi qu'à Pittsburgh, à la *Carnegie Mellon University*, dans le même département. Ces deux universités caracolaient en deuxième et troisième places du classement mondial en recherche informatique.

---

[*] *Massachusetts Institute of Technology.*

Après ces quelques jours d'entretiens d'embauche à travers ce vaste pays, et avant de repartir en Europe, puis en Asie, Mark n'en avait pas encore fini. Il avait sur son agenda un rendez-vous des plus importants à Langley, en Virginie avec son ami Cyrus Cooper, directeur adjoint de la CIA.

Ce dernier, qu'il connaissait depuis leurs études à Harvard, lui avait proposé de le rencontrer de façon informelle. Il lui avait donc suggéré de passer toute une journée ensemble à Washington, où il résidait, et qui n'était distant du siège de la CIA que de quelques kilomètres. Bien entendu, Mark, trop heureux de l'occasion, accepta avec plaisir et enthousiasme.

Sous le coup des dix heures du matin, Cyrus Cooper attendit Mark à l'arrivée de l'aéroport Ronald Reagan qui se situait quasiment au centre de la capitale fédérale, le long du Potomac. Mark apparut, ses lourds bagages sur un chariot. Aussitôt le directeur adjoint de la CIA s'avança vers son ami, tout sourire. Cyrus Cooper était suivi de près par deux agents discrets, chargés de sa protection rapprochée.

Si cela l'avait quelque peu troublé lors de sa prise de fonction, il s'y était maintenant fait, et considérait même la chose comme indispensable, afin d'éviter toute pression sur lui. « Cela fait partie du métier ! » se disait-il.

Mark, de son côté, comprenait très bien, puisqu'il s'était retrouvé dans la même situation. S'il avait accepté d'emblée la protection de ses deux enfants dès la création du Sword et le début de ses activités clandestines, il avait renâclé à être protégé lui-même. Il avait fallu toute la persuasion de ses plus proches collaborateurs, et tout particulièrement du colonel Paul de Séverac, pour qu'il accepte, finalement, la présence d'un garde du corps personnel. Et, de préférence, un des six commandants. En l'occurrence, c'était le Sud-Africain Nibs van de Merwe qui assurait cette mission, Rebecca Leibowitz étant restée avec les enfants à Boston.

— *Hi, Fox*, comment vas-tu ? Cela me fait tant plaisir de te revoir en chair et en os !

— Salut, Cyrus ! (Ils s'étreignirent.) Moi aussi je suis heureux de te voir. Nous n'avons pas eu beaucoup le temps de nous rencontrer, ces derniers mois.

— Nous allons rattraper cela, ne t'inquiète pas. Tu ne pars que demain.

— Oui, j'ai juste un entretien au CSIS avant de prendre mon avion et retourner en Europe.

— Eh bien, nous allons en profiter. Avec ce temps splendide, il fait bon se promener dans la capitale.

— Il fait vraiment chaud, j'ai bien fait de m'habiller avec des vêtements légers. Il fait souvent des températures étouffantes, ici, l'été.

— Je vois que tu n'as pas oublié !

— Non, répondit Mark en riant.

— Alors, allons-y.

Mark suivit Cyrus, qui se dirigeait vers la sortie pour rejoindre sa voiture stationnée sur une aire réservée aux VIP et encadrée par deux autres véhicules blindés.

Les gardes du corps les aidèrent à charger le gros Cadillac Escalade et le convoi démarra. Cyrus, ayant tenu à conduire lui-même son engin, avait donné congé à son chauffeur. Ils filèrent vers le centre de Washington et se garèrent vingt minutes plus tard devant une ravissante maison du XIXe siècle dans la D Street SE sur la colline du Capitole, la bien nommée Capitole Hill, quartier résidentiel huppé. Cyrus et Mark montèrent le perron et s'engouffrèrent dans la résidence modérément climatisée.

— Pose tes valises, Kate s'en occupera tout à l'heure. Tu veux boire quelque chose ?

— Oui, volontiers. Un café à l'italienne si tu as ? Kate est ici ?

— Ne t'inquiète pas, je ne bois du café américain qu'à Langley. Il sourit à Mark. Bien entendu que Kate est ici. À son âge, elle veut continuer à travailler et être à mon service. Je n'ai pas le cœur de lui dire non, sans parler du fait que j'en suis ravi.

— Quand on a une perle comme gouvernante, c'est évident qu'on la garde si possible.

— Pour moi, c'est une chance. Mais nous sommes gagnants tous les deux, car je ne suis pas souvent à la maison. Elle gère tout ici à ma place et elle a sa partie privée au rez-de-chaussée. Quand je suis là, tout est prêt, et j'ai mes repas cuisinés. C'est parfait pour moi et la maison est gardée, même si, tu l'imagines, il y a d'autres surveillances.

— Évidemment, si on considère ta position !

Ils s'installèrent sur la terrasse du jardin, à l'arrière de la maison sur des canapés en rotin protégés par de grands parasols. Ils étaient heureux de se revoir, tranquillement, hors des affaires professionnelles qui les amenaient parfois à collaborer.

Ils discutèrent ainsi à bâtons rompus, une bonne heure durant, de tout et de rien, mais surtout pas du travail.

Finalement, Cyrus déclara :

— Bon, je pense que l'on devrait se préparer à aller manger. Qu'en dis-tu Mark ?

— J'ai faim.

Il sourit.

— Moi aussi. Il y a un excellent *steak house* un peu plus loin dans une rue calme et ils servent sur une terrasse ombragée. On peut s'y rendre à pied.

— C'est parfait, pour moi.

— Je dois te faire un aveu, Mark. Apprenant ta présence ici, il y a quelqu'un qui réside au bout de Pennsylvania Avenue qui souhaite t'entretenir des aléas du monde de manière informelle vers 15 h, autour d'une tasse de thé.

Mark fronça les yeux de surprise.

— Tu veux dire, le...

— Oui, vieux ! Le président Chan.

— Mais dans ce cas, je dois enfiler un costume.

— Ne t'en fais pas. Il est averti que tu es en vacances et lui-même aura joué au golf juste avant. Cela se déroulera en toute décontraction, bras de chemise remontés. De toute façon, c'est quelqu'un de très simple et pas du tout collet monté.

— Dans ce cas... Mais cela va durer longtemps ?

— A priori, non. Mais cela dépendra de toi, et de lui.

— Tu sais pourquoi il veut me voir.

— Eh bien, je dirais qu'il t'estime beaucoup et apprécie ce que tu fais avec le Sword. Il désire entendre ton avis sur différents points chauds de la planète. Vu que tu passais à quelques centaines de mètres, « l'occasion fait le larron » comme vous dites.

Cyrus sourit à son ami.

— Mais il y aura tout le staff de la Maison-Blanche ?

— Relax, Mark. Nous ne serons que tous les trois. Il ne souhaite qu'une discussion amicale et instructive, et cet entretien doit rester secret. Voilà ! Bien entendu, je lui ai promis que tu viendrais.

— Dans ce cas... Mais je reconnais que je ne suis pas vraiment un adepte des mondanités.

— Rassure-toi, lui non plus. *Let's go*[*].

Ils quittèrent la demeure pour rejoindre le restaurant où Cyrus avait déjà réservé une table, non sans être suivi par leurs ombres armées.

Sous le coup des trois heures moins cinq, Cyrus et Mark, en tenues décontractées, sport chic, se présentèrent à la petite grille discrète donnant accès à la Maison-Blanche. Leur visite étant annoncée, un huissier les conduisit aussitôt vers le Bureau ovale, au moment même où le président Chan arrivait. Celui-ci fit signe qu'il prenait en charge ses invités, à qui il indiqua la porte principale de son bureau.

---

[*] *Allons-y.*

— Messieurs, prenez donc place, dit-il en désignant les canapés au centre de la pièce, des plus intimidantes pour Mark qui y pénétrait pour la première fois. Mark, je vous remercie d'avoir accepté mon invitation à brûle-pourpoint. Quand Cyrus m'a prévenu que vous vous rencontriez ce jour, je n'ai pu résister à l'idée de vous revoir. Vos avis sont toujours des plus précieux.

— Monsieur le Président, je vous remercie de cet honneur.

— Appelez-moi Paul. Je sais que vous avez d'excellentes relations avec le directeur adjoint. Par ailleurs, il semble que vos analyses géopolitiques soient pointues. Je souhaite juste parler avec vous de situations qui me préoccupent et recueillir votre opinion, si vous n'y voyez pas d'inconvénients. Je trouve que c'est enrichissant d'entendre d'autres points de vue que ceux auxquels on est habitué. Bien sûr, tout cela restera entre nous trois, même si d'aucuns aimeraient savoir ce que vous faites ici. (Il sourit.) Cette entrevue est absolument informelle comme vous pouvez le constater vous-même, dit-il en montrant son pantalon Chino beige, sa chemise Ralph Lauren rose et ses mocassins loafer en daim.

— Entendu !

La conversation durait déjà depuis plus d'une heure et demie, ce qui n'étonna pas Cyrus, qui s'attendait bien à ce qu'une discussion entre deux personnages aussi cultivés fût longue. Ils avaient évoqué les nombreux points de tension dans le monde, que ce fût entre la Chine et le Japon, l'Inde et le Pakistan, l'Afghanistan, l'Irak et plus généralement le Moyen-Orient, l'Amérique latine, etc. Le conflit larvé des derniers mois, entre l'Ukraine et son voisin russe, inquiétait le président Chan. Il s'en ouvrit à Mark.

— Je me demande bien ce que recherche la Russie en ne cessant de menacer l'Ukraine, en lui coupant régulièrement l'approvisionnement en gaz d'un côté, et en lui faisant les yeux doux de l'autre.

— Ce n'est hélas pas nouveau. Le fait que les opposants orange veulent être rattachés un jour à l'Europe ne rassure pas Sokolov. Mais, pour le moment, il ne s'agit que de gesticulations. Il faut voir ce qu'il se passera. Je partage votre opinion sur le fait qu'il faut être vigilant.

La situation en Syrie préoccupait tout particulièrement le premier président américain issu de l'immigration chinoise.

— En toute franchise, Mark, que j'aime ou non le président syrien, n'est pas important. Mais qu'il continue à massacrer sa population qui ne veut plus de lui, c'est inacceptable. J'aurais espéré que le Conseil de sécurité de l'ONU voterait une résolution demandant la fin des combats et qui ordonne l'envoi de Casques bleus. Mais, avec nos amis russes et chinois qui mettent, par principe, leur veto, c'est impossible. Il est clair que nous n'enverrons pas nos avions, nos navires et nos GI's. Nous ne sommes pas les gendarmes du monde. Mais il faudrait que nous trouvions une solution.

— Je comprends vos inquiétudes, et je partage votre point de vue concernant le rôle que doivent jouer les États-Unis. Il est évident que la Russie s'oppose à toute implication de l'ONU dans la crise syrienne. Cependant, ce n'est pas la première fois qu'elle agit ainsi en faveur d'un de ses anciens alliés et, comme vous l'avez souligné vous-même, la Chine fait pareil. Nous ne pouvons, à ce stade, évaluer à quel point la Russie soutient la Syrie militairement, ni jusqu'où elle ira. Comme vous suivez de près les activités du Sword, je ne vous étonnerai pas en vous précisant combien je privilégie en général les chemins détournés pour arriver à mes fins. Je pense aussi que le temps est venu de mettre un terme à ce massacre. L'immobilisme de la communauté internationale aboutit à ce que de nombreux extrémistes islamistes combattent aujourd'hui en Syrie dans le but d'installer ni plus ni moins un nouveau Califat régi par une interprétation dure de la charia. Le monde n'a pas besoin d'un second Iran même si celui-ci serait sunnite au lieu de chiite.

— Je suis entièrement d'accord avec vous. D'autant plus que nous savons que Téhéran soutient certains djihadistes, en même temps que le président, espérant que le victorieux, quel qu'il soit, lui sera reconnaissant. Il existe certainement une solution qui permette de mettre un terme à cette barbarie, tout en maintenant l'unité de la Syrie, dans le respect de toutes les communautés qui vivaient en bonne intelligence depuis des siècles.

— Oui, sûrement ! Et vous auriez une idée à me suggérer ?

— Là, comme ça ?

— Oui.

— Écoutez Paul, j'ai bien quelques pistes, mais guère plus. Jusqu'à présent, je n'ai pas eu besoin de me pencher sur le sujet. Avec l'affaire au Vatican, au Tibet et en Chine continentale, j'ai été suffisamment occupé ces derniers temps.

— Je m'en doute, si je me réfère à ce que Cyrus m'a raconté de l'épilogue à Pékin*. Mais accepteriez-vous, maintenant, une mission consistant à mettre sur pied un plan qui assurerait la paix en Syrie et son intégrité territoriale, sans que nous soyons obligés d'intervenir ?

— Vous êtes sérieux ? Monsieur le Président, vous dirigez la plus grande puissance mondiale, vous avez tous les services de renseignement que vous désirez ! Vous n'avez pas besoin de moi, ni du Sword.

— Eh bien, détrompez-vous, Mark. Le directeur adjoint, ici présent, soutient que votre agence de renseignement, non gouvernementale, certes, et de dimensions réduites comparées à la CIA, fait des prouesses tant dans la finesse et la précision de ses analyses que dans ses actions clandestines. Il m'a convaincu de vous mandater pour effectuer une étude sur le sujet. Bien entendu, Cyrus Cooper sera votre contact direct, et vous serez rémunéré selon vos barèmes habituels. Puis-je compter sur vous et obtenir, dans les plus brefs délais un projet d'action à me mettre sous la dent ?

— C'est faisable. Cependant, il me faudra deux semaines encore avant que je ne récupère tout mon staff, les nouveaux compris. Dès

* Voir *Panique au Vatican*.

lors, on s'y mettra dare-dare. Par ailleurs, je vous rappelle que nous ne sommes d'aucun camp, sauf celui de la justice et de la paix.

— Merci. Je savais que je pouvais compter sur vous, et sur votre neutralité légendaire. (Il lui serra vigoureusement la main en se levant.) Je ne vais pas vous retenir tous les deux plus longtemps. J'attends de vos nouvelles.

Ils sortirent du bureau et, le président Chan, les saluant une dernière fois, les laissa à la garde d'un membre du *Secret Service*[*] pour les ramener discrètement à l'extérieur.

[*] *Organe chargé uniquement de la protection du président des États-Unis.*

3

Mark venait d'achever son périple. Il avait atterri la veille à l'aéroport de Genève, non sans contentement, car la semaine écoulée avait été des plus chargées.

Cela avait commencé par un arrêt au Royaume-Uni afin de rencontrer un candidat informaticien à l'université d'Oxford et un attaché de recherche au *think tank*, mondialement connu sous le nom de Chatham House en raison de son adresse à Londres, mais dont la dénomination exacte était le *Royal Institute of International Affairs*.

Le lendemain, il avait pris la direction de Bruxelles pour un entretien avec un des membres de l'*International Crisis Group*, et l'après-midi, il s'envolait pour Moscou afin de rencontrer le vice-président du *Carnegie Moscow Center*, spécialiste des analyses internationales dans ce pays immense et, surtout, à la culture tellement différente du reste du monde occidental.

Ensuite, il avait rallié le point le plus éloigné de son périple en se rendant à Singapour afin de rencontrer un jeune docteur en informatique de l'université nationale.

De retour en Europe et en Suisse, il ne lui restait plus qu'à rencontrer deux jeunes ingénieurs des écoles polytechniques de Zurich et de Lausanne, ainsi qu'un des responsables d'études internationales du *think tank* français, l'Institut Français des Relations internationales, ou IFRI.

Il était ravi que ce marathon prenne fin, car, entre les nombreux vols intercontinentaux, les décalages horaires et la concentration nécessaire lors de ces entretiens, son périple n'avait pas été de tout repos. Mais c'était un passage obligé afin de rendre le Sword encore plus performant à l'avenir.

Étant arrivé en fin de matinée, il s'était laissé toute l'après-midi libre afin de se détendre, récupérer de son voyage et, au besoin, faire une sieste.

Sa nuit de sommeil ne fut pas aussi longue qu'il se l'était imaginée. Il n'avait programmé ses rendez-vous qu'à partir de dix heures, mais fut réveillé par plusieurs coups de sonnette vers six heures trente du matin, alors qu'il dormait profondément. Il se leva, et, titubant, descendit les escaliers pour atteindre la porte d'entrée blanche et massive de sa villa.

— C'est toi qui fais tout ce chahut ? s'exclama-t-il en clignant des yeux face au soleil levant, tout en regardant son meilleur ami, Laurent Boissier.

— Désolé de venir à cette heure Mark, mais je savais par Wendy que tu étais de retour depuis hier et une énorme tuile me tombe dessus ce matin ; j'ai besoin de toi.

— Entre vite, il fait frais. Et puis avec un café, je comprendrai mieux.

Laurent Boissier, descendant de banquiers genevois de génération en génération, n'avait pas pour habitude de débouler à une heure si avancée, lui qui avait reçu une éducation des plus strictes et protocolaires seyant à sa profession et, dirait-on même, à sa caste. S'il était habillé avec classe comme à son accoutumée, il était blême, le visage creusé d'inquiétude.

— Viens à la cuisine que j'enclenche la cafetière, cela ne sera pas long. Sans un pur arabica, je ne suis pas bon à grand-chose, comme tu sais. Assieds-toi sur un des tabourets de bar, et mets-toi à l'aise, tu me fais pitié avec ton pardessus et ton costume.

Mark rit de bon cœur pour détendre l'atmosphère.

— Merci, Mark.

Le banquier retira son pardessus et sa veste et, se sachant en compagnie amicale, commença à relâcher légèrement la pression. Pendant ce temps, Mark insérait déjà une capsule dans la machine et tirait deux cafés bien serrés. Il s'assit à son tour face à l'homme qui gérait sa fortune. Il ne l'avait jamais vu dans un tel état de tension.

— Bon, Lolo, tu peux maintenant m'expliquer ce que me vaut ce réveil en fanfare, alors que j'avais prévu une bonne grasse matinée.

— Je suis vraiment confus, Mark. Mais tu es le seul à qui je peux me confier et je te promets que je suis dans un merdier pas possible. Je n'aurai jamais imaginé que cela m'arrive un jour.

— Ne t'inquiète pas. Te connaissant, je me doute que tu ne me déranges pas pour le plaisir. Détends-toi et explique-moi ce qui te panique.

— Et bien voilà... Lis donc toi-même !

Laurent Boissier posa quelques journaux suisses et français sur le plan de travail central de la cuisine.

En parcourant les différents titres, très explicites, Mark fut vite au parfum. Pour la Tribune de Genève c'était : « Boissier, un banquier aux mains sales ? », pour le Matin : « La banque Boissier Naville & Cie dans la tourmente des tricheurs américains ! », etc.

Mark feuilleta rapidement les différents journaux, concentré.

— Tu comprends maintenant pourquoi je suis venu te voir aussi vite. Tu es le seul avec qui je peux en parler ouvertement, et le seul qui puisse m'aider.

— Dis-moi Lolo, les affirmations américaines disant que ta banque a démarché des contribuables aux USA pour les aider à frauder, sont-elles exactes ?

— Mark, je te donne ma parole que nous n'avons jamais été chercher des clients à l'étranger, ce n'est ni la politique de la maison ni notre stratégie commerciale. Par contre, nous recevons qui le souhaite en nos bureaux de Genève, y compris des Américains.

— Dans ce cas, pourquoi tu t'affoles ?

— Tu sais très bien qu'être innocent ne suffit pas face à des accusations qui, immanquablement, proviennent du gouvernement américain. Par ailleurs, comme tu peux le constater, la presse s'est déjà emparée de l'affaire et je suis présenté comme coupable. Alors, mets-toi un peu à ma place.

— Écoute, Laurent. Je comprends très bien que voir son nom sali dans tous les journaux n'est pas ce qu'il y a de plus agréable. Cependant, tu connais assez les journalistes pour savoir qu'ils sautent sur ce qui peut être croustillant pour leurs lecteurs. Il ne faut pas t'en formaliser et, surtout, tu dois garder la tête froide.

— Tu me fais rire. Tu crois que c'est facile ?

— Je n'ai pas dit ça. Mais si tu veux te défendre dans de bonnes conditions, tu dois garder ton flegme habituel, parler le moins possible et mettre en place ta défense. Si c'est le gouvernement américain qui te cherche des noises, on fera le nécessaire. Mais je t'en supplie, reste zen autant que possible.

— Je sais que tu as raison, mais je me sens désemparé.

— C'est normal, tu es au cœur de l'affaire.

— Tu m'aideras ?

— Voyons, Lolo. Est-ce que tu m'imagines te laisser tomber ?

— Non, en effet.

— On va mettre en place une stratégie globale et, ensuite, on contre-attaque. Cela te convient ?

— Oui, parfaitement. J'aimerais que ce soit toi qui pilotes tout cela. Je ne me sens pas à l'aise là-dedans.

— Je m'en occupe. Il faudra que tu me transmettes toutes les informations nécessaires. Je te ferai un mémo dès que possible.

— Merci, Mark.

— Dans ce cas, bois ton café qui refroidit. Après, retourne à tes bureaux. Prépare-moi déjà tous les documents qui pourraient m'aider. Surtout, pas un mot, ni en interne, ni à l'extérieur de la banque Boissier Naville & Cie. Pas de communiqué à la presse sans mon aval, OK ?

— D'accord.

— Alors, on fait comme ça. Je vais au bureau et j'en discute avec mes stratèges.

— Merci encore.

— Ne te fais pas plus de souci que nécessaire. On reste en contact.

4

Mark venait d'arriver à son bureau et buvait tranquillement son café.

Son téléphone sonna. L'indicatif affiché sur l'écran correspondait, d'après sa mémoire, au Palais fédéral.

— Walpen.

— Bonjour, monsieur ! Barbara Apfelbaum à l'appareil. Est-ce que je vous dérange ?

— Pas du tout.

— Je suis désolée de vous importuner ainsi. Je sais que madame la Conseillère fédérale a prévu d'organiser une rencontre de présentation prochainement, mais l'actualité nous rattrape et je pense qu'il serait bien que nous nous voyions de toute urgence.

— J'imagine que c'est important, pour que vous preniez la peine d'anticiper les choses et de bousculer ainsi le protocole…

— En effet. Si je pars maintenant de Berne, je devrais arriver à vos bureaux dans une heure environ. Cela vous conviendrait-il ?

— Parfaitement. Je vous attends.

— À tout de suite et merci.

Elle raccrocha.

Mark resta songeur suite à cet appel. Naturellement, il avait déjà entendu parler de l'ambassadrice Barbara Apfelbaum, qui venait juste d'être nommée à la tête de la Task Force du DFAE, le département fédéral des Affaires étrangères. Elle succédait ainsi à son père, l'ambassadeur Ralph Walpen qui avait démissionné après les festivités organisées par le président chinois*.

Cependant, pour qu'elle prenne contact avec lui malgré le protocole établi, il devait y avoir une raison sérieuse. Il se demandait quel événement requérait la collaboration du Sword.

Il décida de poursuivre son programme de travail initial et se rendit en salle de réunion afin de discuter de la situation de la banque Boissier Naville & Cie et de son patron.

Une heure et quart plus tard, son assistante, Wendy O'Loughlin, l'avertit que son rendez-vous venait d'arriver. Il lui demanda de l'installer dans son bureau et de lui servir à boire.

Quand Mark Walpen pénétra dans son antre, Wendy déposait deux expressos sur la table de réunion et s'apprêtait à repartir.

— Merci, Wendy.

Il lui sourit.

— De rien. Je vous laisse.

Elle referma la porte derrière elle.

Barbara Apfelbaum était assise et versait du sucre en poudre dans son café. Mark la rencontrait pour la première fois et était très intrigué. C'était une femme de taille moyenne, assez mince, habillée avec élégance d'un tailleur rose pâle et escarpins assortis. Ses cheveux blonds coupés au carré lui conféraient à la fois un côté très féminin et sensuel, et une autorité naturelle très affirmée adoucie par des yeux verts pétillants d'intelligence.

Mark s'approcha d'elle et lui tendit la main, tout sourire. Elle se leva et fit de même.

— Bonjour, madame ! Je vous en prie, restez assise.

---

* Voir *Panique au Vatican*.

— Merci.

Elle se rassit et saisit sa cuillère à café.

— Je ne m'attendais pas à faire votre connaissance aussi tôt.

— Je vous remercie de me recevoir si rapidement et de bousculer votre journée de travail. Un événement très important a eu lieu et j'ai considéré qu'il fallait vous en informer. D'ailleurs, Simona Zanetta est de mon avis.

— Je vois que vous avez déjà pris de bonnes habitudes. (Il lui sourit et elle en fit autant.) Alors, dites-moi tout.

— Il s'agit du Sahel et d'AQMI, très vraisemblablement. Nous avons appris de source sûre qu'un autobus qui ralliait N'Djamena à Faya-Largeau, au nord du Tchad, avec des ingénieurs du pétrole, a été détourné. Ils ne sont jamais arrivés à destination.

— Mais personne n'en a fait mention dans les médias jusqu'à présent.

— C'est arrivé avant-hier soir et l'information nous est parvenue hier soir par canaux diplomatiques. On peut penser que les journaux en feront état prochainement. Tous les pays touchés par l'affaire ont décidé pour le moment de maintenir un black-out.

— Et en quoi sommes-nous concernés ?

Mark avait sa mine sérieuse, concentrée.

— Il y a trois ressortissants de notre pays parmi les Occidentaux présumés enlevés.

— Je vois. Et les autres ?

— Il y a des Américains, des Anglais, des Français et quelques Tchadiens comme le chauffeur du bus.

— Et on ne sait pas où ils se trouvent ?

— Non.

— À ce que j'entends, vous entrez d'emblée dans le vif du sujet en tant que directrice de la Task Force.

— On pouvait difficilement faire plus rapide, en effet.

Elle adressa un sourire à son interlocuteur.

— Qu'attendez-vous de moi exactement ? Vous comprenez que je suis pris au dépourvu. Nous ne nous connaissons pas encore et je ne sais pas comment vous entendez gérer nos relations. Jusqu'à présent, c'était aisé, vu que le directeur de la Task Force était aussi mon père. Les choses se sont mises en place d'elles-mêmes.

— Monsieur Walpen, je comprends très bien votre position. Si je suis venue si vite vous rencontrer, ce n'est pas par hasard. J'ai eu le temps, ces derniers jours, de faire le point concernant mes attributions avec la Conseillère fédérale. Elle m'a longuement expliqué le rôle de monsieur Ralph Walpen et vos différents faits d'armes. Simona Zanetta tient à ce que notre collaboration perdure, et je peux d'ores et déjà vous affirmer que je suis moi-même tout à fait convaincue de son importance. Il n'y a aucune raison pour que les choses évoluent dans le mauvais sens. J'apporterai peut-être une touche féminine à nos relations. (Elle lui sourit.) Cela vous changera de votre père. Mais nous apprendrons à nous connaître et à collaborer en harmonie.

— J'en suis convaincu.

Il lui sourit.

— Pour ce qui est de mes fonctions, je suis déjà habituée à travailler en période de crise, puisque je représentais la Suisse à l'ONU et que je reportais à monsieur l'ambassadeur spécial Walpen.

— Ne vous inquiétez pas pour moi. J'ai une entière confiance dans les choix de madame Zanetta et je crois savoir que mon père soutenait votre candidature en catimini depuis l'Australie. Pour revenir au Sahel, vous voyez les choses de quelle manière ?

— Dans un premier temps, mes services ont pris contact avec les familles concernées, afin qu'elles n'apprennent pas l'enlèvement par les médias.

— C'est préférable, en effet. Et sinon ?

— Je suis ici pour en parler avec vous, car je pense que nous devons décider de la suite ensemble. Comme votre père par le passé, je représente le Réseau Ambassador, qui est notre source de renseignement. Ensuite, le Sword se charge de l'analyse et de la stratégie, en harmonie avec le DFAE si cela a des répercussions sur la Suisse. Au sujet de cette affaire, je ne vois pas ce que nous pouvons faire tant qu'il n'y a aucune revendication.

— Votre analyse de la situation me paraît des plus justes. Je pense qu'avant de prendre une quelconque décision, il nous faudrait en savoir plus. Par contre, cela ne nous empêche pas de mettre le Sword en veille et de commencer à élaborer des scénarios.

— Cela fait partie de vos attributions, mais, si vous l'acceptez, cela m'intéresserait de suivre le processus en tant qu'observatrice.

— Je vous répondrais que, quand Ralph avait votre poste au DFAE, il assumait aussi les fonctions de directeur adjoint du Sword. C'est ainsi qu'il apportait les compétences du Réseau Ambassador et participait aux décisions du *Board*.

— Vous accepteriez cela ?

— En tout cas, je n'y suis pas opposé. Si votre patronne l'agréé, on peut essayer.

— Je vous étonne, si je vous dis qu'elle m'en a déjà touché deux mots et que j'ai le sentiment qu'elle verrait cela d'un bon œil ?

— Ça, c'est du Zanetta tout craché ! Je dirais que les relations humaines fortes se tissent avec le temps. Il faut donc bien que nous commencions à collaborer pour apprendre à mieux nous connaître. Après ce que vous venez de me raconter, j'ai une proposition à vous faire.

— Je vous écoute.

— Puisque vous êtes là, si vous avez quelques minutes devant vous, je vais vous présenter une grande partie de l'équipe du *Board* qui est présente ce matin. Comme cela, vous ferez connaissance avec nos différents stratèges et commandants d'actions clandestines, entre autres, avec qui vous aurez de fréquents contacts. Ce matin, nous avions une réunion et, par conséquent, ils sont quasiment tous encore dans le bâtiment.

— Dans ce cas, ce sera avec plaisir. De toute façon mon emploi du temps est, par définition, à géométrie variable.

Elle le regarda avec une certaine malice et un sourire mettant en valeur quelques taches de rousseur au niveau de ses pommettes.

— Alors, venez.

Barbara Apfelbaum était ravie et appréciait ce premier contact avec une personne sur laquelle elle devrait compter dans ses nouvelles fonctions. Non seulement Mark Walpen était, selon les informations qu'on lui avait communiquées, un stratège hors pair, mais en plus il était charmant, intelligent... et bel homme, ce qui ne gâtait rien, se dit-elle intérieurement.

5

Mark arrivait au CHUV, l'hôpital universitaire de Lausanne, pour déjeuner avec la marraine de ses deux enfants, le professeur Anook Kammermann. Il demeurait étonné qu'elle lui ait intimé de la rejoindre dans son cadre professionnel, sachant qu'ils auraient très bien pu se rencontrer à sa propriété, dans laquelle la jeune femme se rendait souvent.

Il rejoignit rapidement le bureau où l'assistante du chef de service de neurochirurgie pédiatrique l'accueillit.

— Bonjour, monsieur Walpen ! Le professeur sera bientôt à vous. (Elle sourit.) Elle a presque fini avec un petit patient. Je vous laisse vous asseoir quelques instants.

— Merci beaucoup.

À peine trois minutes plus tard, le professeur Kammermann ouvrait son bureau, laissant sortir un jeune garçon, un grand bandage à la tête, accompagné de sa mère. Elle embrassa son patient, salua chaleureusement la mère, et tous deux s'en allèrent. Elle rejoignit la salle d'attente, juste en face.

— Alors, monsieur Walpen, nous avons rendez-vous ?

— Apparemment, oui.

— Allez, viens et ne fais pas cette tête-là.

Elle lui sourit.

Mark, toujours quelque peu tendu et distant, se leva et la suivit dans son bureau. Elle referma la porte. Lui s'assit en face du bureau comme pour un entretien professionnel.

— Dis-moi Anook, je peux savoir à quoi ça rime tout ce cirque ? Je n'ai pas l'habitude de me faire convoquer ainsi.

— Mark, je suis vraiment désolée. Je ne désirais ni te blesser ni te donner d'ordres. J'espère que tu comprendras la raison de ce mystère, quand je t'aurai tout expliqué.

— Je t'écoute.

— Eh, bien...

Elle semblait mal à l'aise.

— Mais enfin, Anook, qu'est-ce qui se passe ?

— Je suis enceinte.

Elle rougit mais se sentit soulagée d'avoir lâché le mot.

— Quoi ? De qui ?

— À ton avis ? Du voisin ? répliqua-t-elle avec ironie, quelque peu vexée.

— Oh *sorry*, je ne voulais pas te blesser. Je n'ai pas réfléchi.

— Ça se voit, ajouta-t-elle encore un peu amère face à cette réaction.

— Mais comment cela se fait ? On n'a pas fait l'amour ensemble si souvent que cela, depuis notre retour de Chine. Et puis ne m'en veux pas, mais tu m'avais expliqué qu'à quarante-cinq ans, tu ne risquais plus d'être enceinte.

— Apparemment, les médecins sont les plus mal placés pour s'occuper de leur propre santé. (Elle esquissa un sourire, l'atmosphère restant quelque peu tendue.) J'avais du retard, j'étais débordée, comme d'habitude, et je ne me suis pas inquiétée. Et puis, après quelques malaises et nausées au bloc opératoire je me suis rendue à l'évidence. J'ai donc effectué une prise de sang et j'ai reçu les résultats hier. D'où mon appel. Je pensais que c'était assez peu approprié de discuter de ça chez toi. Je ne désirais pas te donner l'impression de te convoquer, mais je souhaitais te garantir une certaine discrétion par rapport aux jumeaux.

— Oui, tu as bien fait. Je te remercie. (Il reprenait contenance après le choc.) Et tu comptes faire quoi ?

— Si je t'en parle, c'est que je n'ai pris aucune décision et je considère que nous sommes concernés tous les deux. Cet enfant n'est pas venu par le Saint-Esprit. (Elle lui sourit.) Je suis aussi troublée que toi. Comme tu le sais, j'avais fait mon deuil d'avoir un jour un enfant. Ma carrière m'accaparait suffisamment. Être enceinte est la dernière chose à laquelle je m'attendais. Par ailleurs, même si nous nous sommes rapprochés depuis nos vacances à Hainan, nous ne formons pas officiellement un couple. Je voulais donc en discuter aussi vite que possible et connaître rapidement ton avis.

— Anook, je suis totalement pris de court. Certes, nous nous fréquentons depuis quelques semaines, mais nous n'avons pas parlé de nous mettre en ménage demain, ni d'élever un enfant. Donc, c'est la surprise du jour.

Il réussit à esquisser un sourire, pour la première fois depuis son entrée dans le bureau.

— Tu sais, Mark, je crois que nous sommes tous les deux pris au dépourvu.

Elle se leva pour s'approcher de lui et s'assit à ses côtés en lui prenant affectueusement la main.

— Oui, tu as raison. On a l'air de deux ados. (Il sourit à son tour.) Et toi, Anook, tu en penses quoi, au fond de toi ? Tu as eu quelques heures, déjà, pour y réfléchir.

— Je tiens à te dire quelque chose d'important avant de te répondre. Si je t'ai demandé de venir pour t'informer de la situation, il n'est pas question pour moi de te faire un quelconque chantage et d'exercer des pressions sur toi. Ce n'est pas mon genre.

— Anook, je te connais assez pour m'en douter. Mais je voudrais juste que tu m'exprimes ce que tu ressens. Souhaites-tu garder cet enfant ou pas ?

— C'est gentil, Mark. (Elle le dévisageait avec tendresse.) Je dirais que je n'avais pas imaginé que cela m'arriverait à mon âge. Je m'étais faite à l'idée, il y a déjà pas mal d'années, que je ne serai jamais mère. Finalement, ma carrière me permettait de me dévouer aux enfants qui souffraient. Porter un enfant de toi, que j'aime, c'est le cadeau miraculeux. Mais je ne veux pas t'imposer une paternité, ni t'obliger à quoi que ce soit par rapport à moi sachant que nous n'avons fait aucun projet pour notre avenir.

— Mais si je ne souhaitais pas que tu le gardes, tu le garderais quand même ?

— Je ne me suis pas posé la question. Je ne te cacherai pas que, pour moi, c'est un bonheur inattendu. Mais je voudrais que nous en parlions et que nous décidions ensemble. Et toi ?

— Je suis désemparé, avoua-t-il. Cependant, je me vois mal t'interdire de garder cet enfant, alors que c'était ton vœu le plus cher et que, moi, j'ai eu la chance d'en avoir trois.

— Quoi qu'il arrive, tu serais d'accord pour que je le garde ?

— A priori, oui. Mais la nouvelle est encore fraîche, il me faut la digérer, car cela peut changer pas mal de choses.

— Mark, même si je t'aime, je ne veux en aucun cas que tu penses que je t'ai piégé, ni que tu te sentes obligé de faire ta vie avec moi à cause de ça.

— Anook, ne nous emballons pas. On aura le temps de voir comment faire. Comme tu dis, on peut laisser les choses se mettre en place d'elles-mêmes, sans rien changer à la situation actuelle.

— Tu es chou.

Elle se leva et l'embrassa affectueusement sur les lèvres.

Mark était désarçonné par ce qu'il avait appris, mais se remettait lentement. Il finit par prendre la jeune femme dans ses bras et se laissa aller à son émotion.

Anook, qui s'était angoissée de la réaction de Mark, se mit à pleurer à chaudes larmes, rassurée, et toute à sa joie de future mère.

— Si tu savais comme je suis heureuse. (Elle souriait épanouie.) Allez, viens, on va fêter ça. Avec du jus de pomme pour moi.

Elle se leva et ouvrit la porte de son bureau. Ils se rendirent au restaurant du personnel. Mark reprenait peu à peu ses esprits.

6

La Russie avait obtenu d'organiser le G20 sur son sol. Son président était ravi, d'autant plus que la ville choisie était Saint-Pétersbourg, cité de ses ancêtres, à laquelle il restait viscéralement attaché.

La Suisse, qui n'était pas membre de droit du G20, avait été conviée en raison du thème concernant les finances internationales, avec un soutien appuyé des deux grandes puissances qu'étaient les États-Unis et la Russie. Par conséquent, une délégation helvétique devait s'y rendre, à commencer par le président pour l'année en cours et la Conseillère fédérale des Affaires étrangères, Simona Zanetta. Naturellement, leurs principaux conseillers les accompagneraient et feraient partie du voyage à bord du Falcon 900 EX de la confédération.

Barbara Apfelbaum avait tout fait pour participer à l'événement. L'opportunité de rencontrer de nombreux chefs d'État et de gouvernement et d'observer ce qui s'y passerait était une occasion qu'elle n'aurait ratée en aucun cas. Elle en profita pour faire une proposition à sa ministre de tutelle qui en fut tout d'abord étonnée, puis ravie. Elle appela donc Mark Walpen.

— Bonjour, monsieur Walpen ! J'ai une offre à vous faire.

— Bonjour, madame ! Je préférerais que vous m'appeliez Mark, comme tout le monde.

— Avec plaisir, à condition que vous m'appeliez Barbara.

— D'accord. Alors, que souhaitiez-vous me proposer ?

Il avait un sourire en coin, se demandant ce qu'elle avait bien pu mijoter.

— J'ai obtenu de ma ministre de participer, d'ici quelques jours, au G20. Comme notre présence y est exceptionnelle et ne se renouvellera peut-être pas de sitôt, je me suis dit que ce serait l'occasion qu'un de vos stratèges en chef m'accompagne. Comme cela, il pourra lier certains contacts et observer ce microcosme en direct. Qu'en pensez-vous ?

— Je dois dire, Barbara, que sur ce coup, vous m'avez pris de court. On se connaît encore assez peu et vous nous offrez déjà des opportunités de collaboration des plus alléchantes.

Il rit.

— Au moins, mon initiative vous amuse.

— Vous avez pensé à quelqu'un en particulier ?

— En toute franchise, non. Je crois que c'est à vous de gérer cet aspect-là.

— Comme vous le savez depuis votre venue en nos murs, la cheffe des stratèges, c'est Alexia Pictet, professeur de géopolitique et de géostratégie à Genève. J'aurais donc tendance à penser que c'est elle qui devrait vous suivre. Il faut lui poser la question directement, car je ne connais pas ses contraintes universitaires en matière d'emploi du temps.

— Vous pouvez vous en occuper ?

— Tout le mérite vous appartient, par conséquent, je vous laisse l'honneur de lui en parler. Je vous envoie tout de suite ses coordonnées par courriel.

— Merci beaucoup.

— C'est plutôt à moi de vous remercier d'avoir pensé à nous. Vous n'y étiez pas obligée.

— Certes, mais si nous travaillons ensemble et que nous voulons être les plus performants possible, nous devons tout partager. Enfin, c'est ma vision des choses.

— Sachez que j'apprécie beaucoup votre état d'esprit. Je vous laisse gérer cela, et tenez-moi informé.

— Entendu. Bonne journée, Mark.

— Vous de même. À bientôt.

Il raccrocha tout sourire.

Le jour du départ pour Saint-Pétersbourg était arrivé et le professeur Alexia Pictet, qui avait fortement apprécié l'invitation, s'était organisée avec l'un de ses collègues pour assurer ses cours. Pour rien au monde elle n'aurait manqué cette occasion qui lui était offerte de se retrouver au cœur du système et auprès des décideurs, ce qui n'arrivait presque jamais à une analyste de la politique internationale.

Barbara Apfelbaum et ses services avaient tout arrangé. Alexia avait reçu son billet d'avion Swiss, dont le vol ralliait directement la ville du Tsar Pierre 1er depuis Genève. Là, elle rejoindrait son hôtel et la directrice de la Task Force, qui arriverait par un vol au départ de Zurich. Une fois les laissez-passer en main, elles pourraient se promener à leur guise au sein de la zone protégée allant du Palais Constantin au centre de la ville impériale.

Les deux femmes avaient bien l'intention de profiter de cette veille de sommet pour rencontrer des diplomates et des sherpas, négociateurs des grands accords. Elles savaient que ce serait plus aisé ce soir-là, sachant que les chefs de délégation n'arriveraient que le lendemain matin, suivant un protocole bien huilé.

Une des raisons, purement professionnelles qui avaient motivé Alexia à venir, et que Mark avait encouragée, était que, quoi que l'on en pensât, la Russie demeurait une puissance incontournable dans le monde. Alexia souhaitait profiter de son séjour pour mieux comprendre et appréhender la politique du président Dimitri Sokolov, nouvellement réélu.

Quand le président Eltsine avait pris le pouvoir en 1990, Sokolov faisait partie de ses plus proches collaborateurs et d'aucuns pensaient qu'il serait son dauphin. Ce fut donc une surprise pour les observateurs du monde entier de découvrir un certain Serguei Belozerski, qui était jusqu'alors resté dans l'ombre du président, prendre les rênes du pouvoir.

Cet oligarque, proche des milieux économiques, avait tissé sa toile depuis de longs mois, voire de longues années, autour du vieux dirigeant. Il bénéficia en toute discrétion de l'aide du service de renseignement intérieur, le FSB, héritier du tout puissant KGB de l'ex-URSS dans sa conquête du pouvoir. La libéralisation de l'économie russe, accompagnée d'une corruption inégalée à la chute de l'Union soviétique, lui avait fourni les prétextes dont il avait besoin pour agir.

On apprit plus tard qu'il avait négocié un départ en douceur du président miné par l'alcool, en lui promettant une amnistie, le laissant ainsi profiter de biens d'État plus ou moins légalement acquis. Le vieux président, sentant sa situation en péril, avait accepté le *deal* et nommé, quelques mois avant l'issue de son mandat, Serguei Belozerski chef de son gouvernement.

Tout naturellement, celui-ci fut désigné candidat du Parti au pouvoir pour les élections présidentielles et succéda à Boris Eltsine à la tête de la Fédération de Russie. Ce dernier coula des jours heureux dans sa datcha moscovite, et, le président Belozerski ayant tenu sa promesse, sa famille fut mise à l'abri de tout besoin. Trois mois après son accession au poste suprême, une loi avait été promulguée, qui protégeait l'ancien président de toute poursuite. L'affaire avait été rondement menée par le FSB qui ne souhaitait en aucun cas être le dindon de la farce de la chute du communisme en Russie et voulait bénéficier du soutien du président élu.

Le début du premier mandat du président Belozerski s'était présenté sous de bons auspices. Après des décennies de privations, le peuple russe souhaitait, lui aussi, profiter des retombées économiques de la libéralisation. C'est ainsi que le pouvoir put s'appuyer sur une classe moyenne de plus en plus aisée.

À l'étranger, son image était excellente. Il se montrait beaucoup plus conciliant que ne l'avait jamais été l'URSS. Il était considéré par ses pairs occidentaux comme un partenaire loyal et constructif. Quelques années plus tard, au début de son second mandat, alors que le président Belozerski effectuait une randonnée à cheval, sa monture le désarçonna violemment. Il chuta et se brisa la nuque.

Après un intérim de trois mois, le nouvel homme fort du régime devint Dimitri Sokolov, qui n'entendait pas louper une seconde fois le coche à près de soixante ans. Le pays, aspirant à une certaine paix, mais aussi à renouer avec une grandeur passée, fit confiance à cet homme du sérail. Il venait de commencer son second mandat et son régime, vu de l'Occident, semblait se durcir.

Barbara Apfelbaum était satisfaite d'être accompagnée par Alexia et comptait sur elle pour lui expliquer les tenants et les aboutissants des politiques intérieures et extérieures russes.

Avec son mètre soixante-cinq, qu'elle compensait la plupart du temps par des escarpins à talons, Alexia avait une silhouette fine, des cheveux brun foncé coupés au carré sur ses épaules et des yeux noisette qui reflétaient sa pétillance.

Les deux femmes étaient attablées au restaurant de leur hôtel et discutaient de tout et de rien, afin de faire plus ample connaissance.

— Dites-moi Alexia, vous qui êtes experte en géopolitique, vous en pensez quoi, du décès subit de Bolozerski et de l'arrivée du vétéran Sokolov, il y a maintenant sept ans ?

— Concernant Belozerski, je fais partie de ceux, peut-être à cause de mon appartenance au Sword, qui pensent que cet accident n'est pas nécessairement dû au hasard.

— Vous sous-entendez que l'on aurait provoqué sa chute à cheval ?

— Reconnaissez que cela tombait à pic. Il disparaît alors que sa mainmise sur toutes les institutions du pays était controversée, et contestée par certains, dont Sokolov. D'autre part, mes camarades commandants des Faucons m'ont gentiment rappelé que c'était une pratique courante, dans certains pays. Je rajouterai que, comme par hasard, celui qui avait pâti de son ascension fulgurante l'a remplacé à peine une année après son second mandat. Quelle surprise ! Au Sword, nous nous méfions par essence de toute coïncidence.

— J'avais lu que certains considéraient que l'accident n'en était pas un, mais je trouvais cela assez fantaisiste. Maintenant que vous m'en parlez, ça me semble plus réaliste, même si cela ne rentre pas dans mon mode de fonctionnement.

— Je vous comprends. Mais n'oubliez pas que nous ne sommes pas dans le même monde. La Russie ne connaît la démocratie que depuis peu, si tant est que cela en soit une, vu de notre place. Nous parlons d'un pays où celui qui préside est, certes, élu, mais concentre en ses mains tous les pouvoirs, de la presse à l'armée en passant par les services secrets intérieurs et extérieurs. Il lui est donc assez aisé de faire en sorte d'être réélu en muselant l'opposition.

— Et, bien entendu, Sokolov avait les moyens de sa politique, exact ?

— Affirmatif, comme disent nos commandants. N'oubliez surtout pas que c'est un homme qui a fait toute sa carrière au sein de l'appareil soviétique et, en plus, au cœur de celui-ci : l'armée. Il est général, et ancien patron du GRU, les services de renseignement des armées.

— En gros, c'était le concurrent direct du FSB et du SVR, et donc de Belozerski.

— Oui. L'armée a beaucoup perdu avec la chute de l'URSS. Il y a de la revanche dans l'air, à mon avis.

— Que pensez-vous du président Sokolov et de sa politique depuis son premier mandat ?

— Pour tout vous dire, mon opinion n'est pas tranchée. D'un côté, il donne l'impression de démocratiser la Russie et de continuer dans les pas de son prédécesseur. De l'autre, les signes du verrouillage des institutions par son parti et la répression des opposants sont visibles. En matière d'affaires internationales, on observe le même phénomène. Il affiche une volonté de participer au concert des nations et, dans le même temps, est au centre de nombreuses crispations. D'ailleurs, nous le constatons dans la crise ukrainienne, qui n'est pas récente, mais qui connaît actuellement un raidissement des plus inquiétants. Les menaces de coupures de gaz ou d'augmentation des taxes à l'importation des produits ukrainiens sur son territoire, que pratique la Russie pour soutenir son allié, le président Pouchiline, en sont l'illustration. C'est ainsi que la proposition d'accord avec l'Europe a été refusée au profit d'une alliance unique avec la Russie. Ce coup de force de Sokolov est risqué, car les opposants au président ukrainien n'acceptent pas cela, et demandent à présent son départ. La situation place Maïdan est très tendue.

— Mais vous croyez que l'on va revenir à l'ancien régime en Russie ?

— Cela paraît peu probable. Cependant, le pouvoir présidentiel en Russie peut revêtir toutes sortes de formes, vu qu'il est détenu par un seul homme ou une seule clique. Cela peut donner l'impression d'être une démocratie sans en être une. Personnellement, je m'attends à tout. Je reste convaincue que le rêve de la grande Russie est ancré dans le cœur de chaque citoyen de ce pays. Il suffit alors à son dirigeant du moment de surfer sur la vague. C'est bien pourquoi je suis aussi heureuse d'être ici. Je vais pouvoir humer en direct ce qui se trame. Merci encore pour l'invitation.

— Ce n'est rien. Je suis persuadée que votre présence sera positive pour nous tous et je compte bien profiter de vos lumières, ajouta la diplomate en souriant.

— Oui, vous avez raison.

— Parlez-moi un peu de votre patron, Mark Walpen, demanda soudain Barbara. J'aimerais en apprendre plus sur ce beau ténébreux.

— Que voulez-vous savoir ? Oui, c'est un très bel homme, avec beaucoup de charme, et intellectuellement brillant.

— Vous résumez assez bien l'impression que le personnage m'a laissée. Vous ne me parlez pas de sa vie familiale.

— Quand vous dites ténébreux, vous touchez involontairement la réalité. Mark a perdu sa femme et sa fille aînée lors des attentats du 11 septembre 2001. Il a quitté les USA avec ses jumeaux, âgés de trois ans à l'époque, et est revenu s'installer dans son pays d'origine. Il a eu beaucoup de difficultés à s'en remettre.

— Je comprends mieux son air triste et presque distant. Il n'a jamais refait sa vie ?

— Je ne crois pas que Mark soit distant ou froid, mais il lui faut du temps pour se dévoiler. Quand on le connaît bien, il est très humain et chaleureux, mais il le laisse paraître discrètement. Sinon, il n'a pas refait sa vie. On sait qu'il a des relations très privilégiées avec le professeur Anook Kammermann, la cheffe du service de neurochirurgie pédiatrique du CHUV. C'est la marraine de Zoé et Elliott, elle s'occupe beaucoup d'eux et leur apporte une affection toute maternelle. Leur relation, qui était essentiellement amicale jusque-là semble avoir évolué ces derniers mois, mais je ne suis pas dans le secret des dieux et ne m'occupe guère de l'intimité de mon patron. Pourquoi toutes ces questions ? Il vous plaît ?

— Il est très attirant, je l'admets. Mais je voulais juste mieux le cerner. Un homme qui met en place une structure comme le Sword intrigue.

— Et vous Barbara, pas de famille ?

— Oh, vous savez, la vie est parfois compliquée. J'ai été mariée quelques années. Mon époux a très mal supporté que je fasse carrière comme ambassadrice, et a renoncé rapidement à me suivre dans mes postes. Nos routes se sont éloignées. Il semble que sa vie ait basculé et alors que nous étions en instance de divorce, il s'est suicidé. Cela fait qu'officiellement je suis veuve. Aberrant, non ? Et vous Alexia, pas de mari ?

— J'ai privilégié ma vie professionnelle. C'est ainsi que j'ai été nommée professeur à trente-sept ans, dans un domaine habituellement réservé aux hommes. Alors, planter une famille au milieu de tout cela, ce n'était franchement pas une bonne idée. Cela ne m'empêche pas d'avoir une vie privée et amoureuse, mais je la garde pour moi.

— Je vous comprends. Moi aussi, même si, de ce côté, c'est plutôt le calme plat.

Elle se mit à rire, suivie aussitôt par la stratège.

— Cela peut arriver. Des fois, il vaut mieux ne pas précipiter les choses.

— Vous avez raison.

7

Anook se sentait soulagée par la réaction de Mark, qui sans être exagérément enthousiaste, démontrait son ouverture d'esprit et sa compréhension. Elle le connaissait assez pour savoir qu'avec lui, il ne fallait jamais bousculer les choses. Cela prendrait le temps nécessaire, mais elle avait la conviction qu'il serait ravi de la situation, une fois le moment de surprise passé.

Leur relation amoureuse était récente, à peine plus de trois mois. Pour l'instant, ils sortaient ensemble et n'avaient pas encore parlé de vivre en couple, et encore moins, compte tenu de l'âge d'Anook, d'agrandir la famille.

Le plus important pour elle était que le père de l'enfant qu'elle portait respecte son choix de donner la vie, un rêve qui se réalisait alors qu'elle ne s'y attendait plus. Elle était persuadée que Mark serait heureux de cette surprise, et le fait de s'installer ensemble demeurait subsidiaire. Elle restait philosophe : les choses se mettraient d'elles-mêmes en place.

Pour le moment, elle se consacrait en priorité à sa grossesse et à son activité professionnelle, qu'elle allégeait afin d'éviter tout malaise malvenu en pleine opération. Elle demeurait très sereine sur l'avenir de sa relation avec l'homme qu'elle aimait en secret depuis longtemps déjà.

Ce jour-là, elle devait déjeuner avec une de ses consœurs et amies qu'elle n'avait pas revue depuis deux années. Anook Kammermann et Laura Glassey avaient suivi leurs études de médecine ensemble à Lausanne. Elles étaient toutes deux pédiatres de formation. Anook avait choisi de poursuivre son cursus, jusqu'à devenir une neurochirurgienne de renom. Laura, elle, désirait depuis toujours se mettre service des enfants en péril. Aussi avait-elle décidé de rejoindre MSF Suisse rapidement après ses études. Elle partait en mission pour une à trois années, dans des régions où les enfants manquaient de tout et en particulier de soins médicaux.

Les deux femmes s'appréciaient beaucoup et restaient en contact autant que faire ce peut. Ces dernières années, la doctoresse Glassey avait souvent été mandatée en Afrique, continent qu'elle connaissait bien, à présent. Anook était fascinée par le don de soi total qui caractérisait son amie. Elle se réjouissait de déjeuner avec elle après sa dernière consultation du matin.

Comme à son habitude, Laura débarqua dans le bureau du chef de service de neurochirurgie pile à l'heure.

— Tu as beau vivre plus en Afrique que chez nous, tu restes toujours aussi ponctuelle, lança une Anook, tout sourire, et elle embrassa son amie.

— On ne se refait pas. Là-bas on fait assez différemment, c'est vrai.

— Je me doute. Allez, viens, on descend à la cafétéria.

— Volontiers, j'ai faim. En plus, ici, c'est l'opulence.

— Je veux bien croire.

Elles rejoignirent le restaurant de l'hôpital, tout en continuant de s'informer de l'actualité de chacune. Leur plateau en main, elles s'installèrent dans un coin au calme.

— Tu m'as l'air épanouie et fatiguée à la fois, Anook. Je me trompe ?

— Tu as toujours des yeux aussi perçants ! Je suis très heureuse et en même temps épuisée, ces derniers temps. Ma vie a pris un tour que je n'avais pas du tout envisagé.

— Tu es tombée amoureuse ? C'est celui auquel je pense ?

— Ben, oui. Mais il y a autre chose d'encore plus étonnant.

— Accouche, Anook.

— Tu ne sais pas à quel point tu en es proche en disant cela.

— Nan ! À ton âge ?

— Tu imagines bien ma tête quand cela s'est confirmé.

— Mais c'est génial !

— Oui. Et toi Laura ? Raconte-moi ta vie.

Le docteur Glassey raconta sa dernière mission, qui se situait à cheval entre la République démocratique du Congo, la Zambie et l'Angola.

— Je ne te cacherai pas que ma venue aujourd'hui n'est pas totalement désintéressée.

— Dis-moi ce qui te tracasse.

— Eh bien voilà. Dans toutes mes missions jusqu'à présent, j'ai dû faire face à des problèmes de malnutrition, de santé publique et j'en passe. Dans celle-ci, c'est pareil, sauf qu'il y a une nouvelle constante qui me perturbe. C'est là que tu interviens. Nous observons, aux différents camps que je supervise, un taux anormalement élevé de malformations crâniennes et de maladies neurologiques.

— Et tu attribues cela à quoi ?

— Pour le moment, je n'ai aucune piste. Il y a certainement une cause, mais je ne la connais pas. Il faudra la déterminer et voir si on peut l'éradiquer. Ce qui m'inquiète le plus pour l'instant ce sont mes petits patients.

— Je l'imagine aisément. Tu attends quoi de moi ?

— Voilà ! Ces pathologies dépassent largement mon niveau de compétence. Là-bas on a des structures efficaces, mais assez basiques par rapport à ce dont tu peux bénéficier ici. Mon idée serait d'effectuer en premier lieu une analyse précise de la gravité des pathologies. Ensuite, on pourra déterminer si on peut se contenter d'opérer des enfants sur place, ou bien s'il faut envoyer ici les cas les plus sérieux. Pour moi, toi seule peux exécuter cette tâche. Tu m'avais dit qu'un jour, tu viendrais m'épauler quand j'en aurai besoin. C'est le cas. Je ne savais pas que tu serais enceinte quand je te le demanderais.

— Tu ne pouvais pas le deviner, car moi non plus je ne m'en doutais pas. (Elle éclata de rire et de bonheur.) Pour le moment, je n'en suis qu'à mon second mois, donc, il n'y a aucun souci. J'ai juste quelques malaises, mais c'est normal, au premier trimestre.

— Tu accepterais de venir ?

— Il y en a pour combien de temps ?

— Je dirais dans les 15 jours à 3 semaines maximum.

— Je te pose la question parce que je dois regarder mon planning. Je ne peux partir comme ça, en laissant un patient tout juste opéré. Peux-tu me laisser les quatre semaines à venir pour m'organiser et voir ce que je peux faire ?

— En l'occurrence, il n'y a pas une extrême urgence, même si je pense qu'il ne faut pas trop tarder.

— Je n'ai pas dit l'année prochaine. (Anook sourit.) Comme je dois accoucher dans 6 mois, c'est assez vite vu, j'ai 4 mois maximum pour régler l'affaire et être de retour.

— Vu comme cela, en effet.

— Je regarde et je te fais une proposition.

— C'est parfait. Tu me retires une grosse épine du pied.

— Je te l'avais promis. Je viendrai.

— Merci.

Elles se quittèrent sur ces mots.

8

Mark revenait lentement de sa surprise. Il se faisait à l'idée d'être père pour la quatrième fois. Il ne l'avait pas envisagé, de même qu'il n'avait échafaudé aucun plan quant à sa relation avec Anook. Il s'était dit qu'il aurait le temps de voir l'évolution que prendrait celle-ci. Anook venait déjà beaucoup plus régulièrement à la villa, depuis leurs vacances en Chine et restait très souvent dormir. Ils étaient restés très discrets vis-à-vis des jumeaux, ne souhaitant pas bousculer les choses. Mais Anook, qui les connaissait bien était convaincue qu'ils se doutaient déjà de quelque chose.

D'autre part, il était conscient que la jeune femme avait pris beaucoup de place auprès de ses enfants. Finalement, la vie leur avait joué un magnifique tour, qui ferait d'Anook une mère de famille de trois enfants. Il pressentait que les deux aînés n'attendaient que cela depuis longtemps. Il était sûrement temps de passer à une autre histoire d'amour, après plusieurs années de veuvage.

Sa vie professionnelle l'accaparait beaucoup, ces derniers jours, et il ne pouvait plus compter sur « Papinou », son père Ralph, pour garder les enfants, car il vivait maintenant en Australie. Il s'était donc résolu à embaucher une gouvernante qui s'occupait de l'entretien complet de la villa, cuisinait pour la famille et allait chercher les enfants à l'école. Ces derniers y restaient un peu plus tard, en études surveillées, ce qui soulageait Mark et sa nouvelle employée. Il était ainsi assuré que les devoirs étaient effectués correctement, en particulier ceux d'Elliott. S'il devait s'absenter, il savait qu'Anook jetait un coup d'œil aux enfants, et une baby-sitter venait dormir à la maison et s'occupait d'eux.

Ce soir-là, il devait diriger la réunion stratégique hebdomadaire pendant laquelle les membres du *Board* se retrouvaient et faisaient le point. Ce serait la première fois que le conseil de direction du Sword se réunirait avec tous ses nouveaux membres, recrutés dans le monde entier et spécialisés dans les domaines de la géopolitique, de l'informatique et du web. « Heureusement que la salle de meeting était déjà grande ! » se dit Mark en y entrant. Le *Board* avait doublé.

Il fit le tour des tables disposées en ovale et salua chaleureusement chaque membre, comme à son habitude. Il savait que, sans eux, le Sword n'avait aucune valeur. De même, il était reconnaissant envers les anciens, avec qui il avait vécu de nombreuses expériences périlleuses. Il s'assit et prit la parole.

— Mesdames et Messieurs, le moins que l'on puisse dire, c'est que le conseil de direction du Sword s'est considérablement étoffé. (Un rire général et communicatif éclata.) J'espère qu'à présent nous n'aurons qu'à ajuster régulièrement nos effectifs et que nous avons d'ores et déjà la bonne dimension pour être efficaces en toutes circonstances. J'en profite pour préciser que nos nouveaux collègues ne représentent que la partie émergée de l'iceberg, si je puis dire. Leur rôle consiste à orienter et diriger les travaux dans leurs domaines respectifs, mais en coulisses, ils utiliseront les ressources extérieures leur permettant de bénéficier de la meilleure expertise possible. C'est ainsi que, dans le domaine de la traque sur le web, un nouveau *mainframe*[*] de dernière génération sera bientôt installé dans le bunker de Zermatt. Cela donnera à nos informaticiens une puissance

---

[*] *Ordinateur central de grande puissance.*

de travail et de calcul exceptionnelle, et nos collaborateurs free-lance pourront bénéficier de notre outil depuis leurs ordinateurs.

— Ce n'était pas prévu que nous ayons des indépendants qui travaillent pour nous, patron.

— En réalité, il s'agira d'une myriade de spécialistes, qui collaboreront avec nous depuis leurs pays d'origine, et seront rétribués en conséquence. Dans de nombreux cas, ils garderont leurs postes précédents à temps partiel, ce qui nous garantira l'expertise d'équipes de pointe. C'est exactement comme pour Alexia ou Amanda, pour ne citer qu'elles.

— Vu sous cet angle, c'est plus clair.

— Tant mieux. (Mark sourit.) Maintenant, j'aimerais que l'on avance sur les sujets qui nous préoccupent, c'est-à-dire : la prise d'otages au Sahel, les démêlés de la banque Boissier Naville & Cie, ma mission au nom du président des États-Unis sur la Syrie, et encore sur le conflit ukraino-russe.

— Dans ce cas, commençons par les derniers, intervint Alexia avec sa vivacité habituelle. Parce que moi, pour le moment, ça ne me dit rien, précisa-t-elle avec une moue.

— Vous ne risquez pas d'en savoir grand-chose, vu que c'est le résultat d'une conversation ultra confidentielle dans le Bureau ovale, il y a déjà quelques semaines, et que seuls Cyrus Cooper, le président Chan et moi-même étions présents.

— Wouah ! s'exclama le professeur de géopolitique. C'est ce que l'on appelle appartenir au monde des puissants !

— Ce n'est pas ce qui m'importe, Alexia. Je reconnais volontiers que pénétrer dans ce lieu mythique est impressionnant. De même, se retrouver face à face avec l'homme le plus puissant du monde qui vous demande un coup de main, a de quoi surprendre.

— Je pense bien, intervint à son tour Lotfi Kammoun. Qu'attend-il de nous ?

— Il considère que la situation en Syrie est totalement bloquée et nous demande de réfléchir à un plan pour mettre un terme à cela.

— Alors ça c'est du lourd, répliqua Alexia avec son langage estudiantin habituel. Le président Chan veut-il que le Sword élabore un projet d'éviction du président el-Assad ?

— Je ne m'exprimerai pas ainsi, car cela me paraît trop orienté. Le président désire que nous réfléchissions à comment faire pour que la guerre civile en Syrie cesse et que ce pays retrouve une certaine stabilité. À partir de là, tout est possible. El-Assad peut rester, ou disparaître d'une manière ou d'une autre. Tout est possible, sauf fâcher les Russes, les Chinois et les Iraniens et déclencher une réaction en chaîne, voire une riposte de leur part.

— Vous envisagez les choses de quelle manière, patron ?

— Ma chère Alexia, en tant que directrice de la géopolitique au Sword, je vous laisse nommer une cellule de réflexion sur le sujet. Je crois qu'avec le renfort de nos experts issus des plus grands *think tanks*, vous en avez les moyens, à présent.

— OK, je m'en occupe, et je reviens rapidement vers vous.

— Merci. Passons maintenant à la prise d'otages au Sahel.

— On a du nouveau là-dessus ? interrogea le colonel Paul de Séverac, le chef des Faucons, de retour aux affaires après des mois de convalescence.

— Le bruit court que ce serait un des groupes affiliés à AQMI qui serait derrière, mais à ce jour, il n'existe aucune revendication officielle. De même, il semblerait que certains pays ayant des otages, discutent secrètement avec ces groupes, des pays de la région servant d'intermédiaires. C'est tout ce que j'ai en ma possession.

— Ça ne fait pas grand-chose, patron, intervint Rebecca qui, à la suite de la blessure de Paul, avait été nommée commandant adjoint.

— Je vous le concède. Cependant, nous devons faire avec. Madame Apfelbaum fait son possible pour se renseigner auprès de ses confrères concernés, mais il semble qu'il y ait une rétention d'information de leur part.

— Qu'attendez-vous de nous, alors ? demanda Alexia.

— Comme toujours : d'anticiper. Il faudrait émettre des hypothèses de travail concernant les responsables de l'enlèvement et le lieu où ils se seraient réfugiés. À partir de là, je vous laisse imaginer des scénarios d'opération de libération.

— Et qui gère ce projet ? poursuivit la stratège en chef.

— Je pencherais pour Paul et Rebecca, auxquels il faudra ajouter des spécialistes, comme notre ami Lotfi.

— Pour moi, c'est OK, intervint le professeur tunisien.

— À ce rythme, on a bientôt fini le meeting. (Rire de Mark Walpen.) Le dernier point à aborder n'est pas nécessairement le plus simple et le plus dans nos cordes. Cependant, eu égard aux coups de main que Laurent Boissier nous a donnés dans le passé, nous lui sommes redevables.

— En l'occurrence, nous vous suivons totalement, affirma Alexia. Par contre, je ne vois pas ce que nous pouvons faire pour lui pour le moment.

— Merci pour votre soutien. Concernant notre rôle possible, je n'en sais pas plus que vous. Actuellement, nous n'avons que peu d'éléments sur les reproches faits à la banque de Laurent. Si cela se précise et que l'affaire devient juridique, on le soutiendra en s'organisant en conséquence. En attendant, il serait peut-être judicieux qu'une cellule de réflexion travaille sur la problématique des banques suisses et du fisc américain.

— Je vous suis, patron, mais qui est à même de s'en occuper au Sword ?

— Vous posez la bonne question, Alexia. Nous n'avons pas de spécialistes de la finance internationale en interne. Par contre, on a des experts en stratégie. Mon opinion est donc de mettre en place une cellule de réflexion qui ira pêcher les infos auprès d'experts externes spécialisés dans la finance. Il y en a assez dans notre pays, il me semble !

Mark sourit.

— Dans ce cas, conclut Alexia, mon département va s'en occuper.

— Merci. Par ailleurs, j'aimerais comprendre comment des noms de clients américains de la banque Boissier Naville & Cie ont pu être livrés à un tiers, quel qu'il soit. Par conséquent, Sven, je vous charge de vous mettre en contact avec Laurent Boissier pour auditer la sécurité de la banque et vérifier leurs procédures. Il faut également déterminer qui aurait eu intérêt à transmettre ces données sensibles.

— OK patron, c'est comme si c'était fait.

— Merci à vous tous. À plus tard.

9

Barbara Apfelbaum saisit son téléphone de bureau et composa un numéro qu'elle commençait à connaître par cœur pour l'avoir composé plusieurs fois ces derniers jours.

— Walpen.

— Bonjour, Mark. C'est Barbara. Je vous dérange ?

— Non, pas particulièrement. Quel bon ou mauvais vent vous amène ?

— Je vous appelle parce que j'ai reçu plusieurs remontées du Réseau Ambassador et je souhaiterais vous en faire part au plus vite. Pouvons-nous nous rencontrer rapidement ?

— Oui, bien sûr. Où ?

— Est-ce que vous accepteriez de vous déplacer jusqu'à mes bureaux, ou bien cela vous prend-il trop de temps ?

— Non, pourquoi pas. Si je monte pour treize heures, cela vous convient-il ?

— C'est parfait, on pourra manger quelque chose dans mon bureau.

— Alors, à tout à l'heure.

Mark raccrocha et se remit au travail. Il avait une bonne heure et demie devant lui avant de se rendre au Palais fédéral.

La circulation s'était révélée plus fluide qu'espérée et la Maserati hybride de Mark se présenta à la barrière du parking réservé au personnel et aux invités à une heure moins le quart. Après vérification, le garde lui ouvrit et appela aussitôt la directrice de la Task Force.

Mark avait juste verrouillé les portières de son véhicule et se dirigeait vers la sortie, sa veste de costume sous le bras, quand il aperçut Barbara Apfelbaum, tout sourire, déboucher dans le parc.

— Vous vous êtes perdu, monsieur ? interrogea-t-elle avec humour.

— Je ne crois pas, madame, répondit-il sur le même ton. Il ne fallait pas vous déplacer.

— Cela me faisait plaisir. (Elle arborait un sourire resplendissant, presque séducteur.) Venez, on passe au self prendre un plateau et on monte au bureau.

— Je vous suis.

— Je suppose que ce n'est pas la première fois que vous venez ici.

— En effet ! Il m'est arrivé de venir manger avec mon père, mais cela nous ramène à pas mal de temps déjà. Comme il avait un emploi du temps très souple, il se trouvait plus souvent en nos bureaux qu'ici. Par conséquent, ma venue ne devenait plus aussi nécessaire.

— En ce qui me concerne, il m'est plus pratique de me rendre ici depuis ma nomination. J'ai pris un appartement en vieille ville, ce qui me permet de venir à pied tous les matins. Cela ne m'empêche pas de m'organiser comme je le souhaite, j'ai une patronne ouverte d'esprit.

— Je sais. Elle a un caractère affirmé, mais possède une intelligence aiguisée et laisse ses collaborateurs très libres.

— C'est tout à fait ça.

Ils pénétrèrent dans le restaurant réservé au personnel fédéral, se servirent rapidement, puis rallièrent le DFAE et le bureau de Barbara. Ils s'installèrent à la table de réunion.

— Alors bon appétit, Mark.

— Merci. Bon appétit. Qu'est-ce qui se passe donc ?

— Je vois que vous allez droit au but.

— Oh, *sorry*. C'est une mauvaise habitude, en effet.

— Je vous comprends, je ferais certainement de la même façon à votre place. (Elle sourit tout en finissant de mâcher une bouchée de sa salade.) Suite au départ précipité de votre père, j'ai essayé de prendre en main rapidement le Réseau Ambassador, qui représente un élément d'alerte exceptionnel. Étant issue du sérail et ayant moi-même participé à cette structure, il a été assez aisé de m'imposer et d'obtenir la continuité de la part de mes confrères et consœurs.

— Vous avez bien fait. Bénéficier d'un tel réseau d'information, reposant essentiellement sur la veille effectuée, sur le terrain, par des locaux rattachés à nos ambassades, est un avantage certain. Nous ne sommes pas les premiers à mettre en place ce genre de chose, mais aucun autre pays n'a poussé le système aussi loin, avec une cellule de synthèse ici, sous vos ordres, et une autre, d'analyse, au Sword. Quand nous avons imaginé cette structure avec Ralph, nous désirions simplement compenser le manque de service de renseignement extérieur suisse et tirer parti d'oreilles efficaces pour mieux cerner certaines situations potentiellement dangereuses.

— Je me souviens de votre venue auprès de nous autres ambassadeurs. Sans parler qu'à l'ONU, j'ai bénéficié de certaines indiscrétions bienvenues lors de négociations serrées.

— Alors, que vous a donc appris ce brave Réseau Ambassador ? s'enquit Mark entre deux coups de fourchette.

— Deux informations me sont parvenues et me semblent des plus sensibles, d'où ma demande de vous rencontrer en tête à tête. La première concerne la Syrie. Elle devrait recevoir tout prochainement une dizaine de MIG-29 ou de SU-25, et vraisemblablement des hélicoptères d'attaque. La rumeur diplomatique a été rapportée aussi bien par nos ambassades de Moscou que d'Ankara et de Beyrouth.

— Ça, ce n'est pas très bon pour les opposants au régime d'el-Assad. Est-ce que l'on a une idée de comment ces avions seront transportés et de qui les vend ?

— Oui, par les airs et certainement via l'Iran, afin d'éviter la Turquie, membre de l'OTAN. L'origine de ces engins est russe, mais il semblerait que cela soit du matériel d'occasion que la Syrie achète à des intermédiaires spécialisés.

— Votre renseignement vaut de l'or pour le Sword, car nous travaillons sur la situation syrienne, et cette livraison aura des répercussions énormes en faveur du régime. Est-ce que vous seriez à même de préciser l'endroit où ces aéronefs seront basés ?

— Je peux toujours me renseigner. Cependant, je suis certaine que vos experts en géostratégie en savent déjà plus que nous à ce sujet.

— Oui, c'est vraisemblable. Je vérifierai avec eux tout à l'heure. Si vous obtenez d'autres éléments, je suis preneur.

— Bien entendu, Mark.

— Et la seconde information concerne quoi ?

— Le Sahel ! Vous m'avez demandé de nous focaliser sur nos collègues dont les pays ont des ressortissants enlevés avec les nôtres à Faya-Largeau.

— Oui, tout à fait. Et y a-t-il quelque chose de nouveau ?

— Il y a eu des confidences de fin de soirée, dirais-je. Vous savez comme moi que les diplomates ont souvent une vie sociale sur place des plus trépidantes et que cela finit facilement avec un bon verre de whisky ou d'armagnac.

— Oui, je suis au courant, mon père avait gardé cette habitude à la maison.

Il sourit en se souvenant de ces soirées avec son père, avec une certaine nostalgie.

— Selon des indiscrétions recueillies auprès de membres de l'ambassade de France à N'Djamena et à Niamey, les Français négocient fermement et activement en utilisant un réseau de médiateurs africains. Ils s'attendent à des résultats rapides, si j'ai bien compris.

— Et les Britanniques et les Américains ?

— Ils auraient des contacts, mais aucune négociation ne serait en cours. Par principe ils refusent de verser une rançon ou de libérer des assassins sur leur sol. Il est vraisemblable que le MI6 et la CIA sont sur le coup. Je serais vous, j'irais gratter de ce côté. Par contre, nous savons que les Français, depuis quelque temps paient en moyenne cinq millions par tête, si ce n'est pas plus aujourd'hui.

— Ce qui est drôle, c'est qu'ils affirment ne jamais payer de rançons. Comme si l'on ne savait pas que ce sont des pays tiers qui effectuent le paiement en leur nom, avant que Paris ne les rembourse. Ce n'est pas très crédible, m'enfin, c'est leur choix. Malheureusement, comme l'a dit la fille d'une de leurs otages, cela contribue à faire du marché des otages un business juteux.

— Je ne vous cache pas que nous nous sommes posé la question de payer, mais Simona Zanetta a donné pour instructions de respecter à la lettre votre suggestion. Donc, nous suivrons les Britanniques et les Américains dans leur choix et laisserons le MI 6 et la CIA nous aider, ainsi que le Sword, bien évidemment.

— En tout cas Barbara, merci pour ces infos, nous allons avancer maintenant.

— Je vous offre un café ?

— Un *ristretto* et je vous quitte, si vous voulez bien.

— Tout de suite, monsieur.

Elle sourit.

10

Quelques jours après le passage impromptu de Laurent Boissier à son domicile, Mark lui avait proposé de venir à son bureau faire le point sur la situation.

Quand Laurent arriva au bâtiment Sword, son ami ne lui laissa pas le temps de retirer son pardessus.

— Laisse tout ça, on sort. On va passer par le restau thaï et on achètera de quoi manger à la maison. Ce sera plus agréable qu'un bureau, et nous serons au calme.

— Ça me va, même si j'imagine que, dans tes bureaux, l'espionnage est des plus limités.

— En effet. C'est comme à la maison. Les bâtiments sont équipés de brouilleurs spéciaux.

— Bon allons-y, j'ai faim, dit Laurent, plus détendu que la fois précédente.

Une vingtaine de minutes plus tard, les deux hommes d'affaires pénétraient dans la villa du stratège et se mirent à l'aise. Ils se rendirent directement dans la cuisine.

— On va réchauffer ces deux currys et on mange. Tu veux boire un verre de vin ou du thé ?

— Un thé, s'il te plaît. Je préfère, quand je mange épicé. Et je ne bois jamais d'alcool le midi.

— Moi aussi. Une minute au four micro-ondes et on pourra passer à table.

Pendant que les deux plats se réchauffaient, Mark mit la table et fit bouillir de l'eau. Quand tout fut prêt, il servit son ami et lui-même, et s'assit.

— Bon appétit.

— Merci, toi aussi.

Ils attaquèrent leur assiette. Après quelques bouchées, Mark prit la parole :

— Alors, on en est où, maintenant, avec cette histoire de fraude fiscale ? Tu as toujours des soucis avec les journaux et les autorités américaines ?

— Pour le moment, ça semble se tasser. Les journaux ne me harcèlent plus autant. Ce n'est pas désagréable, mais cela ne veut pas dire que l'affaire est enterrée. Comme tu le sais à présent, les autorités américaines ont mis la main sur une liste précise de noms de leurs ressortissants ayant des comptes dans notre banque.

— C'est ce que mon hacker préféré a découvert en effectuant un audit de votre système de sécurité des données informatiques avec ses cadors. Tu avais donc une taupe au sein de ton établissement bancaire, qui d'ailleurs n'est plus revenue au bureau depuis la publication de l'article. Cela n'a fait que confirmer les soupçons de Sven. Mais nous ignorons encore plusieurs choses : l'espion n'a-t-il remis les noms qu'aux États-Unis ou à d'autres pays ? Quelle était sa motivation ? Et, enfin, où se cache-t-il ? Cependant, nous le recherchons activement. Et nous observons ce qui se passe autour de ta banque et des données personnelles concernant certains clients. Il serait étonnant que ce personnage n'ait remis les informations qu'à un seul pays, surtout s'il les a vendus. Je serais toi, je préviendrais tous mes clients ayant caché certains avoirs à leurs autorités fiscales, qu'ils risquent prochainement d'être dans le collimateur de leur justice. De même, ta banque devrait porter plainte contre lui, puisqu'il y a incontestablement violation du secret de fonction.

— Je suis désolé ! J'étais certain que nous avions un système de sécurité parfait. Jamais je n'aurais imaginé abriter un espion dans la banque. Bien entendu, je vais transmettre le dossier à mon service juridique.

— Sven achève son audit et analyse les protocoles de sécurité. Ensuite, il te soumettra des propositions d'amélioration. Tu peux inventer tous les systèmes que tu veux, tu n'élimineras jamais le risque de faille, surtout si c'est géré par des hommes. C'est pourquoi il faut toujours envisager des procédures bien précises.

— Oui, je sais et je t'en remercie. Cela ne m'empêche pas de culpabiliser pour mes clients. Les autorités américaines ont commencé leur chasse aux sorcières, dans le sens qu'elles annoncent qu'elles poursuivront tous ceux qui ont déposé de l'argent dans notre banque sans l'avoir déclaré.

— C'est ennuyeux pour eux, néanmoins c'est à eux de choisir les bons avocats pour les défendre. Ce n'est pas ton combat. J'ajouterai que ta banque n'est qu'une de plus dans la longue liste des banques suisses visées par les États-Unis ces dernières années. Ils semblent vouloir discréditer et rançonner tous les établissements bancaires de ce pays.

— Certes ! Si tu lis comme moi le Wall Street Journal, tu as vu que ma banque est considérée comme ayant elle-même démarché ses clients aux USA. Je suis personnellement désigné comme le commanditaire par le Département fédéral de la justice. Je vis certainement mes derniers jours de calme avant la tempête.

— Il sera temps pour y faire face, Laurent. Tu m'as affirmé que tu n'as rien ordonné et que tu n'as fait qu'accueillir dans ta banque des clients américains. Si cela prend une tournure judiciaire, on prendra les mesures qui s'imposent. Je te demande juste de poursuivre dans la voie que l'on a définie ensemble le premier jour : pas d'initiative. Quand quelque chose t'arrive, tu m'appelles, OK ?

— Ne t'inquiète pas, je continuerai à suivre tes instructions. De ton côté, tu as quelque chose ?

— On a mis en place une cellule de réflexion sur le sujet. On se renseigne et on attend de voir quelle tournure prendra la situation du côté des Américains. On ne peut guère faire plus pour le moment. Les hostilités ne sont pas encore assez précises pour agir. Par ailleurs, comme je te l'ai déjà dit, on recherche déjà la taupe qui a vendu les coordonnées de tes clients.

— Tu as certainement raison. Cela n'empêche que, moi, je me sens traqué.

— Essaie juste de relativiser les choses, et n'oublie pas que tout le Sword est derrière toi, quoiqu'il arrive.

— Merci, Mark. Je vais donc te laisser et on se tient informé.

— Exactement, à bientôt.

— Au revoir.

Le banquier partit vers ses bureaux, à l'autre bout du lac.

Mark comprenait bien que son ami soit perturbé et désappointé par la situation. Il était très difficile de rester impassible, à attendre que le combat réel commence, tout en étant sujet à la vindicte populaire, par médias interposés.

Néanmoins, il était convaincu que Laurent saurait tenir nerveusement et, surtout, qu'il suivrait ses recommandations à la lettre, ce qui lui serait d'un avantage certain.

11

Fort des renseignements transmis par la directrice de la Task Force, Mark avait jugé nécessaire de convoquer une réunion du *Board*. Ayant été prévenus suffisamment à l'avance, l'ensemble des membres étaient présents en cette fin de journée. Les changements d'emploi du temps étaient toujours maniés avec précaution, étant donné qu'une partie des experts du Sword exerçait d'autres fonctions ailleurs dans le monde.

Mark Walpen entama la réunion sans préambule :

— Bonjour à tous et merci de vous être rendus disponibles aussi rapidement. Comme vous le savez tous suite à mon mémento, Barbara a récolté des informations importantes concernant la Syrie et le Sahel. Je voudrais par conséquent que nous travaillions sur la situation syrienne et que nous déterminions dans quelle mesure nous devrions intervenir, et le cas échéant, comment ?

— Ça, c'est du costaud ! s'exclama le professeur Pictet, toujours direct.

— Vous m'ôtez les mots de la bouche, réagit Mark tout en ricanant, suivi des autres. Alexia, vous devriez être habituée à ce genre de situation au Sword, depuis le temps.

— Oui, mais la Syrie, c'est quand même sacrément complexe. Je pense que mon collègue et ami le professeur Lotfi Kammoun ne me contredira pas sur le sujet, ajouta-t-elle en lui lançant un clin d'œil.

— J'aurais bien voulu le faire pour vous taquiner, mais hélas, ce n'est pas possible.

Il lui sourit.

— Trêve de plaisanterie, professeur, quelle est votre opinion ?

— Cher Mark, avant de m'aventurer sur le terrain des conjectures, je crois qu'il serait profitable que nous fassions un point sur la situation politique intérieure et extérieure de la Syrie. Quels sont les belligérants, quels sont les scénarios possibles ?

— Lotfi a entièrement raison ! Je vais le laisser faire, car il est le mieux placé.

— Oui, Alexia, vous avez raison. Allez-y, professeur Kammoun.

— Bon, dans ce cas, commençons par un petit point sur la situation politique intérieure : tout d'abord, sachez que la Syrie appartient à ces pays arabes dont la population est composée de plusieurs confessions religieuses, dont les deux sœurs ennemies, si je puis me permettre cette expression. En effet, on y trouve 64 % de musulmans sunnites et 21 % de musulmans chiites dont 19 % sont des Alaouites. Il reste 5 % de Druzes et environ 10 % de chrétiens. Ces chiffres sont importants, car, de mon point de vue, c'est l'embryon de toutes les difficultés. Il y a deux communautés musulmanes, de deux branches différentes et opposées, et le pouvoir est aux mains de la minorité, les Alaouites en l'occurrence. Pour rappel, le 13 novembre 1970, le ministre de la Défense, un certain Hafez el-Assad a procédé à un coup d'État. C'était un Alaouite originaire de Qardaha, où se situe l'aéroport de la ville portuaire de Lattaquié. Il est décédé en 2000 et a laissé le pouvoir à son fils Bachar. On voit bien que le patchwork religieux contient en lui-même les semences de conflits internes. La famille el-Assad s'est maintenue au pouvoir par l'instauration d'un régime dictatorial des plus sanglants. Les Frères musulmans, sunnites, ont été pourchassés et exterminés à Hamma en 1982. Le pire, mais qui pourrait faire un peu sourire, c'est que Bachar, qui se montre aujourd'hui aussi violent que son père, n'était pas celui qui était désigné pour succéder à Hafez el-Assad. L'élu était son frère Bassel, considéré comme un pur et dur. Mais il est mort dans un accident, au volant de sa Mercedes de collection !

— C'est succinct comme présentation, mais c'est tout ce qu'il y a de plus clair, intervint Alexia. Je compléterai en précisant que, le printemps arabe étant passé par là, la population syrienne a voulu soulever le joug de cette famille de tyrans. Je suis convaincue qu'au début, il ne s'agissait pas de revendications confessionnelles et, si le président avait réagi autrement que comme un dictateur, en lâchant du lest, on n'en serait pas là où nous en sommes maintenant.

— C'est incontestable, reprit Lotfi Kammoun. En raidissant encore son régime, Bachar el-Assad a ouvert la porte aux pressions de l'extérieur. Nous sommes passés du souci de la survie d'un régime politique dictatorial sanguinaire à une problématique d'influences régionales. On arrive à présent au fait que le régime aux abois a fait appel aux quelques soutiens qui lui restent, la Russie et l'Iran chiite, qui prêchent pour empêcher toute ingérence dans les affaires syriennes. Bien entendu, l'Arabie Saoudite, qui n'entend pas se faire dépasser par qui que ce soit dans la région, a mis son grain de sel et soutient certains opposants proches des Frères musulmans. Là-dessus se rajoutent encore le Hezbollah libanais pour le camp des chiites et des djihadistes pour les sunnites. Cela devient un peu n'importe quoi. Nous sommes passés d'une révolte populaire à un jeu d'influence. Pendant ce temps, des innocents souffrent, dont de nombreux enfants. C'est intolérable. Le Conseil de sécurité est paralysé par la Russie et la Chine qui, par principe, estiment qu'il s'agit d'affaires intérieures. El-Assad reçoit toujours des armes russes de ses alliés de Moscou et, maintenant, on parle de MIG-29 et de SU-25. On sait qu'ils sont destinés à bombarder les îlots de la résistance. Cet homme est prêt à tout, même à régner sur des cendres, ce qui sera bientôt le cas. Quand on pense que c'était un fleuron de la civilisation arabe...

Le professeur eut une larme à l'œil.

— Je comprends votre désarroi, Lotfi. C'est bien pourquoi je vous ai tous convoqués aujourd'hui. Car si le régime en place utilise des avions de chasse et des hélicoptères, il aura un avantage indéniable sur le terrain. Ma question est la suivante : doit-on faire quelque chose ? Dans l'affirmative, que pouvons-nous faire ?

— Je vois que nous en revenons toujours à l'éternelle question de l'interventionnisme, glissa cette fois le colonel de Séverac. On en a longuement parlé pendant la Master Class irlandaise*. De mon point de vue, nous devons tout tenter pour empêcher ce boucher d'el-Assad de poursuivre son action. De même, on doit éviter que les gars de Jabhat al-Nosra foutent tout en l'air.

— Vous ne m'étonnez guère, mon cher Paul. Mais j'aimerais bien entendre l'un de nos nouveaux experts sur le sujet. Y a-t-il quelqu'un pour se lancer ? Je rappelle que, lors de ces brainstormings, chacun a le droit de parole et il n'y a pas de politiquement correct qui tienne ! La seule exigence que nous avons est le respect de chacun. Raison pour laquelle vous n'entendrez dans ces murs aucune critique sur un intervenant. Alors, qui ose prendre la parole ?

— Moi ! se lança une femme au type moyen-oriental, très distinguée. Je considère que mes deux confrères ont parfaitement résumé la situation. Intervenir dans un cas pareil me paraît très délicat, car tout peut prêter à confusion et à mauvaise interprétation. Je connais encore peu le Sword, mais si j'en crois ce qui m'a été raconté vous n'êtes pas du genre à faire n'importe quoi sans anticiper les conséquences. Si on agit, il faut que cela soit de manière chirurgicale. Pas question de rajouter de la confusion dans un Moyen-Orient déjà bien chahuté.

---

* Voir *Panique au Vatican.*

— Merci beaucoup, madame. Je rappelle que le professeur Souad Mokefi est une grande spécialiste du Moyen-Orient et de géopolitique en général. Elle est directrice adjointe de l'IFRI à Paris, et professeur de relations internationales à la *New York University*. J'apprécie vos compliments sur nos méthodes de travail. Nous tenons en effet à être efficaces, mais aussi à éviter les bavures. Une autre remarque ?

— Je voudrais préciser quelques points concernant le rôle de la Russie, dit une autre femme blonde aux yeux bleus perçants, dotée d'un accent russe prononcé. Il est évident pour moi, et certainement pour tous ceux qui participent à cette réunion, que la Russie ne lâchera jamais son allié syrien. D'abord, c'est une question de fierté. D'autre part, depuis la chute du mur de Berlin et de l'URSS, le nombre de ses alliés à considérablement diminué. Mon pays veut à tout prix garder un poids international, et cela passe par ses alliances. On peut aussi imaginer que les dirigeants actuels ont gardé des réflexes pavloviens de l'ère soviétique. Le blocage au conseil de sécurité permet à la Russie de montrer sa puissance, et en même temps d'affirmer que toute tentative de s'immiscer dans les affaires intérieures d'un pays, la Russie en tête, est proscrite. Si on intervient, il faut éviter de donner un prétexte à mon pays pour renforcer son aide militaire, voire envoyer des troupes. Ce serait catastrophique.

— Le docteur Olga Shevtsova a raison de revenir sur le rôle de la Russie. Elle connaît bien ce pays, puisqu'elle vit elle-même à Moscow et y est directrice adjointe du Carnegie Moscow Center. Ses compétences étendues sur les relations internationales de la Russie nous seront des plus précieuses, car ce n'était pas notre point fort, jusqu'à présent. Si le mur de Berlin est tombé et la guerre froide s'est officiellement éloignée. Il n'en demeure pas moins que nous vivons la confrontation de plusieurs blocs dont la Russie et les USA, par exemple.

— Vous avez raison, Mark, de souligner cet aspect, car il est vrai que nous péchions beaucoup par manque d'expertise en provenance de ce pays et de cette région du globe, intervint le professeur Pictet.

Je suis ravie de compter sur la sensibilité et l'analyse d'Olga. (Cette dernière lui sourit.) J'ai une question. Il me semble que vous aviez fait mention du désir du président Chan que nous évaluions une possible intervention en Syrie pour favoriser une alternance politique. Est-ce que ce n'est pas lié à l'arrivée des avions de chasse et des hélicoptères, et ne doit-on pas traiter les deux sujets en même temps ?

— D'une manière ou d'une autre, tout est lié. Je pense que l'on peut plancher sur les deux aspects, tout en privilégiant la destruction de ces armes de masse que sont les avions de chasse russes.

— En l'occurrence, intervint Paul de Signac, vu de ma fenêtre, on peut traiter les deux affaires de manière totalement différenciée. L'urgence, c'est de détruire ces aéronefs fissa, sans mettre le feu aux poudres. Dans le même temps, nos stratèges et nos commandants peuvent mettre sur pied un plan pour le président Chan. Qu'en pensez-vous, Mark ?

— Je suis d'accord. Il faut désigner un groupe de commandants pour élaborer un plan anti-MIG. D'un autre côté, je demanderai à Alexia, Olga, Souad, Lotfi et vous, Paul, de travailler sur les alternatives envisageables avec leurs avantages et leurs inconvénients. Est-ce que nous sommes tous d'accord sur le sujet ? Votons à main levée. Les doigts se levèrent dans un bel ensemble et Mark conclut : à l'unanimité, le projet est adopté. Paul, qui sera responsable du projet MIG-29 et SU-25 ?

— Je verrais assez bien le trinôme Rebecca, Nibs et Bradley. Concernant le changement à la tête de la Syrie, je garderai Tom et Deepak avec moi. Cela ne présume pas pour autant de qui fera partie d'un groupe ou d'un autre. Il s'agit de planifier des missions. On décidera après quel plan on privilégie, et quels sont les Faucons les plus adéquats.

— Pour moi c'est parfait.

— À propos, patron, on n'a pas parlé des otages au Sahel. A-t-on appris quelque chose de plus ?

— Oui. Une revendication de l'enlèvement a été envoyée par l'agence de presse mauritanienne. On a à présent le nom de ceux qui les détiennent. C'est le mouvement al-Mourabitoune, il paraît qu'il est assez récent.

— En effet, confirma le professeur Mokefi. Il a été créé il y a moins d'une année et correspond à la fusion du MUJAO et des Signataires par le sang.

— Ils sont basés dans le nord Mali, le Niger, le Sud libyen et le Sud algérien, poursuivit le professeur Kammoun. Ce sont des purs et durs, qui vivent de tous types de trafics, y compris d'otages. Ils représentent une force d'environ trois cents hommes déterminés. Avec les sommes qu'a récemment déboursées la France pour faire libérer ses otages, c'est devenu une activité des plus lucratives. En plus, le danger est relatif pour eux, car ils opèrent dans un pays, puis se rabattent sur des terres qu'ils connaissent comme personne.

— Donc, Lotfi, si je comprends ce que vous venez de résumer, on est assez mal barré avec nos otages ?

— Ce sera difficile.

— D'autant plus que, selon les bruits de moquette diplomatique recueillis par Barbara et ses équipes, les Français seraient en grande négociation.

— Cela n'est guère étonnant ! Je ne comprends pas que d'un côté on annonce lutter de toutes ses forces contre le terrorisme, et que de l'autre, on cède au chantage en payant une rançon considérable, compléta Souad Mokefi. Et la Suisse, elle procède comment ?

— Pour ne rien vous cacher, notre pays n'est pas habitué à ce genre de situation, car nous avons très rarement des otages. Une des dernières fois, c'était en Libye, mais il n'y avait aucune demande de rançon. Certains ici s'en souviennent*.

---

* Voir *L'Envol des Faucons*.

— Ça, c'est sûr ! réagirent les quatre commandants ayant libéré les otages avant que le Sword ne soit officiellement créé.

— Eh bien je crois que nous aurons du boulot bientôt, hein patron ? ajouta le professeur Pictet. Le Conseil fédéral va faire quoi ?

— Pour le moment, ils écoutent ce qui se dit. Mais il semblerait que la Conseillère fédérale Zanetta ait décidé de suivre les conseils de votre serviteur, et de refuser de rentrer dans le cercle vicieux du paiement de rançons, que ce soit par voie directe ou détournée.

— Voilà qui est courageux.

— Vous le dites, Souad. Ce n'est pas notre habitude de réagir de cette manière. La Suisse aime, en général, résoudre ses difficultés en douceur et en négociant à l'abri des regards. Je suppute qu'en d'autres temps, nous aurions mis la main au porte-monnaie. Heureusement, la Conseillère fédérale a compris que la situation a changé, et qu'accepter un troc quelconque avec les preneurs d'otages, c'est les encourager à en enlever d'autres plus tard. Elle est, par conséquent, favorable à la libération des otages.

— Et les autorités britanniques et américaines ont-elles décidé quelque chose pour leurs otages ?

— Nous n'avons pas encore été en relation avec elles. Je suggère que nos amis Bonnie Hicks, Jane Davidson, Nicolas Carter et Caroline Lewis, ici présents, profitent de leurs contacts privilégiés avec les deux administrations pour découvrir précisément leurs intentions.

— Cher Mark, nous le ferons volontiers dès la fin de ce meeting, intervint le professeur Nicolas Carter, directeur adjoint du *Council on Foreign Relation*, le CFR. Je peux d'ores et déjà signaler que la doctrine des deux alliés, ces dernières années, a été de ne pas céder au chantage.

— Mon confrère a raison, reprit Caroline Lewis du *Royal Institute of International Affairs* de Londres, que l'on nommait plus communément Chetham House. La politique de mon gouvernement est de lutter férocement contre ce type de groupes. Est-ce que nous pouvons faire part de nos intentions à nos contacts ?

— Si vous restez suffisamment évasifs, oui. Je sais que l'on nous connaît chez eux, mais soyons prudents.

— Bien entendu, compléta le professeur Jane Davidson, du *Belfer Center for Science and International Affairs* de l'Université de Harvard. Je peux m'avancer en prévoyant que la Maison-Blanche sera ravie d'avoir une force adaptée pour intervenir sur un terrain qui n'appartient pas à sa sphère d'influence habituelle. Mes confrères et moi-même reviendrons rapidement vers vous pour confirmer mes propos.

— Merci d'avance. Avant de nous quitter, j'aimerais que nous fassions le point sur la situation à Kiev, qui me paraît à présent des plus inquiétantes. Alexia, Olga, avez-vous des précisions à apporter quant à la confrontation place Maïdan ?

— Je pense que chacun d'entre nous est plus ou moins au courant des derniers développements de ce que je nommerais la « crise ukrainienne », répondit Alexia. En résumé, le président Pouchiline, originaire de Donetsk, dans l'est de l'Ukraine, est un farouche russophile. Il est chahuté par son opposition europhile, qui manifeste à présent sur la place Maïdan. Reste à savoir ce qui va se passer à Kiev et dans la partie russophone et russophile du pays.

— Alexia a parfaitement fait la synthèse des derniers événements, dit Olga. J'ignore quelle sera la réaction de mon pays, et donc du président Sokolov. La majorité des Russes voit l'Ukraine comme le berceau de notre civilisation, et il est peu probable que la Russie la laisse vivre sa vie en totale indépendance. Par ailleurs, ce serait considéré par le peuple comme un échec de la grande Russie.

— Pensez-vous que la Russie va envahir son voisin ?

— C'est très difficile à évaluer pour le moment. C'est certainement très tentant pour mon pays, mais maintenant que les yeux sont braqués sur cette région, à moins de vouloir entrer dans un conflit ouvert avec le reste de monde, je ne crois pas à l'invasion par nos troupes. Ceci dit, je peux me tromper.

— Olga, que faut-il déduire des mouvements de troupes russes le long de la frontière ? demanda Alexia.

— Pour le moment, on en est à ce que j'appellerais des gesticulations. On montre qu'on est là, histoire de ne pas perdre la face. Que fera Sokolov ? Je n'en sais rien. Je doute qu'il demeure impassible. L'éviction de sa marionnette du pouvoir ukrainien serait un camouflet, il se doit de réagir. Comment et quand ? Ces questions restent ouvertes.

— Que doit-on penser des menaces européennes de sanctions économiques contre la Russie si elle voulait s'emparer de l'Ukraine ?

— Ce sont des foutaises ! s'exclama la stratège russe. Le président Sokolov sait que les vingt-huit ne sont pas au diapason, et que cela prendra du temps pour être décidé et mis en place. Par ailleurs, frapper l'économie russe aura comme conséquence d'affaiblir un client important des économies européennes. Vu la situation générale, les états européens vont certainement y réfléchir à deux fois.

— Olga, je pense que vous devriez suivre de très près ce qui se passe et nous avertir au moindre changement. Alexia vous expliquera comment nous procédons habituellement.

— D'accord, Mark.

— Merci à vous tous, et particulièrement à nos nouveaux stratèges d'avoir pris part aussi activement à notre réunion. Nous restons en contact par messageries et smartphones sécurisés. Nous poursuivrons nos brainstormings du lundi par webcams. Bonne journée à tous et, bon retour à nos voyageurs.

La séance était levée et chacun discutait déjà avec son voisin, ce qui créait un véritable brouhaha dans la salle de réunion. Mark était ravi de voir la fusion entre les anciens et les nouveaux s'opérer devant ses yeux.

L'arrivée de tous ces experts internationaux expérimentés permettait au Sword de disposer d'analystes de premier plan.

12

Anook venait de garer son petit bolide rouge devant la propriété des Walpen, père et fils. Cela faisait quelques semaines qu'elle n'était pas revenue. À présent, elle vivait mieux sa grossesse, les nausées ayant décidé de cesser. Ce n'était pas trop tôt ! Ces derniers jours, elle gérait au mieux son emploi du temps, en tenant compte de sa forme physique, en particulier de ses coups de fatigue.

Quand elle avait demandé à Mark de le rencontrer de nouveau, elle avait été agréablement surprise qu'il lui propose de venir dîner. Il lui avait paru plus détendu que la fois précédente dans son bureau et l'avait même taquinée en lui demandant si elle venait lui annoncer qu'elle attendait des jumeaux, blague qui la fit rire aux éclats.

Alors qu'elle tenait un gâteau, elle réussit à sonner du bout des doigts. Il ne fallut pas deux minutes pour que deux tornades déboulent et ouvrent la porte.

— Anook !

Ils l'étreignirent fortement.

— Est-ce que je peux entrer et déposer le gâteau ? supplia-t-elle presque. Mark, viens m'aider !

— Je suis là, répondit l'intéressé qui avait anticipé le mouvement, connaissant trop bien l'affection débordante de ses enfants pour Anook.

— Prends ça, s'il te plaît, avant que je ne le renverse et que je me retrouve les quatre fers en l'air, dit-elle lui tendant le gâteau.

— Bon, les enfants, un peu de calme et laissez Anook respirer. Elle va rester de toute façon.

— Cool ! Ça fait longtemps qu'elle n'est pas venue, Papou.

— Je sais, Zoé, mais elle était fatiguée et ne se sentait pas très bien. Bon, maintenant rentrez tous les deux. Anook, viens.

Il la prit par la main.

— C'est le bébé qui te fatigue ? interrogea Zoé avec sérieux, intriguant par là même l'intéressée, qui ignorait que les enfants étaient au courant de la situation.

— Et comment sais-tu quelque chose comme cela ? la taquina Anook.

— D'abord, tu as un ventre plus rond que d'habitude, et puis Papou nous a dit que tu attendais un bébé. Moi, je suis contente. Mais c'est qui ton amoureux ? C'est qui le papa ?

— Tu ne sais pas ? demanda Anook, tout en regardant Mark dans les yeux. Tu ne leur as pas dit ?

— Ben, non ! Je me doutais bien que tu viendrais bientôt et qu'il serait temps de le faire à ce moment-là.

Il la tenait, sa main gauche l'enlaçant à hauteur de bassin.

— Original, comme situation.

Elle rougit.

— Alors Anook, c'est qui ? demanda à son tour Elliott.

— On dira que la famille Walpen va s'agrandir d'un bout de chou supplémentaire.

— Tu vois Elliott, j'avais raison ! s'exclama Zoé tout en sautant sur place, puis en s'accrochant à Anook, suivie aussitôt par son frère.

— Mais nous, tu ne nous laisseras pas tomber ?

— C'est tout, Elliott ? lui demanda son père. Si on allait tous s'asseoir au salon, et si on laissait Anook reprendre ses esprits, vous êtes d'accord ?

— D'accord, répondit Elliott, en se dépêchant de s'installer dans le canapé.

— Je te débarrasse de ta veste, Anook ?

— Oui, volontiers, il fait bon ici.

— Est-ce que je peux te servir quelque chose ?

— Un jus de fruits, s'il te plaît.

Elle s'assit dans un fauteuil. La jeune femme resplendissait de bonheur.

— Et vous, les enfants ?

— La même chose que marraine, dit Zoé.

— Moi aussi, compléta Elliott qui copiait souvent sa sœur.

Mark quitta le salon pour préparer un plateau apéritif, satisfait que les enfants accueillent aussi bien la venue d'une petite sœur ou d'un petit frère. Sachant que la grossesse d'Anook ne passait plus inaperçue, il avait préféré leur annoncer ce qu'il en était, et expliquer pourquoi leur marraine venait moins à la villa ces jours-ci. Quelques minutes plus tard, il revint, et servit à chacun un verre de jus de pomme.

— Alors, santé, dit-il en tendant son verre.

— Santé, répondirent les enfants et Anook en choquant les leurs.

— Alors, il va naître quand le bébé ? questionna Zoé.

— Dans 6 mois, à peu près.

— Et tu sais si c'est un garçon ou une fille ?

— Je ne veux pas savoir. Ce sera une surprise pour nous tous, hein !

— Tu vas venir t'installer à la maison tout bientôt ? demanda Elliott impatient.

— Tu sais...

— Laisse, Anook. Je vais préciser les choses si tu veux bien. Il faut que vous sachiez que la venue de bébé Walpen ne nous est connue que depuis peu, alors nous avons encore besoin de temps pour nous habituer à la situation et nous organiser. Anook n'est pas venue à la maison ces derniers temps parce qu'elle avait souvent des nausées.

— Tu vas bien maintenant ? Le bébé n'est pas malade ? s'inquiéta Zoé.

— Tout va bien, Zoé. Les trois premiers mois de grossesse, c'est extrêmement courant que les futures mamans ressentent de très fortes nausées. Ensuite, ça passe, en général. Et, heureusement, ça a été mon cas.

— Alors, tu vas pouvoir déménager chez nous, maintenant.

— Zoé, on verra cela en temps utile. Pour le moment Anook doit organiser son activité professionnelle en tenant compte de son état de fatigue. Elle peut venir à la maison quand elle le souhaite. Tous les soirs si cela lui plaît.

— Votre papa a raison, intervint Anook, venant ainsi au secours de Mark. En plus, je vais prochainement devoir m'absenter quelques semaines.

— Ah bon ! réagit Mark surpris de l'annonce, et pas particulièrement réjoui.

— Eh bien, c'est pour t'en parler que je suis venue ce soir. Comme c'est quelque chose d'important pour moi, je désirais avoir le temps de t'expliquer de quoi il s'agit de vive voix.

— Tu as bien fait, dit-il, rassuré. Dans ce cas, allons dîner. Nous en discuterons quand ces deux-là dormiront.

— Tout à fait.

Anook se leva à la suite de Mark.

Ils s'installèrent à la cuisine, autour de l'îlot central qui servait de table. La gouvernante s'était chargée de préparer un bœuf bourguignon et de la purée maison, que Mark n'avait eu qu'à réchauffer. Il appréciait décidément beaucoup cette nouvelle aide !

Les enfants étaient parfaitement heureux, au milieu de cette famille recomposée. Même si le souvenir de leur mère les tenaillait encore, ils s'étaient attachés à Anook.

Une fois le repas achevé, Anook décida de monter avec les jumeaux et de s'occuper d'eux pour qu'ils se préparent à dormir. Une fois en pyjama et les dents lavées, elle leur raconta une histoire. Les deux enfants, blottis l'un contre l'autre dans le lit de Zoé, jubilaient !

Quelques minutes plus tard, les jumeaux s'étant endormis, elle rejoignit Mark qui s'était installé confortablement dans le canapé du salon. Elle s'assit à ses côtés le visage rayonnant de bonheur.

— Alors, Anook, comment te sens-tu ?

— Merveilleusement bien, maintenant. (Elle lui sourit.) Les nausées de ces deux derniers mois étaient pénibles. Pour opérer mes patients, c'était inconfortable, et je me demandais toujours si je n'allais pas tourner de l'œil. Mais c'est comme ça ! Au moins, maintenant, je profite de me sentir bien.

— Tant mieux ! En tout cas tu es resplendissante. La grossesse te va à merveille.

— Merci. Qu'as-tu raconté aux deux amours ?

— Le minimum ! La situation était assez délicate pour moi. Après tout, je ne suis informé de ton état que depuis quelques jours. Avec ces nausées qui t'ont retenue au CHUV et à la maison, comme les petits te réclamaient, j'ai estimé préférable de leur annoncer carrément que tu étais enceinte. Cela nous laissait du temps, ensuite, pour en parler. Mais, comme on pouvait s'en douter, Zoé n'a pas été dupe.

Il sourit.

— Elle est maligne, la guêpe ! Tu as très bien fait de les informer de mon état. De toute façon, on n'aurait pas pu leur cacher grand-chose, ajouta-t-elle en montrant son ventre, qui s'arrondissait légèrement.

Cela se remarquait d'autant plus qu'elle avait une silhouette fine et élancée.

— C'est bien pour cela que j'ai préféré agir ainsi.

— Tu as eu raison.

— Merci, Anook. Puisque tu es venue aujourd'hui, tu veux que l'on fasse comment à l'avenir ? Comme tu sais, je ne m'attendais pas vraiment à ce qu'un petit Walpen débarque sans crier gare.

Il lui sourit.

— Je ne me pose aucune question, Mark. Je vis les choses au jour le jour. Cet enfant est pour moi un cadeau du ciel, d'autant plus qu'il est de toi ! Je suis une femme comblée, alors qu'à bientôt quarante-six ans je ne m'y attendais plus. Comme je te l'ai dit à mon bureau, je n'ai pas l'intention de te brusquer, ni de te réclamer quoi que ce soit. Je suis d'avis de laisser faire les choses, elles se mettront en place d'elles-mêmes.

— Tu crois vraiment ?

— Oui ! Je conçois parfaitement que la situation chamboule totalement la vie, que tu as organisée autour de Zoé et Elliott depuis le 11 septembre. En aucun cas je ne veux te forcer à quoi que ce soit.

— Mais cet enfant est le mien ! s'exclama-t-il, pour le bonheur d'Anook qui lui prit la main et se rapprocha de l'homme qu'elle aimait.

— Ça, c'est une certitude ! Je ne pouvais pas rêver mieux comme père de mon enfant. Ceci étant, le contexte est un peu particulier, et je souhaite que tu prennes tes propres marques. Je pense qu'il n'y a aucune urgence à changer quoi que ce soit. Continuons comme avant, ou presque. La différence tient dans le fait que je n'aurai aucune raison de garder mes distances avec toi.

Elle lui sourit, épanouie.

— Tu es sûre ? lui demanda-t-il.

Mark, en bon stratège, aimait que les choses soient préparées et organisées. Laisser faire, ne faisait pas partie de son vocabulaire.

— Tout à fait ! Je préfère que l'on prenne notre temps pour vivre cette relation comme elle se présente. Si tu sens un jour que tu veux vivre avec moi, alors, on en reparlera.

— Mais je ne veux pas que tu sois seule avec le bébé.

Il lui tenait la main affectueusement.

— Je sais que tu es là, Mark et je t'aime. Je ne te demande rien en retour. Elle l'embrassa en l'enlaçant.

Mark baissa la garde et accepta cette démonstration de tendresse de cette femme qu'il connaissait maintenant depuis de longues années. S'il exprimait encore difficilement ses sentiments, son attitude générale et sa douceur prouvaient à Anook l'intensité de son affection.

Après ces quelques minutes intimes, Mark reprit le cours de la conversation, Anook s'étant collée contre lui et lui tenant la main.

— Tu as dit que tu devais me parler de ton absence ces prochaines semaines. De quoi s'agit-il ? Ton état de santé te permet-il de partir ?

— Tu sais, Mark, je ne suis pas malade ! Je suis juste en début de grossesse.

Elle lui souriait en constatant son air inquiet.

— D'accord ! Mais où pars-tu ? Et pour combien de temps ?

— Une amie pédiatre est venue me demander de l'aide la même semaine où tu es passé au CHUV.

— Qui c'est ?

— Laura, je t'en ai déjà parlé. Il y a longtemps, je lui avais promis de venir si elle avait besoin de moi. En ce moment, elle est en mission en Afrique, dans une région qui borde l'Angola, la Zambie et le Congo, si j'ai tout compris.

— Et pourquoi a-t-elle besoin de tes compétences ?

— Elle est confrontée à une situation sanitaire difficile. Elle souhaite bénéficier de mon expertise. Quand elle est venue, je lui ai dit que je viendrais deux à trois semaines, quand mes nausées seraient passées. C'est le cas ! Je voudrais maintenant planifier mon départ.

— Je comprends que tu veuilles tenir ta parole et aider ton amie, mais est-ce opportun de le faire tout de suite ? Je ne te cache pas que ça m'inquiète. La situation en Afrique n'est pas des plus tranquilles, en ce moment, avec ces mouvements de guérilla. Partir, enceinte, dans un pays pas très stable…

— Mark, je comprends tes réticences, et c'est pourquoi je voulais t'en parler de vive voix. Je ne vais pas rester longtemps.

Elle lui sourit et l'embrassa.

— J'ai confiance en toi et je sais que tu ne mettras pas le bébé en danger, dit-il. Mais tu n'es pas seule en jeu. Il y a les paramilitaires qui pullulent dans ces régions. Je suis d'accord pour que tu y ailles, par contre je souhaite qu'un des Faucons t'accompagne, comme garde du corps, et que le Sword reste en éveil.

— On aurait peur pour moi, monsieur Walpen ? le taquina-t-elle.

— Exactement ! (Il rougissait.) Il n'est pas question que je vous laisse, toi et bébé Walpen, sans protection.

— Ah ! Si tu dis « bébé Walpen », je comprends que c'est du sérieux !

— Arrête de te moquer de moi.

Il se détendit en lui souriant à son tour. Elle avait l'art de le désarmer avec humour.

— J'adore quand tu te montres protecteur. Comme je te sens inquiet et que je ne veux pas te martyriser, j'accepte ta protection rapprochée. Tu veux me faire escorter par qui ? Rebecca ?

— Je ne sais pas pour le moment. Je préfère en parler avec Paul et les autres commandants pour désigner celui ou celle qui sera le mieux pour toi, en tenant compte de l'endroit où tu pars et des disponibilités de chacun.

— Je vous fais confiance ! Je suis fatiguée, je vais aller me coucher dans ma chambre, si tu es d'accord.

— Tu sais, Anook, je pense que tu n'es pas obligée de l'utiliser.

— Peux-tu préciser ?

— Vu ce que nous avons révélé aux enfants ce soir, et le fait que tu portes leur petit frère ou leur petite sœur, tu peux dormir dans ma chambre si tu en as en envie. Nous n'avons plus aucune raison de nous cacher.

— Tu veux vraiment ?

Prise de cours par cette réaction inattendue, elle souriait de bonheur.

— Oui ! Je serais heureux que nous dormions ensemble, avec bébé, sans nous cacher.

Elle l’embrassa tendrement et ils montèrent se coucher.

13

Mark venait de déposer les enfants à leur école et, comme tous les matins, buvait son arabica tout en parcourant la presse romande, quand la sonnerie du téléphone résonna.

— Walpen.

— Bonjour, monsieur ! Ici maître Éric Bauer de Genève. Je suis désolé de vous déranger, mais une urgence me l'impose.

— Bonjour, Maître ! Que se passe-t-il de si important ?

— Cela concerne votre ami Laurent Boissier qui a été arrêté ce matin à 6 heures par les forces de police du canton. Ayant droit à un avocat, il a fait appel à mes services sur vos conseils et m'a demandé de vous avertir au plus vite de la situation.

— Pourquoi l'a-t-on arrêté et où est-il ?

— Il a été placé en détention préventive à Champ Dollon, suite à un mandat d'arrêt international. Je pourrai vous en dire plus de vive voix si vous venez visiter votre ami, qui aimerait vous voir au plus vite. Je ne vous cacherai pas que son moral est au plus bas.

— Connaissant bien Laurent, je m'en doute. Quand puis-je me rendre à la prison ?

— Si je vous accompagne, on peut y aller dès que vous le souhaitez.

— Dans ce cas, si cela vous convient, je pars immédiatement.

— Monsieur Boissier m'avait prévenu que cela risquait de se passer ainsi avec vous. Je vois qu'il vous connaît bien et qu'il a un ami sur qui compter. Je vous attends à l'entrée de l'établissement pénitentiaire dans une heure. Cela vous convient-il ?

— C'est parfait. Merci pour votre appel, et d'avoir agi aussi vite.

— À tout de suite.

Mark raccrocha, songeur. « Décidément, les événements se sont précipités » se dit-il. Si toutes les hypothèses avaient été envisagées dès la venue de Laurent Boissier à son domicile, un mois auparavant, il avait espéré que les choses se tasseraient, ou qu'ils auraient du temps devant eux. Étant quelqu'un de prudent et d'organisé, il avait contacté, quelques jours plus tôt, maître Éric Bauer, un avocat pénaliste de Genève que lui avait recommandé maître Nelly Wellauer, son propre son avocat-conseil, et ancien bâtonnier du barreau de Lausanne.

Il avait appris que maître Bauer était une pointure du droit pénal, professeur de l'université de Genève, qui assurait régulièrement la défense de personnalités en vue se retrouvant dans des situations délicates. Mark ingurgita le fond de sa tasse, se leva et saisit son pardessus pour rejoindre son véhicule, qu'il avait laissé à sa propriété, distante de seulement une cinquantaine de mètres.

La circulation fut difficile, et il se présenta avec une demi-heure de retard à la prison de Champ-Dollon, sur la rive sud du lac Léman et non loin de la frontière française. Une fois sa voiture garée sur le parking visiteur à moitié désert, il retrouva maître Bauer, qu'il avait averti de ses difficultés. Ce dernier avait déjà rempli les formulaires pour rencontrer son client.

— Bonjour, Maître. Désolé, mais à cette heure, la traversée de la rade est délicate.

— Bonjour, Monsieur Walpen, et merci de m'avoir prévenu. J'ai pu avancer sur certains dossiers en attendant. Les formalités ont été effectuées, on devrait venir nous chercher d'ici quelques minutes. Si vous n'y voyez pas d'inconvénients, je peux d'ores et déjà vous faire un point de situation. On s'adaptera aux circonstances.

— Vous avez raison. Que s'est-il passé ?

— En fait, c'est très simple : tout s'est emballé hier, suite à une demande des Américains qui ont visiblement mis le paquet, si vous me permettez l'expression.

— Cela c'est fait très rapidement, non ?

— Oui, tout à fait ! Le Département de la Justice américain a remarquablement bien monté son coup et l'a probablement préparé méticuleusement en amont, même si tout ne s'est enclenché qu'hier. Dans la même journée, le procureur de New York a porté plainte contre la banque Boissier Naville & Cie et contre son PDG. Dans la foulée un mandat d'arrêt américain a été émis, puis une notice rouge déposée auprès d'Interpol. Le dossier ayant été peaufiné, tout est allé vite, et la notice a été envoyée dans tous les pays, en Suisse en priorité. La police judiciaire fédérale et la police de Genève ont été informées dans la nuit, et les Américains en ont rajouté une couche en faisant prévenir ces mêmes autorités par leur ambassadeur à Berne.

— Wouah ! Ils ont fait fort !

Mark restait ébahi par la capacité des Américains à appliquer une stratégie. Il n'y avait rien d'étonnant à ce que leurs entreprises figurent parmi les plus efficaces, se disait-il, tout en se rendant compte qu'il opérait de la même façon avec le groupe Sword, ce qui le fit sourire.

Il fut interrompu dans ses réflexions par un gardien.

— Messieurs, tout est en règle. Veuillez me suivre.

Les deux hommes se levèrent et suivirent le surveillant dans un dédale de couloirs et de portes. Mark était ravi de constater que son ami avait été incarcéré dans l'aile nouvellement construite. D'après maître Bauer, Laurent bénéficiait d'un statut de VIP en raison de ses fonctions et de sa fortune, et n'était jamais en contact avec les détenus de droit commun. Ils apprirent que le banquier était sous surveillance vidéo permanente, de crainte qu'il ne commette l'irréparable. Pour cette même raison, tout objet personnel lui avait été retiré. Ils débouchèrent dans une salle où ils découvrirent un Laurent Boissier assis et recroquevillé. Il semblait abattu. Quand il les aperçut, une lueur scintilla dans ses yeux tristes.

— Vous voilà !

— Salut, Lolo ! On a fait au plus vite.

— Salut, Mark. Je suis désolé, je ne te faisais aucun reproche, mais le temps est long ici et je n'ai rien à faire. On m'a interdit mon mobile et mon PC.

— Vous êtes arrivé ce matin, monsieur Boissier. Je pense que nous parviendrons à en discuter avec les autorités.

— Dis-moi Lolo, comment encaisses-tu tout ça ?

— Pas bien, Mark. Je sens traité comme un criminel, même si je suis conscient de bénéficier de conditions bien meilleures que les détenus de droit commun. En plus, je suis totalement innocent. Comment peut-on me mettre en prison sans preuve ?

— Les autorités helvétiques n'y sont pour rien, précisa l'avocat. Elles ne font que suivre les procédures de notice rouge d'Interpol. Un pays a émis un mandat d'arrêt sur son propre sol, avec extension internationale. La Suisse est membre d'Interpol, elle doit donc automatiquement appliquer cette décision sur son territoire.

— Je vais être envoyé aux États-Unis ?

— Non, pas tout de suite. C'est l'avantage de la procédure, si je puis me permettre. Votre incarcération est conservatoire. Cela garantit aux autorités émettrices que vous ne prenez pas la fuite. Maintenant, la balle est dans le camp suisse. Les juges vont devoir déterminer dans quelle mesure votre arrestation est conforme au droit suisse, et si une extradition vers les États-Unis est acceptable ou pas.

— Mais je vais rester longtemps en prison ? demanda le banquier.

Laurent Boissier était blême et s'exprimait avec une voix étranglée.

— En principe cela peut durer un certain temps. Je vous donne ma parole que nous ferons tout notre possible pour vous faire sortir au plus vite, mais cela ne dépend pas que de moi. Quoi qu'il en soit, on va déjà demander un assouplissement de vos conditions d'incarcération.

— Lolo, fais-nous confiance, intervint Mark. On te sortira de là, mais cela prendra du temps. Il faut absolument que tu tiennes le coup. Je sais que tu en es capable.

Il passa son bras sur les épaules de son ami effondré. Des larmes s'écoulèrent au coin de ses yeux.

— Je sais que tu es là, réussit-il à dire dans un soupir.

— Tu vas tenir, Lolo. Nous, pendant ce temps, on bosse pour ta libération. Quand on va partir d'ici, on va mettre en place une cellule de travail autour de maître Bauer. Je vais contacter Simona Zanetta pour avoir son avis, et qu'elle nous donne un coup de pouce. Je ne te garantis aucun miracle, mais accroche-toi !

— Je ferai mon maximum, promit Laurent en parvenant à ébaucher un sourire tendu.

— Monsieur Boissier, votre ami a raison. Concentrez-vous sur vous et gérez au mieux la situation. Laissez-nous faire notre boulot. De ce que vous m'avez dit, cette situation n'a aucun sens. Il va falloir démonter point par point l'argumentation américaine, et cela ne sera ni simple, ni rapide, mais nous ne sommes pas plus mauvais qu'eux et nous utiliserons le droit helvétique pour vous faire libérer. OK ?

— Merci.

— On va y aller, Lolo. Tu as besoin de quelque chose ?

— J'aimerais voir Jennifer et les enfants.

— Je vais arranger cela au plus vite, promit maître Bauer. Je discuterai aussi avec le directeur de la prison, ainsi que le juge qui sera nommé, concernant vos conditions d'incarcération.

— D'accord.

— On reste en contact, Lolo et je viendrai autant que possible, d'accord ?

— Merci.

Le banquier prit son ami dans ses bras et fondit en larmes.

14

Mark Walpen travaillait sur divers dossiers quand la sonnerie de son téléphone retentit. Il décrocha :

— Oui, répondit-il, voyant qu'il s'agissait d'un appel interne.

— Bonjour, patron ! C'est Paul. Vous avez les news en bruit de fond ?

— Non, pas pour le moment. Pourquoi ?

— Ils annoncent en ce moment sur France 24 que les trois otages français viennent d'être remis au président tchadien. Cela ne fait que confirmer les bruits de couloir qui m'étaient parvenus.

— Wouah ! En effet. Il va falloir que nous en discutions tous en séance plénière au plus vite, car ce rebondissement aura des répercussions sur la situation des autres otages. Avez-vous récolté suffisamment d'informations pour que nous en débattions ?

— Oui, j'avais prévu d'en parler avec vous entre aujourd'hui et demain.

— Parfait, Paul. Je vous laisse organiser un brainstorming avec tous les membres du *Board*. Tenez compte des décalages horaires dans la mesure du possible.

— OK, patron ! Comme d'habitude.

Mark raccrocha et se reconcentra sur son dossier.

Le soir même, sous les coups de 19 h, une partie des membres de la direction du Sword se retrouva dans la salle de réunion. Comme d'habitude, les autres s'étaient connectés au réseau de visioconférence sécurisé. Mark ouvrit rapidement la discussion :

— Bonsoir ou bonjour à tous. Merci d'avoir répondu aussi vite à l'invitation de Paul. Suite à l'annonce de la libération des trois otages français ce matin, il nous a semblé important de faire le point sur la situation.

— Vous avez bien fait, intervint Alexia Pictet, réagissant la première, avec sa vivacité habituelle. J'ai suivi les nouvelles après le texto de Paul, et je trouve gonflé que seuls ces otages aient été libérés. Les Français ont vraiment fait cavalier seul et ce n'est pas très cool pour les autres.

La stratège exprimait toujours tout haut ce que l'ensemble des participants pensaient tout bas.

— Je comprends bien votre dépit, Alexia, et je le partage. Malheureusement, nous n'y pouvons rien, et chaque État est libre de gérer ses affaires comme il l'entend. Évidemment, dans ce cas précis, cela a des conséquences graves, car cela laisse d'autres otages aux mains de leurs geôliers. Paul, pourriez-vous nous informer de la situation générale ?

— Oui, tout à fait ! L'annonce de ce matin n'a pas été une surprise pour moi, puisqu'elle corrobore à la fois ce que Barbara nous avait indiqué et les informations récoltées auprès de mes anciens camarades de jeu du service extérieur français.

— On s'y attendait. Mais que t'ont répondu les autres ? demanda Alexia, agacée.

La patience n'était pas la qualité de la stratège qui sautait aux yeux en premier.

— Là encore, rien de vraiment nouveau. Les Britanniques et les Américains m'ont confirmé leur opposition de principe à tout paiement, tout en m'affirmant vouloir trouver une solution pour libérer leurs otages.

— Vous voulez dire qu'ils vont envoyer des Forces spéciales ? Ils savent où se trouvent les otages ? interrogea Barbara, qui participait à la réunion, comme chaque fois que c'était possible, prenant son rôle de coordinatrice avec le Sword très au sérieux.

— Pour vous taquiner un peu je répondrai : « oui et non ».

— Paul, vous pouvez être plus clair afin que l'on gagne du temps, répliqua Mark, un peu tendu.

— Oups, *sorry* ! C'est très simple. Mes contacts m'ont susurré que l'Afrique n'était pas leur terrain de jeu favori et que, par conséquent, ils étaient très prudents à l'idée d'y intervenir.

— Alors, ils vont laisser tomber les autres otages ! reprit Alexia, outrée.

— Alex, si tu me laissais finir, s'il te plaît.

— Vas-y.

— Les états-majors verraient d'un très bon œil que le Sword monte une opé de libération. Ils m'ont même affirmé être disposés à nous fournir des effectifs de commandos de leurs Forces spéciales, sous anonymat absolu bien sûr, si nous leur en faisions la demande. Je les ai remerciés et j'ai dit que ce ne serait pas de refus si cela se révélait nécessaire. Cela te convient mieux, Alex ?

Paul sourit à sa collègue.

— Wouah ! s'exclama l'intéressée. J'ai parlé un peu trop vite, désolée.

— Si je comprends bien ce que vous venez d'exposer, Paul, vos contacts nous font un appel du pied pour que nous intervenions en leur nom et ils nous fourniraient des renforts si on le leur demandait, c'est ça ? s'enquit Mark Walpen.

— Oui, tout à fait ! La difficulté, c'est de localiser les preneurs d'otages. Par conséquent, il est beaucoup trop tôt pour lancer une intervention, mais on peut déjà l'anticiper.

— Et vous préconisez quoi ?

— Je crois qu'il faut envoyer une équipe légère dans cette région du Sahel, afin de récolter des informations et de confirmer ou infirmer les bruits de couloir que l'on m'a rapportés. Il sera temps, à ce moment-là de mettre au point un plan d'attaque. Nous en avons l'habitude. Par contre, je trouve intéressante l'offre de renfort, et je serais d'avis qu'on en profite pour faire un essai, et ainsi valider le concept pour l'avenir. Cela nous assurerait de pouvoir compter sur des contingents de première qualité en cas de besoin, car, avec 24 combattants, dont un estropié (Il sourit aux autres en montrant ses jambes), on est un peu léger en termes d'effectifs.

— Je vous suis tout à fait, répondit Mark. Avoir un vivier de Forces spéciales prêtes à partir pour nous épauler serait idéal, et nous permettrait de bénéficier d'un renfort de deux à trois cents commandos de premier plan. En attendant, y a-t-il quelqu'un qui s'oppose à l'envoi d'une équipe d'observation au Sahel ?

Mark fit le tour de la grande table de réunion des yeux, puis observa les écrans de visioconférence.

— À ce que je crois, tout le monde est d'accord, sauf une personne.

Tous les participants se regardèrent l'air interrogateur. « Qui a bien pu voter contre une mission de renseignements sans danger ? » se demandaient-ils.

— Barbara, vous êtes opposée au projet ou vous vous abstenez ? Je n'ai pas vu votre bras levé.

— Mais... balbutia-t-elle tout en rougissant sentant tous les regards dirigés vers elle. Je ne suis pas membre du Sword ! Je ne fais que coordonner le Réseau Ambassador et vous avez la gentillesse de me laisser participer à vos brainstormings, expliqua-t-elle, retrouvant finalement son calme et son aplomb.

L'assemblée se mit à rire et Mark reprit la parole.

— Écoutez, Barbara, même si vous n'êtes pas mon père, ce qui paraît assez évident, vous dirigez notre service de renseignement. De même, vous participez à de nombreuses réunions du Sword quand vos responsabilités vous le permettent. Je trouve donc logique que vous preniez part au débat et au vote. À moins que quelqu'un ici le conteste. Qu'en pensez-vous ?

— Ben, c'est évident que Barbara fait partie du *Board* ! s'exclama Alexia. De toute façon, si elle ne nous informait pas comme elle le fait, on n'aurait pas beaucoup de grain à moudre. En tout cas, elle s'acquitte de sa tâche au moins aussi bien que Ralf, et certainement mieux si on se réfère aux dernières affaires en Australie et en Chine.

— Alexia a encore raison, compléta le colonel de Séverac qui appréciait la franchise légendaire de la stratège en chef, même si elle ne se montrait pas toujours des plus diplomates.

Mark, sentant que Barbara avait besoin de se savoir acceptée par tous, demanda à l'assemblée de manifester son accord. Instantanément, chacun leva le bras, à la surprise de l'intéressée.

— Voilà ! Les choses sont claires. Barbara, si vous aviez un doute sur le bien-fondé de votre présence, j'espère que nous l'avons dissipé. Alors, quelle est votre position ?

— Je suis d'accord, bien sûr, dit-elle d'une voix enrouée par l'émotion.

L'ambassadrice, plus familière avec l'atmosphère feutrée du monde des affaires étrangères, devait s'habituer à cette manière de s'exprimer, franche et directe, qui régnait au Sword.

— Bon, maintenant que nous sommes tous au même diapason, qui va y aller, Paul ?

— Je n'ai encore rien décidé, Mark. A priori, je serais d'avis de désigner ceux qui ont plus d'expérience dans le désert, ceux qui ont des physiques de type africain et, enfin, ceux qui s'y connaissent bien en matière de terrorisme islamiste.

— Je suis d'accord avec vous, mais cela fait beaucoup de monde.

— Oui, en effet. Je retiendrais Tom comme chef, avec Olwetu Ngwenyama et Storm Meyer. Cela suffit pour le moment. Si vous le voulez bien, je les accompagnerai volontiers pour la partie récolte d'informations auprès de mes anciens collègues basés au Tchad.

— Je vous vois venir, Paul ! s'exclama Mark, souriant avec affection à son commandant. Le terrain vous manque, hein !

— Oui !

— Qu'en diraient vos médecins si je les interrogeais ? La prothèse tient ?

— Nickel ! J'ai encore de la physiothérapie à faire, mais je progresse, même si les trucs de commandos, c'est fini pour moi. Mais je peux rester le soutien de l'équipe.

— Dans ce cas, allez-y, Paul. Rebecca prendra le commandement ici pendant votre absence.

— Cool !

Le colonel souriait de bonheur à l'idée de retrouver le terrain après presque une année de soins.

— Je ne vous demande qu'une chose : faites attention à vous et à votre jambe. Tout n'est pas encore totalement consolidé, et il ne faudrait pas que vous tombiez dans un guet-apens et que vous vous blessiez.

— Oui, patron ! Je n'ai pas envie de retourner sur le billard, j'ai donné.

Paul de Séverac éclata de rire et fut rejoint par toute l'équipe de stratèges.

— Est-ce que nous sommes tous OK sur cette opération de renseignement au Sahel et en particulier au Tchad ? Ce coup-ci, vous avez tous levé la main. C'est parfait. Alors, on y va comme cela. Paul, vous mettez en place votre plan et vous nous informez de la situation. N'oubliez pas toutes les mesures de sécurité habituelles quand une équipe part en mission. Je veux votre signal sur l'écran de Sven en permanence.

— OK !

15

Mark rejoignit Anook et les enfants à son domicile. Quand il arriva, les enfants ayant déjà dîné, il les trouva blottis l'un contre l'autre dans son lit, Anook au milieu leur lisant une histoire.

— Bonsoir !

Il s'approcha et les embrassa tendrement.

— Bonsoir Papou. Tu rentres tard, gémit Zoé.

— Oui, c'est vrai. Il y a parfois des urgences, tu sais. Et puis à ce que je vois, vous n'étiez pas totalement abandonnés ?

Les enfants s'accrochèrent un peu plus à Anook.

— Je vais me changer et je viendrai vous embrasser quand vous irez dormir.

Mark eut juste le temps de se doucher et de revêtir une tenue confortable quand le téléphone, habituellement muet, retentit.

— Walpen !

— Bonsoir, Mark, c'est Ralph !

L'ambassadeur avait une voix grave et triste, et son fils comprit immédiatement que quelque chose n'allait pas. D'autant plus que, d'habitude, son père le joignait par Skype en lui fixant rendez-vous. Il s'abstint donc de le charrier.

— Bonsoir, Vati ! Que se passe-t-il ?

— Un drame vient d'arriver. Kathleen a été mordue par un serpent venimeux quand elle s'est couchée. Heureusement, elle a pu appeler à l'aide. Son chauffeur l'a prise en charge aussitôt et les secours sont venus au plus vite.

— Et comment va-t-elle maintenant ?

— Elle est en réanimation, car le serpent qui l'a mordue est un des plus venimeux d'Australie, c'est un Acanthophis. Son venin est un des plus puissants neurotoxiques au monde. Les docteurs l'ont rapidement prise en charge et lui ont injecté le sérum, mais les effets du poison restent considérables pour le moment.

— Quelles sont ses chances ?

— Les médecins refusent de se prononcer pour l'instant, car si le sérum est habituellement très efficace, il peut toujours y avoir des séquelles quelques jours après la morsure. Et le fait qu'elle réagisse peu à celui-ci n'est pas un bon signe.

Mark sentait l'angoisse de son père au bout du fil.

— Ne t'inquiète pas, Vati ! Elle est entre de bonnes mains. Ils ont l'habitude, en Australie. Vous avez fait votre maximum.

— Oui, tu as raison. Ce serpent n'aurait jamais dû se trouver dans son lit ! Pour moi, c'est une tentative d'assassinat. (Il hésita un peu avant d'ajouter.). Je vais être très honnête avec toi, Mark. Si tu avais accepté de la protéger, on n'en serait pas là. Tu es en partie responsable de la situation.

Alors, le vieux tigre commença à hurler, comme tant de fois auparavant, quand son fils avait refusé d'assurer la protection de la jeune femme par l'antenne australienne du S3*. Cela rappelait à Mark les soubresauts qu'il avait vécus dans sa relation avec son père depuis la libération de Kathleen Spinosa-Parker.

— Hannah a raison de te rendre responsable de tout ce qui arrive !

Mark s'efforça de garder son calme :

---

* Voir *Panique au Vatican*.

— Écoute, Vati. Je comprends que tu sois triste et en colère, mais au cas où tu l'oublierais, ce n'est pas moi qui ai mis ce serpent dans le lit de Kathleen. Par ailleurs, il n'y a pas que le S3 sur Terre pour assurer la protection de la princesse. Wendy t'a communiqué des adresses et, si je ne me trompe, vous avez refusé d'en choisir une malgré nos conseils et nos avertissements. Je ne crois pas que ce soit le moment d'accuser qui que ce soit et certainement pas le Sword ni moi !

— Tu devras te justifier auprès d'Hannah. Elle te rend responsable de l'attentat. Tu es mon fils, mais je trouve que tu as poussé le bouchon trop loin et, rien que pour ton père, tu aurais pu accepter de protéger Kathleen. Tu savais quel danger elle courait et tu pouvais imaginer comment Hannah réagirait en cas d'incident. À cause de toi, nous sommes fâchés. Elle me met dans le même sac que toi et me rend aussi responsable de la morsure.

— Bienvenue au club, Vati !

Mark n'avait pu résister à lancer cette pointe d'humour, tant la situation ne l'étonnait guère de la part de cette femme qui manipulait très bien son monde, à commencer par Ralph Walpen.

— Vati, je crois que ce n'est pas la peine de nous étendre sur le sujet de la mauvaise foi de ta bonne amie Hannah, tu vas encore m'accuser de tous les maux. Nous en rediscuterons un jour, peut-être, quand tu auras grandi et que tu te seras calmé.

— C'est toujours la même chose avec toi, tu veux avoir le dernier mot, même quand tu as tort !

Ralph raccrocha furieux. « Eh bien, ça recommence ! » se dit Mark.

Anook était redescendue depuis quelques minutes et attendait que Mark ait fini.

— Les enfants t'attendent, tu peux y aller ? Pendant ce temps je prépare le repas pour nous deux, d'accord ? lui demanda-t-elle, lui souriant avec tendresse afin de lui montrer qu'elle le comprenait.

Elle savait très bien qu'il était contrarié, et ce qu'elle avait entendu lui rappelait certains souvenirs désagréables. Elle préférait laisser Mark lui en parler quand il le jugerait bon. Elle gagna donc la cuisine.

Mark monta les escaliers et essaya de retrouver une attitude enjouée, sans succès. Il embrassa tendrement les enfants, redescendit aussitôt et rejoignit la femme qui partageait sa vie par intermittence.

— Bois une gorgée de ce vin, cela te fera le plus grand bien, dit Anook avec douceur et affection tout en lui tendant un verre d'amigne qu'il appréciait.

— Merci ! C'est gentil. Si tu savais comme il commence à me les briser, celui-là ! Même à vingt mille kilomètres d'ici, il faut qu'il m'énerve !

Il s'exprimait avec une colère à peine contenue.

— Qu'est-ce qui se passe encore entre vous deux ? Décidément, depuis qu'il a rencontré Hannah, votre relation n'est plus pareille ! Pourtant, depuis son départ pour l'Australie, je croyais que c'était fini.

— Tu as parfaitement bien résumé la situation.

Mark lui conta l'échange qu'il venait d'avoir avec son père.

— Wouah ! Mais quel rapport avec toi ?

— Hannah et sa fille n'ont pas apprécié que nous ayons condamné leur annonce, à Sydney, que la princesse était bien vivante, alors que Rebecca avait tout fait pour faire croire qu'elle était morte dans un accident de bateau. Nous les avions avertis que sa vie était en danger, mais nous avons refusé de la protéger, car nous n'avions pas confiance en elles. Il n'y a pas que le S3 sur le marché de la protection des personnes !

— Calme-toi, tu n'y es pour rien. Tu les avais prévenus.

— Le plus drôle, vois-tu, c'est que Ralph se plaint et me rend responsable. Il ignore une chose : le chauffeur que Kathleen vient d'embaucher est un homme du S3 Australie. C'est lui qui a réagi après la morsure en tuant le reptile et en pratiquant les premiers soins.

— Tu ne m'avais rien dit !

— Non, mais je ne raconte pas tout. C'est un détail de toute façon. Je ne fais jamais rien à la légère, tu devrais le savoir.

Il esquissa un sourire encore un peu crispé. Il commençait à s'apaiser. Il poursuivit :

— Ce qui m'agace le plus avec mon père depuis qu'il s'est amouraché d'Hannah, c'est son incapacité à observer les événements avec objectivité. Si Hannah et Kathleen avaient suivi nos indications et fait profil bas, elles auraient évité toute rétorsion de la part de la principauté de San Marino. Mais ça, le vieux lion ne veut pas le voir et il m'accuse. Je déteste ce genre d'injustice !

— Laisse tomber, Mark. Tu as fait ce qui te semblait juste. Tu n'as aucun reproche à te faire. Il faut espérer que Ralf ouvrira un jour les yeux et s'il se met si souvent en colère, cela signifie qu'il ne doit pas être si bien que cela dans sa peau.

— Anook, tu as raison, une fois de plus ! J'ai faim.

— Cool ! C'est prêt dans deux minutes.

Elle l'embrassa tendrement.

16

Alexia Pictet se sentait soulagée d'avoir enfin achevé le rapport de synthèse de géopolitique d'une cinquantaine de pages qui l'avait accaparée ces derniers jours.

Après la première réunion avec les nouveaux analystes, Mark avait émis le souhait de disposer d'un document faisant état des conflits existants, ou « en germination », pour reprendre son expression, sur la planète. Il considérait que cela permettrait au Sword de mieux appréhender les périls auxquels il devrait certainement faire face un jour ou l'autre.

Alexia, professeur de Relations internationales et de géopolitique à la *Webster University* et professeur invité de plusieurs universités de prestige, avait aussitôt accepté de s'en occuper. Elle avait chargé l'ensemble de ses spécialistes d'établir des rapports succincts dans leurs domaines et dans leurs zones géographiques de prédilection. Son rôle fut de les lire avec critique, de réclamer certaines précisions, puis de les concentrer en un document de synthèse utilisable par tous.

Elle en avait profité pour contacter Barbara Apfelbaum qui, en tant que responsable du Réseau Ambassador, avait eu pour tâche d'agir de même auprès des ambassades et consulats helvétiques. Cela avait permis de compléter et de corriger certains renseignements déjà récoltés.

Le rapport achevé, elle avait pris rendez-vous avec Mark afin d'en discuter et d'y apporter les dernières améliorations avant sa diffusion au sein du Sword et du Réseau Ambassador.

Peu avant midi, Alexia passa donc au bureau du directeur du groupe Sword.

— Hello ! Ça joue toujours pour ce lunch-meeting, patron ? lança-t-elle tout sourire en regardant Mark concentré à son bureau.

Il gardait systématiquement la porte ouverte, sauf s'il avait un entretien confidentiel, ce qui restait rare. Dans ces bureaux, le secret était partagé par tous !

— Entrez, Alexia ! Je signe juste ces documents pour que Wendy puisse s'en occuper et je suis à vous. Comment va notre boute-en-train des relations internationales aujourd'hui ?

— Merveilleusement bien. Comme d'habitude.

Le professeur se mit à sourire avec son air enjoué connu de tous. Beaucoup la comparaient à une pile électrique et savaient qu'elle tenait difficilement en place. Elle développait une énergie hors du commun, proche de celle de Deepak. C'était d'ailleurs les deux plus intrépides lors des réunions du Sword.

Non seulement Alexia Pictet était reconnue pour ses diverses publications et la qualité de ses analyses, mais au sein du Sword sa personnalité était très appréciée. Si elle se révélait une intellectuelle de haut vol, elle n'en demeurait pas moins quelqu'un de très concret, ancrée dans le réel. Son caractère entier l'amenait irrésistiblement à dire tout haut ce que beaucoup pensaient intérieurement, et le politiquement correct très en vogue depuis plusieurs années l'ennuyait terriblement. Elle aimait que les choses soient claires, tranchées, et, surtout, qu'on les exprime. C'était cette force que Mark avait repérée d'emblée quand il avait fait sa connaissance, quelques années auparavant, dans le but de mettre au point la mission en Libye. Il appréciait beaucoup ce caractère franc et direct et il savait quand il fallait modérer les ardeurs du stratège en chef du Sword.

Cinq minutes plus tard, Mark, prenant au passage son manteau, retrouva Alexia à la porte et ils quittèrent le bâtiment pour rejoindre le bord du lac.

Ils marchèrent tranquillement pour gagner le port, puis la brasserie où Wendy avait réservé une table. Ils s'installèrent dans un coin au calme, comme Mark l'appréciait. Il se concentrait difficilement dans le brouhaha. Ils commandèrent rapidement le plat du jour, des filets de perches avec pommes vapeur, spécialité culinaire de la région lémanique. Comme à son habitude, ce fut notre intrépide stratège qui prit la parole :

— Alors, Mark ! Vous en pensez quoi, de mon rapport ? Cela correspond à ce que vous attendiez ?

— Holà ! Je vois que vous ne changez pas, Alexia.

Il sourit.

— Ben, non. Pourquoi faire ? répliqua-t-elle du tac au tac.

— En effet, de votre part, c'est assez logique. Est-ce que je peux boire une gorgée d'eau avant que nous débattions ? demanda-t-il en la taquinant.

— Bien sûr. Désolée, patron, je fonce souvent tête baissée et je ne suis pas toujours très protocolaire.

— C'est votre charme, Alexia.

Il les servit en eau, but, et reprit la conversation.

— Pour revenir à votre chef-d'œuvre, je trouve que c'est très clair et agréable à lire. La présentation par continent et par degré d'intensité me convient. J'ajouterais une carte du monde, avec les guerres en cours, à venir, etc. Il vous faudra peut-être plusieurs schémas selon les thèmes, mais cela sera encore plus compréhensible, il me semble.

— Vous avez raison. J'y avais pensé, mais je ne dessine pas très bien, alors j'ai laissé tomber.

— Concentrez-vous sur vos analyses du monde, où vous excellez. Par contre, nous avons une graphiste free-lance qui gère tous les travaux du groupe. Il faut la contacter, elle vous fera cela rapidement et bien.

— Cool ! Vous pensez à Tamara ?

— Oui, bien sûr.

— Je ne la connais pas, mais je sais qu'elle fait du bon boulot.

— C'est une jeune femme pleine de talents, discrète, mais efficace.

— OK, je m'en occupe en rentrant.

— Je vous conseillerais de lui préparer ce que vous désirez d'elle. Faites des croquis grossiers, elle fignolera.

— C'est parfait. Et sinon, vous en pensez quoi de cette revue ?

— Je pense que c'est un outil indispensable dont on s'est bêtement passé pendant des années.

— On avait aussi d'autres chats à fouetter, et les effectifs n'étaient pas les mêmes. Avoir sous la main des spécialistes des affaires internationales change la donne, non ?

— C'est juste.

— Et sur le fond, vous avez des remarques à faire ?

— Honnêtement, non ! Je souhaitais un instantané géopolitique de la planète et je l'ai. En plus, vous avez systématiquement ajouté un paragraphe sur les évolutions potentielles, ce qui nous permet d'être alertés sur les dangers par zone géographique. Pour moi, c'est nickel. Une fois que Tamara vous aura dessiné les cartes, diffusez-le à tous les membres du Sword, et n'oubliez pas d'envoyer un PDF à Barbara, qu'elle puisse informer le Réseau Ambassador.

— J'y avais pensé.

À ce moment-là, la serveuse leur apporta leurs assiettes bien chaudes.

— Humm, ça sent super bon ! s'exclama Alexia.

— Oui, en plus, ce sera délicieux. Ce n'est pas par hasard qu'une grande partie du groupe vient prendre son repas de midi ici.

— Bon appétit.

— Merci. Vous aussi.

Ils restèrent silencieux un certain temps, prenant le temps de déguster leur plat. C'est Mark qui relança la discussion :

— J'ai quelques questions sur les conflits existants ou en gestation.

— Allez-y.

— Il y a plusieurs points qui ont attiré mon attention. Je suis normalement de près l'actualité internationale, mais il y a des aspects que je ne connaissais pas, ou peu.

— Vous m'étonnez. En principe, vous êtes au moins autant au parfum que moi. Je vous écoute.

— Je vais commencer par le continent africain, qui m'intéresse pour plusieurs raisons. Il y a de manière récurrente des mouvements de résistance qui apparaissent et disparaissent. L'Afrique, depuis l'indépendance des différents États, a de la peine à trouver une stabilité politique. Ce n'est donc pas un fait nouveau pour moi. Par contre, si je saisis bien vos propos, nous assistons actuellement à une recrudescence importante de ces mouvements de rébellion. Est-ce exact ? Et si oui, pourquoi ?

— Je ne suis pas non plus une spécialiste de ce continent, ce sont des analystes français de l'IFRI qui m'ont renseignée. Après la décolonisation, beaucoup de pays ont subi la loi de dictateurs qui ont régné pendant des décennies. Cela a engendré des mouvements de résistance et de révolte sur fond de problèmes ethniques et tribaux. C'est ainsi que nous avons vu éclore de nombreux conflits meurtriers, dont le plus important est le génocide du Rwanda. Il me semblait aussi que, ces dernières années, ces guérillas étaient moins nombreuses. Mais, depuis quelques mois, voire une bonne année, le nombre de conflits plus ou moins larvés augmente considérablement.

— Et vous en connaissez la cause ?

— Je pense qu'il y en a plusieurs. La première, c'est l'afflux d'argent. La réglementation sur les diamants de sang n'est pas aussi efficace qu'espérée. Le trafic, qu'il soit d'êtres humains, de drogues dures, de matières premières précieuses ou d'armes, n'a jamais été si important. Tout cela permet à des individus de monter des escadrons de la mort pour imposer leur loi. Il y a également une recrudescence d'armes plus ou moins légères, en circulation soit par la Libye, soit par les anciens pays du bloc de l'Est et la Russie en particulier.

— La Russie serait là-dessous ?

— Il est trop tôt pour en être certain, Mark. Ce qui est sûr, selon nos diverses sources, c'est que l'on retrouve en quantité colossale des armes de fabrication russe. Cela ne veut pas dire pour autant que c'est le Kremlin qui les livre. Cependant, je ne peux oublier que le complexe militaro-industriel de ce pays est sous contrôle de l'État.

— En effet, c'est troublant. Il ne me semblait pas que le président Sokolov considérait l'Afrique comme sa chasse gardée.

— En la matière, il n'y a pas de doctrine préétablie. Il est certain que la Chine a décidé de s'implanter en force dans ce continent, et même si les deux grandes puissances sont alliées, elles demeurent concurrentes. Donc, pour moi, tout est possible. Je rajouterais que les armes russes ont été produites à grande échelle et qu'elles ne coûtent pas cher. Par conséquent, en trouver en grande quantité n'est pas étonnant et peut tout simplement être le fruit de trafics d'armes d'envergure.

— Il faudra que l'on suive cela de près. Je ne vous cacherai pas que cette situation m'inquiète aussi à titre privé.

— C'est indiscret de vous demander de quelle façon cela peut vous concerner ?

— Non ! Sinon je ne vous en aurais pas parlé. Anook a promis d'apporter son expertise à une de ses amies, qui est médecin à MSF Suisse. Elle doit se rendre du côté de la République démocratique du Congo, avec des voyages aussi en Zambie et en Angola. Je ne suis pas ravi, surtout qu'elle est enceinte de trois mois.

— Ah bon ! s'étonna le professeur, qui ignorait tout.

Elle avait noté qu'elle n'avait pas revu la chirurgienne depuis pas mal de temps, mais n'en avait pas tiré de conclusion pour autant. Ce n'était pas son genre.

— Vous êtes la première du Sword à en être informée. J'ai appris la nouvelle, il y a un mois. Ce n'était pas vraiment prévu, Anook ne s'y attendait plus.

— En effet, cela n'arrive pas tous les jours, mais cela se produit quand même. La preuve.

— Eh bien, c'est tombé sur nous.

Mark lui sourit.

— Cela vous fait quoi d'agrandir la famille ? Les jumeaux réagissent comment ?

— Oh ceux-là, ils n'ont pas perdu le nord, vous savez ! Ils avaient parfaitement compris qu'Anook attendait un petit frère ou une petite sœur. Ils ont déjà demandé quand leur marraine allait déménager, alors vous voyez l'ambiance.

— C'est cool, non ?

— Oui, c'est mieux dans ce sens. Anook s'occupe d'eux comme une mère depuis plusieurs années. Et puis il est temps de tourner la page. Nous n'oublierons jamais Shannon et Tallia. Cependant, la vie continue.

— Vous n'avez aucune raison de vous justifier, vous savez ! Si je ne me trompe pas, vous êtes veuf depuis plus de six ans. On ne peut pas dire que vous vous soyez précipité sur la première venue. La preuve, c'est que les enfants en sont ravis. En plus, vous vous entendez très bien avec Anook qui est à la fois brillante intellectuellement et jolie femme, sans parler du fait qu'elle apporte beaucoup d'amour aux deux petits Walpen.

— Je dois reconnaître que vous êtes perspicace, professeur.

Mark lui sourit amicalement.

— Vous vous inquiétez pour la sécurité d'Anook ?

— Oui ! J'ai obtenu qu'elle accepte qu'un de nos Faucons l'accompagne, ce qui est déjà une performance.

— En effet ! Vous voudriez que nous affinions nos analyses dans cette région ?

— Volontiers. Elle ne part pas avant deux ou trois semaines. De toute façon, il faudra qu'on la suive à la trace.

— OK, on s'en occupe dès mon retour au bureau.

— Sinon, parlez-moi de l'Ukraine.

— C'est un des dossiers les plus chauds des prochaines semaines, à mon avis. Pour le moment, il n'y a rien de bien nouveau dans sa situation politique. Cependant, cela peut exploser à tout moment et je pense que nous sommes arrivés à un point de non-retour.

— Vous pouvez préciser ?

— Depuis que Pouchiline tourne le dos à l'Europe et se soumet à la Russie, on observe de vives tensions à Kiev. Sokolov affirme respecter l'indépendance de l'Ukraine. Mais, en même temps, ses troupes sont massées à la frontière, prêtes à pénétrer chez son voisin.

— Je partage votre opinion. Pensez-vous que la Russie va envahir son voisin ?

— C'est compliqué. Je ne crois pas à une invasion classique par l'armée. Cela ne rentre pas dans le mode de fonctionnement des autorités russes. De ce que j'observe ces dernières semaines, j'imagine plus une déstabilisation de la région en sous-main. La chose qu'on ne peut exclure à terme, c'est l'annexion de la Crimée et de l'est russophone.

— C'est tout à fait cela. Nous devons rester vigilants. Que fera l'Europe ? Sera-t-elle aussi impuissante et désunie que dans d'autres dossiers ?

— Elle l'est déjà et les Russes rigolent sacrément.

— En effet.

Ils avaient fini leurs assiettes, et commandèrent des expressos.

— Donc pour résumer, repris Alexia en humant son café : je fais les crobards, je les fais améliorer par Tamara et j'envoie le doc à tous.

— Exactement. Il faudra faire une mise à jour régulière du document, en mettant en exergue, par une couleur choisie, les nouveaux développements.

— D'accord. Je m'en occupe.

Ils se levèrent et quittèrent le restaurant.

17

Mark rejoignait son bureau, ravi de sa discussion avec Alexia, quand il tomba sur Rebecca qui l'y attendait.

— Bonjour, Rebecca ! On a rendez-vous ? Je ne m'en souviens pas.

— Non, non, patron. J'ai besoin de vous parler de toute urgence. Si vous avez quelques minutes à me consacrer, ce serait cool.

— Je n'ai aucune contrainte particulière. Fermez la porte et venez vous asseoir sur le canapé. Je vais demander à Wendy deux expressos.

— D'accord.

Elle refermait déjà la porte.

— Alors, que se passe-t-il de grave ? Vous avez l'air tendu.

— Je m'inquiète pour mon père.

— Il a des soucis de santé ?

— Non, pas que je sache ! Mais il a disparu dans la nature. Je n'ai plus de ses nouvelles depuis dix jours, et ma mère non plus. Ce n'est pas son genre. Il me laisse toujours un message.

— Vous êtes sûre qu'il n'est pas sur une affaire d'État ?

— Vous savez bien qu'il a quitté le Mossad. Il profite de sa retraite, maintenant.

— Je vois mal Avram cultiver son jardin ou rester assis dans son canapé à regarder la télé.

Mark sourit en pensant à son ami hyperactif.

— Oui, en effet.

Rebecca ne put réprimer un sourire en coin.

— Je ne sais pas tout ce qu'il fait et je me doute qu'il a gardé des liens avec l'Institut. Mais il a toujours donné signe de vie. Ma mère aussi s'inquiète, alors qu'elle est habituée à ne pas voir son mari pendant plusieurs jours.

— J'en ai conscience. Quand on a son mari patron du Mossad pendant plus de dix ans, on vit avec le secret et l'absence. Que voulez-vous que je fasse ?

— Vous, rien, sauf me donner congé afin que je me rende en Israël.

— Je n'y vois aucun inconvénient. Partez le temps nécessaire à vous rassurer. Vous ne voulez pas prendre un des Faucons avec vous, au cas où ?

— C'est gentil, mais c'est une affaire privée et je ne vais pas amputer le Sword d'un combattant qui peut lui être utile.

— Dans ce cas, allez-y et tenez-moi au courant.

— Merci. Je prends le premier avion El Al demain matin.

— OK.

Deux jours plus tard, Barbara Apfelbaum appela Mark à son bureau.

— Bonjour, Mark ! Comment allez-vous ?

— Bien. Merci, Barbara. Et vous ?

— Très bien, merci. Je me permets de vous déranger pour vous transmettre une invitation.

— Ah bon ! Vous voulez me voir pour quelque chose de particulier ?

— Vous rencontrer est toujours un plaisir pour moi. Mais en l'occurrence, c'est le Secrétaire général de l'ONU qui désire faire votre connaissance.

— En quel honneur ? Je ne l'ai jamais croisé et je ne vois pas ce que je peux faire pour lui.

— Il ne m'a pas dit grand-chose, sauf qu'il était à Genève pour des séances importantes ces trois prochains jours et qu'il avait absolument besoin de s'entretenir avec vous. Comme je l'ai connu quand il était encore Vice-Secrétaire général, il y a une année environ, il m'a contacté par le canal diplomatique habituel.

— Ah bon. Comment cela doit-il se passer si j'accepte ?

— Il serait d'avis que vous le rencontriez avec moi à l'hôtel Intercontinental demain soir pour un dîner de travail. Je tiens à préciser que ce n'est pas moi qui ai insisté pour être présente à vos côtés, se pressa-t-elle d'ajouter, de peur qu'il la trouve trop pressante.

— Dans ce cas, je viendrai, bien que je ne comprenne pas ce qu'il me veut.

— J'ai ma petite idée là-dessus.

Elle ricana gentiment à l'autre bout du fil.

— Vous pouvez éclairer ma lanterne, Barbara ?

— Ian Anderson a été le Vice-Secrétaire général de Ban Ki Moon pendant trois ans et de ce que je sais, il est irrité de constater à quel point le Conseil de sécurité est paralysé. Par conséquent, il me paraît logique qu'il veuille profiter d'un passage à Genève pour rencontrer le chef du seul service de renseignement totalement neutre et indépendant. Sans parler du fait qu'il est diplomate à l'ONU depuis plus de vingt ans et qu'il a très bien connu un certain Ralph Walpen et moi-même.

— Je vois que je suis démasqué.

— Je comprends que vous ne teniez pas trop à être exposé. Mais je crois que ce n'est, en l'occurrence, pas le cas. C'est une opportunité qui se présente pour que le Sword soit encore plus utile à la paix dans ce monde.

— Vu comme ça ! Bon, on y va comment et à quelle heure ?

— Je pense que le plus simple, si vous êtes d'accord, c'est que je passe vous prendre avec un chauffeur à votre bureau demain, vers 18 h 30. Comme cela, nous pourrons bavarder tranquillement pendant le trajet.

— C'est clair que c'est beaucoup plus simple. Alors à demain.

— Bonne soirée, Mark.

Ils raccrochèrent. Le directeur du Sword se demandait dans quelle mesure cette invitation était une bonne ou une mauvaise chose. Il restait très prudent et ne souhaitait pas que son département de géostratégie devienne un enjeu international. « Bah, on verra bien ça demain. » se dit-il.

Le lendemain, sous le coup de 18 h 20, une Mercedes S 300 noire rutilante, avec vitres teintées, se gara devant la porte d'entrée de l'immeuble Sword de Lutry. Le planton du S3, averti de l'arrivée du véhicule officiel, prévint Wendy. La directrice de la Task Force était habillée d'un tailleur bleu marine très seyant et portait des chaussures à talons hauts. Le résultat était des plus élégants.

Cinq minutes plus tard, Mark, vêtu d'un costume anthracite, chemise rose clair et cravate bordeaux, déboula suivi de Nibs van de Merwe, qui avait décidé d'assurer la protection de son directeur.

— Bonsoir ! Barbara, dit Mark en s'engouffrant dans la luxueuse limousine dont le chauffeur venait d'ouvrir la portière arrière. Si vous n'y voyez pas d'inconvénient, mon chaperon va nous accompagner toute la soirée.

— Pour moi, il n'y a aucun problème. Je connais vos contingences sécuritaires et je les respecte. Par contre, je ne sais pas s'il pourra rester pendant notre dîner.

— Je crois que c'est tout vu. Il ne me laissera jamais sans jeter un œil sur moi, que je sois avec la reine Elisabeth ou le pape. Je n'ai pas besoin de vous rappeler que Nibs, comme tous nos commandants, a une habilitation maximale aux secrets.

— Je sais. Je disais cela juste en réfléchissant à ce qu'en penserait le Secrétaire général.

— Vous savez, il en a vu d'autres.

Le ton du directeur du Sword était sans appel. Barbara se dit : « Au moins avec lui, les choses sont claires d'emblée ! »

Pendant ce temps, le commandant sud-africain avait pris place sur le siège avant droit, et le chauffeur rejoignait l'autoroute afin d'être à Genève au plus vite.

Une heure plus tard, la limousine se présentait sous le porche de l'hôtel Intercontinental où se tenaient de très nombreuses négociations internationales, et où l'ONU avait des suites à disposition. Nibs, concentré, fut le premier à sortir du véhicule. Le chauffeur attendit un clignement d'œil de sa part et ouvrit la portière du côté de la directrice de la Task Force.

Mark Walpen la suivit avec un Nibs le collant de près, la main droite dans le dos, tenant son arme de service sous sa veste de costume.

Ils se rendirent directement aux ascenseurs et rejoignirent le douzième étage, puis la suite panoramique de Ian Anderson. À la porte 1206, ils frappèrent et attendirent. Des pas feutrés s'approchèrent et un homme d'une cinquantaine d'années de type indien ouvrit. C'était le Vice-Secrétaire général.

— *Welcome Miss Apfelbaum. The General Secretary is waiting for you. Please come in*[*].

— *Thank you very much. May I introduce Mr Mark Walpen*[**]*?*

Nibs restait en retrait tout en scrutant les lieux. Mark salua le Vice-Secrétaire et entra dans le salon où Ian Anderson se tenait assis sur un canapé tout en lisant des notes. Apercevant ses invités, il se leva.

— Bonsoir, madame la Directrice ! Bonsoir, monsieur Walpen ! Merci à vous deux d'avoir fait tout ce chemin.

— Bonsoir, monsieur le Secrétaire général, dit la jeune femme avec respect.

— Bonsoir, monsieur, fit Mark.

---

[*] *Bonjour mademoiselle Apfelbaum. Le Secrétaire général vous attend. Veuillez entrer.*

[**] *Merci beaucoup. Puis-je vous présenter M. Mark Walpen ?*

— Puis-je savoir quel est cet homme à vos côtés ? demanda Ian Anderson pris au dépourvu.

— Oh ! Ne faites pas attention à lui. Il est là pour assurer ma protection et sera muet comme une carpe.

Nibs s'était déjà placé à un angle de la pièce, d'où il pouvait observer l'ensemble des protagonistes et surveiller en même temps toute entrée dans le salon.

— Dans ce cas... asseyez-vous.

Le Vice-Secrétaire salua son supérieur et ses invités et quitta discrètement la pièce. Le Secrétaire général leur proposa à boire et s'installa confortablement dans un fauteuil face à ses deux interlocuteurs.

— Je suis désolé de m'être montré insistant. Cependant, ma venue à Genève tombait bien et il m'est plus aisé de vous rencontrer discrètement ici qu'à New York. Par ailleurs, après une année de fonction, j'ai eu le temps de faire le tour des différentes problématiques internationales que je connaissais déjà...

— Excusez-moi de vous couper, monsieur, mais cela n'explique toujours pas pourquoi vous m'avez demandé de venir. Madame la directrice, en qui j'ai une confiance totale, m'a persuadé que c'était nécessaire, mais je ne comprends pas bien la situation. Je n'ai rien à voir avec l'ONU.

— Je reconnais que cela peut paraître incongru de prime abord. Laissez-moi juste quelques minutes, et vous pourrez évaluer si tout cela n'est que les élucubrations d'un homme vieillissant.

Le Secrétaire général, un Suédois, était âgé d'un peu plus de soixante-six ans. C'était un homme très grand, plus d'un mètre quatre-vingt-dix, sec, blond grisonnant, avec une courte mèche rebelle sur le front. Il portait des lunettes rondes sans monture autour des verres, qui laissaient percer des yeux bleu-vert délavés et pétillants d'intelligence. Cet homme issu du sérail diplomatique ainsi que d'une grande famille suédoise avait reçu une éducation irréprochable, mais demeurait accessible à tout un chacun. Une aptitude rare, qui en faisait un interlocuteur des plus appréciés.

— Cette réunion étant totalement informelle, je vous suggère de tomber la veste et de vous mettre à l'aise. Buvons d'abord à votre santé, dit-il en tendant une flûte à champagne à ses hôtes.

— Santé, dit Barbara en souriant, ayant retiré la veste de son tailleur.

— Santé, dit Mark qui avait fait de même.

— Bon, maintenant que nous avons laissé tomber le protocole et que nous sommes entre amis, je vais tout vous expliquer. J'essaierai de ne pas être trop long.

— Nous sommes tout ouïe, monsieur, dit Mark souriant afin de montrer qu'il se détendait et jouait le jeu.

— Pour gagner du temps, je vais déjà vous annoncer que je suis parfaitement informé que non seulement vous êtes un expert en marketing stratégique, monsieur Walpen, mais également en analyse géopolitique, raison pour laquelle vous dirigez le Sword avec brio. Cela vous a permis de régler des situations épineuses concernant certains de vos compatriotes, en Libye par exemple, mais aussi des conflits qui auraient pu dégénérer, comme récemment en Chine.

— C'est madame Apfelbaum qui vous a mis cela en tête ? demanda Mark, le visage tendu.

— N'en voulez pas à madame, qui n'y est pour rien et pour qui j'ai beaucoup d'estime. Si votre pays ne lui avait pas proposé de prendre des responsabilités importantes, je lui aurais volontiers demandé de se joindre à mon équipe.

— C'est gentil, monsieur le Secrétaire général, répondit la jeune femme, flattée par le compliment et ravie que cet homme ait pris sa défense. Mark, jamais je n'aurais osé vous trahir.

Elle rougissait d'émotion et s'étonnait que son voisin ait pu, un instant, croire une telle chose. Mark se rendit compte de la bourde qu'il venait de commettre et essaya de se rattraper :

— Désolé, Barbara. Mes propos ont dépassé ma pensée. Je n'imaginais personne d'autre qui pouvait avoir parlé de mes activités secrètes.

— Eh bien, intervint le Secrétaire général, figurez-vous que d'une part je ne suis pas un imbécile et j'observe ce qui se passe dans le monde avec intérêt et attention. D'autre part, monsieur Ralph Walpen a tout juste une année de plus que moi et nous nous connaissons depuis une bonne trentaine d'années.

— Je vois le topo ! s'exclama Mark en se détendant. Je vous écoute, monsieur, le Secrétaire général. En quoi le Sword aurait un rapport avec l'ONU ?

— Si mes informations sont exactes, cet organe de renseignement agit avec la précision du scalpel, et toujours en toute neutralité. Vous ne prenez le parti que de la justice et du droit international.

— C'est cela, en effet. Nous ne souhaitons que rétablir l'équilibre lorsque l'un des plateaux de la balance penche trop en défaveur de l'autre.

— Vous voyez que je suis bien renseigné.

— Oui, tout à fait ! Et en quoi pourrions-nous vous être utiles ? L'ONU a son organisation et je ne saisis pas bien ce que le Sword pourrait vous apporter.

— Cher monsieur Walpen, je comprends vos réticences. Je vais vous préciser ma pensée et vous constaterez que ce que je vous soumets n'est pas si saugrenu.

— Je vous écoute.

— Alors voilà. L'ONU a été créée pour éviter des conflits et les régler. Pour cela, il y a le Conseil de sécurité qui a l'autorité pour engager des forces de paix que sont les Casques bleus après avoir voté une résolution en ce sens. Malheureusement, cinq membres détiennent un droit de veto qui bloque toute décision. Vingt ans après la chute du mur de Berlin, nous vivons une sorte de guerre froide idéologique qui aboutit à la paralysie totale du Conseil de sécurité. Pour affirmer son influence géographique, un des cinq va automatiquement utiliser son droit de blocage contre les quatre autres. C'est exactement ce à quoi nous assistons depuis plusieurs années. La Syrie en est un exemple. Les Occidentaux veulent une intervention pour régler la guerre civile. La Chine et la Russie, au nom du non-interventionnisme intérieur, s'y refusent. En réalité c'est aussi une façon pour ces deux nations de s'opposer aux autres, et de maintenir leur influence auprès de certains pays.

— Pardonnez-moi, monsieur le Secrétaire général, mais ce que vous me rappelez m'est bien connu, intervint Mark qui ne saisissait toujours pas où le diplomate souhaitait en venir.

— J'y arrive. Si vous observez ce qui est en train de se passer en Ukraine, vous constaterez que, visiblement, le président Sokolov fait tout pour déstabiliser le pouvoir et assurer une relative domination régionale de son pays. Si cela s'aggrave, ce n'est certainement pas la Russie qui va voter pour une résolution qui la condamnerait. Cela signifie que nous ne pourrons jamais rien faire en cas de conflit si nous laissons les choses en l'état. Il nous faut donc agir.

— Et vous proposez quoi ? interrogea Mark, dubitatif.

— Ce que je vais vous dire doit rester absolument entre nous trois, c'est crucial.

— Bien entendu, répondirent les deux Suisses.

— Il n'est pas possible pour moi de laisser s'embraser des conflits comme celui de la Syrie, en les regardant comme un spectateur, simplement parce que nos institutions internationales sont immobiles et obsolètes. Je doute que nous puissions les changer avant longtemps. Par conséquent, je suis intimement convaincu qu'il faut contourner l'obstacle. Et pour cela, il n'existe qu'une instance capable de le faire et en qui j'ai confiance, c'est le Sword.

— Wouah, je ne l'ai pas vue arriver celle-là ! s'exclama Mark Walpen. Si je traduis ce que j'ai compris, vous nous demandez d'intervenir quand la situation est bloquée par les systèmes onusiens, c'est exact ?

— Oui, c'est cela. Bien entendu, votre attitude de neutralité doit prévaloir. Par ailleurs, vous vous doutez qu'officiellement, je ne pourrai jamais vous soutenir ni couvrir vos actions. D'où la nécessité que cela reste secret.

— Ce que vous me suggérez n'est pas anodin et engage mon groupe dans une direction que nous n'avions pas envisagée jusqu'alors, même s'il est vrai que nos objectifs concordent assez bien.

— Je ne vous demande pas de me répondre à l'instant. Je désirais juste profiter de ma présence à Genève pour vous en toucher deux mots en face à face et vous laisser y réfléchir.

— J'apprécie que notre action jusqu'à présent vous inspire suffisamment confiance pour nous inviter à résoudre des situations conflictuelles tout en restant dans l'ombre. Néanmoins, cela n'est pas anodin, et je dois discuter avec mes collègues du comité de direction avant de vous répondre. L'enjeu est trop important pour vous et nous.

— C'est bien comme cela que je l'entendais.

— Je vais donc me laisser le temps de la réflexion, monsieur le Secrétaire général.

— Ian, ce sera tout aussi bien entre nous, si vous n'y voyez pas d'inconvénients. Les mondanités, ce n'est pas mon truc.

— Dans ce cas, ce sera Mark.

Les deux hommes sourirent. La discussion se poursuivit sur différents sujets. Puis, Barbara et Mark reprirent la route pour rejoindre leurs domiciles respectifs. Pendant le trajet Mark s'était peu exprimé, pris dans ses pensées suite à cette proposition inattendue.

Barbara Apfelbaum comprenait bien que c'était une responsabilité importante, et respecta son silence.

18

Cela faisait déjà deux semaines que Laurent Boissier moisissait à Champs-Dollon. Ses conditions de détention paraissaient luxueuses comparées à celle de ses codétenus. Il bénéficiait d'une cellule individuelle pourvue d'une douche et d'un WC. Par ailleurs, l'administration carcérale avait accepté qu'il puisse utiliser un ordinateur. Peu à peu, le banquier avait pris ses marques avec une certaine résignation, attendant que la situation s'éclaircisse.

Cependant, Mark venait d'apprendre par Maître Eric Bauer que les États-Unis avaient déposé une demande d'extradition en bonne et due forme auprès des autorités judiciaires helvétiques. « Décidément, ils ne lâcheront pas le morceau », s'était-il dit en écoutant l'avocat. La procédure s'accélérait et il lui fallait absolument trouver une parade avant que son ami ne se retrouve sur le sol américain.

Mark se doutait bien que la demande d'extradition revêtait un aspect politique. Si le gouvernement estimait que ce n'était pas son intérêt d'y souscrire, il poserait son veto. La question qui taraudait le stratège était : « le Conseil fédéral va-t-il s'aplatir ou refuser toute discussion ? » Au fond de lui-même Mark était pessimiste. Il décida de rencontrer la Conseillère fédérale Simona Zanetta pour connaître son opinion sur le sujet.

Mark avait rejoint le Palais fédéral par le train et se présenta au bureau des huissiers de l'aile ouest. Après vérification, il fut mené jusqu'au couloir du département des Affaires étrangères. Il était tout juste 18 h 30.

Il patientait depuis quelques minutes et réfléchissait à certains sujets, comme son entretien avec Ian Anderson ou l'appel téléphonique de son père, quand Simona Zanetta sortit de son cabinet et s'approcha de lui, la main tendue.

— Bonjour, Mark, comment allez-vous ?

— Bien, merci ! Et vous ?

— Merveilleusement bien. Entrez, je vous prie.

Mark la suivit et prit place dans le fauteuil que la ministre lui indiquait.

— Alors, Mark qu'est-ce qui vous tracasse autant, pour que vous veniez à Berne ? Il y a un problème avec Barbara ?

— Oh non, pas du tout. Votre directrice de la Task Force est tout à fait charmante. Elle a beaucoup de caractère, mais on s'entend bien et elle joue merveilleusement bien le jeu avec le Sword.

— Mais alors que se passe-t-il donc ?

— En fait j'ai besoin de votre avis et de vos conseils dans une affaire des plus délicates.

— Vous voulez dire celle dont tout le monde parle depuis plusieurs jours ?

— Si vous faites allusion à la banque Boissier Naville & Cie, je dirais oui.

Il lui sourit.

— Et en quoi je pourrais vous aider Mark ? Vous savez que cela n'est pas du tout de mon ressort. La Justice ne fait pas partie de mon dicastère. C'est au Ministère public de Genève de prendre ses responsabilités.

— Simona, je crois que l'on se connaît assez pour ne pas s'amuser au jeu du chat et de la souris. Ce que vous venez de m'expliquer, c'est de la pure rhétorique. Vous savez comme moi qu'une demande d'extradition est examinée au plus haut niveau de l'État. Par conséquent, c'est votre collègue de l'Intérieur qui gère ce dossier, et *in fine,* ce sera le Conseil fédéral qui donnera ou non son accord.

— Désolée, Mark, si je vous ai blessé par ma réponse. Il est vrai qu'en arpentant ces couloirs, on prend l'habitude de parler la langue de bois sur des sujets brûlants. Je suis obligée de reconnaître que ce que vous venez de dire est assez juste. Qu'attendez-vous de moi ?

— Que Laurent soit libéré au plus vite. C'est en tout cas mon souhait le plus profond. Je me doute que les choses ne sont pas aussi simples qu'elles paraissent. C'est la raison de ma présence ici.

— Vous l'avez dit, en effet. Pourriez-vous éclairer ma lanterne sur ce que vous connaissez du dossier Boissier Naville & Cie ?

— Je connais bien Laurent Boissier et c'est un type bien et honnête.

— Certainement, mais cela n'empêche pas que son établissement bancaire peut avoir dérogé à certaines règles, comme d'autres l'ont fait avant lui.

— Pour qui ne connaît pas le personnage, c'est envisageable. En ce qui me concerne, cela ne colle pas avec le caractère de mon ami. Quand il m'affirme droit dans les yeux qu'il n'a commis aucun des délits dont les États-Unis l'accusent, je le crois. Il sait très bien que s'il me racontait des fadaises, il ne pourrait plus compter sur moi à l'avenir.

— Je comprends bien. Cependant, si on regarde bien ce qui s'est passé avec les deux plus grosses banques du pays, elles ont commencé par soutenir la même position, pour finalement admettre les faits et négocier un accord avec les autorités judiciaires américaines.

— C'est tout à fait exact. La différence de taille consiste dans le fait que l'on ne parle pas du même type d'établissements financiers. Les deux auxquels vous faites allusion ont une présence mondiale et ont vraisemblablement utilisé leurs filiales américaines pour appâter la clientèle. Dans le cas de la banque Boissier Naville & Cie, il s'agit d'un établissement beaucoup plus modeste. Il n'a que deux bureaux à l'étranger, un aux Bahamas et un à Hong Kong. Par conséquent, cette banque n'a démarché personne depuis sa filiale américaine puisqu'elle n'en a pas.

— Cela ne signifie pas pour autant que du personnel de la banque ne se soit pas rendu aux États-Unis pour rencontrer de riches Américains et leur vanter les mérites d'un placement en Suisse. C'est en l'occurrence le reproche qui est fait à monsieur Boissier, qui soit dit en passant s'est rendu un certain nombre de fois outre-Atlantique.

— Quel banquier de haut vol ne se déplace pas régulièrement dans ce pays qui dispose d'un système bancaire de premier plan ? Franchement, soyons sérieux. Que l'on m'apporte la preuve noir sur blanc que Laurent Boissier ou un de ses collaborateurs est allé aux États-Unis et y a rencontré de futurs clients. Si vous la possédez, je m'incline. Tant que je n'aurais cette preuve, je croirai Laurent innocent.

— Je vois que cet homme a un excellent ami et avocat.

— Je suis son ami. Par ailleurs, il a tous les avocats dont il a besoin. Si je suis ici, c'est que je suis conscient du rôle que joue le gouvernement dans cette affaire et, vous connaissant suffisamment, j'ai pensé que ce serait une bonne chose d'en discuter avec vous. Je ne voudrais pas que vous soyez contaminée par la propagande américaine à l'encontre de la banque Boissier Naville & Cie.

— Vous n'avez que partiellement raison, Mark. Mes seules informations émanent de la presse et de la demande d'extradition qui vont dans le même sens. Vous êtes le seul à me faire entendre un autre son de cloche.

— Je suppose qu'il en va de même pour vos collègues.

— Oui, je le crains fortement pour votre ami.

— Vous pensez donc que c'est joué d'avance ?

— Je pense que ce sera plus que serré pour lui. Si nous n'avons aucune preuve de la part des Américains, nous n'en avons pas plus du côté de la banque incriminée. Par ailleurs, un gouvernement va croire plus facilement un département de la Justice allié qu'un établissement bancaire. Les cartes ne sont pas en faveur de votre ami. J'en suis désolée.

— La moindre des choses que nous sommes en droit d'attendre du procureur de New York, c'est qu'il fournisse des preuves tangibles comme des photos, des vidéos, des témoignages qui étaient son accusation. Or, actuellement, il n'y a rien de tout cela dans le dossier. Puis-je vous demander de soutenir le principe d'un refus d'extradition ?

— Je ferai tout mon possible, mais à ce stade, je ne peux rien vous garantir. N'oubliez pas que seules quatre voix en faveur de l'extradition suffisent !

— Je sais, hélas !

— Je vous promets que je ferai ce que je peux pour défendre la cause de Laurent Boissier.

— Merci.

Mark savait que la conseillère fédérale tiendrait sa promesse, mais sa confiance dans les autres ministres était bien plus restreinte. Il salua Simona Zanetta deux heures plus tard et reprit le chemin des rives du Léman penaud et désabusé.

19

Paul, Tom, Olwetu et Storm se trouvaient à l'ouest de Faya-Largeau depuis une bonne dizaine de jours. Ils étaient passés auparavant par N'Djamena, la capitale du pays, afin de rencontrer les autorités locales chargées du dossier de l'enlèvement, ainsi que les responsables français installés sur place. Après quatre jours, Paul de Séverac considéra qu'il en savait suffisamment et qu'ils en apprendraient plus en s'approchant du théâtre d'opérations à presque mille kilomètres au nord.

Les quatre Faucons avaient voyagé avec Air France jusqu'à la capitale tchadienne. Ensuite, ils avaient demandé à Yann de Silguy de les rejoindre avec l'Alouette III qui restait dorénavant en permanence à Abidjan, à bord d'un de ses Transall. Le colonel de Silguy, ancien pilote de l'armée française, s'était installé en Côte d'Ivoire depuis une dizaine d'années et y avait créé une entreprise de transports de fret. Il avait racheté, à sa retraite militaire, trois avions de transport de troupe Transall C-160 reconvertis, peints d'un bleu turquoise reconnaissable et du logo d'Air Trans Afrique. Depuis la première opération d'exfiltration en Libye effectuée par les combattants qui deviendraient les Faucons, il apportait sa logistique au Sword sur tous les théâtres d'opérations. Ses aéronefs étaient parfaits pour se poser dans des conditions des plus difficiles. C'est pourquoi il avait été décidé, après la dernière opération en Afghanistan, de laisser un des hélicoptères Alouette III en permanence à Abidjan, base habituelle du colonel à la retraite. Cela lui permettait de charger l'engin et de rejoindre les Faucons, où qu'ils soient. C'est ce qui se passa. Il les retrouva donc à N'Djamena avec son copilote de toujours, Mamadou, et les amena jusqu'à la base aérienne française de Zouar, à l'ouest de Faya-Largeau. Il s'était posé sur une piste en terre battue, ce qui confirmait la nécessité d'utiliser un tel avion.

Pendant des jours, Paul lia des contacts avec ses confrères de l'armée française et, bien entendu, avec des agents de la DGSE* qui avaient participé à la négociation et préparé une exfiltration des otages français, au cas où cela serait décidé par l'Élysée. Son objectif consistait à en apprendre le plus possible par ceux qui étaient déjà au fait de toute l'affaire depuis le début et qui pourraient lui fournir des renseignements cruciaux sur les ravisseurs, leur position présumée, etc.

C'est ainsi qu'après plusieurs jours de palabres, la situation globale se précisait pour le colonel de Séverac. Il décida de faire le point avec ses principaux collègues présents à Faya-Largeau. Ils se retrouvèrent en ville, à la maison de Louis Descharme, Français expatrié depuis plus de vingt années, qui avait mis sa vaste demeure à la disposition des Faucons. Ils y logeaient tous confortablement, les hôtels étant rares dans la région, et d'une qualité médiocre. Ils s'y sentirent rapidement comme chez eux, Louis faisant son maximum pour les choyer. Ils bénéficiaient d'une chambre pour deux et, bien entendu, de la piscine, ce qui, pour un des endroits les plus arides de la planète, était des plus appréciables.

Les Faucons et les techniciens portaient à présent des tenues décontractées et stationnaient au bord de la piscine.

Paul prit la parole :

---

* *Direction générale de la Sécurité extérieure.*

— Cela fait maintenant une bonne semaine que nous sommes arrivés et que nous côtoyons ceux qui sont les mieux informés de la prise d'otage. Il est temps de faire la synthèse des éléments que nous avons récoltés et d'ébaucher un plan d'action.

— Tu as parfaitement raison, Paulo. Continua Yann de Silguy. Il faudrait qu'on avance, car les conditions de vie des otages ne doivent pas être aussi bonnes que les nôtres ici.

— Voilà qui est sûr, ajouta Tom.

— Si nous sommes tous d'accord, je vais commencer par un résumé de ce que l'on sait. Ensuite, chacun fera son propre commentaire. Les otages sont donc des Occidentaux pour la majorité d'entre eux. Ce sont des ingénieurs du pétrole ou des géologues. Ils étaient basés ici même afin de prospecter au nord-est et à l'ouest, où les compagnies pétrolières pensent que gisent des réserves d'or noir importantes. Ils revenaient d'une inspection aux Erdis, à la frontière de la Libye et du Soudan quand, à une cinquantaine de kilomètres d'ici, des pick-up les auraient encerclés et détournés.

— Et ils sont où maintenant ? interrogea Tom, toujours très pragmatique.

— Selon les renseignements récoltés, il est plus que probable que la première chose qu'ont faite nos ravisseurs, c'est de quitter le territoire où ils ont commis leur forfait, afin de s'éloigner des représailles éventuelles. Ils ont certainement passé la frontière du Niger pour se réfugier dans une oasis du massif du Ténéré. Ce que je sais, c'est que les otages français ont été remis à Niamey au ministre des Affaires étrangères français, puis au gouvernement tchadien. Par conséquent, il est évident que les autorités du Niger ont participé aux négociations et à la libération de ces gens. Cela prouve que ce pays joue un rôle dans l'affaire et que c'est à tous les coups sur son territoire que se trouvent les autres otages.

— Tu veux dire que l'on va devoir parcourir un désert de plusieurs milliers de kilomètres carrés ? demanda Greg, le chef pilote d'hélicoptère. C'est encore pire que de chercher une aiguille dans une botte de foin.

— La grande différence, c'est que ton foin, comme tu dis, restera muet. Nous, on va suivre le trajet de nos cibles en interrogeant les habitants des lieux qu'ils ont obligatoirement traversés. C'est ainsi que nous remonterons jusqu'à eux. Nous avons suffisamment de liquide sur nous pour aider nos amis tchadiens et nigériens à délier leur langue, si tu vois ce que je veux dire. Avec dix francs suisses, tu n'imagines pas ce qu'ils peuvent faire ici.

Paul sourit.

— Bon, dans ce cas, tu comptes procéder comment, Paulo ? questionna Yann.

— Les agents de la DGSE que j'ai rencontrés m'ont indiqué le lieu où le bus aurait été intercepté, ainsi que le nom des personnes qu'ils ont interrogées dans cette contrée. Ma proposition est de partir dès demain matin pour ce village, et de commencer à ratisser le territoire. On proposera à chaque fois des récompenses pour tout renseignement valable. Selon les circonstances, on s'adjoindra des locaux.

— J'ai deux questions, Paul, dit Tom. Dans une telle région, il s'agit avant tout de population nomade, alors tu vas faire comment ? Et toi, tu restes ici ou tu repars à N'Djamena ?

— Les réponses sont très simples. Les tribus nomades de la région se connaissent toutes plus ou moins bien, donc on ira à leur contact et on suivra le cours des choses. Quant à moi, tant que nous sommes dans la phase de récolte de renseignement, je peux vous suivre sans vous mettre en danger à cause de ma mobilité amoindrie. Quand cela risquera de chauffer et qu'il faudra des combattants à 100 %, je m'effacerai pour rejoindre les gars de la logistique. Cela te convient-il, *Fox* ?

— Pour moi, c'est nickel. Je désirais juste t'entendre le dire et être bien certain que nous sommes sur la même longueur d'onde. Je suis ravi que tu nous accompagnes, mais je ne voudrais pas que cette première sortie depuis ton accident soit un fiasco. Je suis là pour m'en assurer, comme tu le sais.

Le colosse noir américain lui adressa un sourire de connivence, que le chef des Faucons apprécia à sa juste valeur. Tom Woods s'exprimait peu, et seulement quand cela lui paraissait nécessaire.

— Alors, on fait comme convenu et on part à 5 h demain.

— OK, répondirent ensemble tous les membres de la mission.

Paul profita du reste de la journée pour peaufiner son plan, puis envoyer un mémo récapitulatif de la réunion au QG de Lutry. Il expliqua à Mark Walpen son intention de suivre les opérations tant que cela lui serait possible, et reçut son entier soutien. Mark savait que Paul ne mettrait jamais en danger ses collègues par orgueil mal placé.

Il était à peine 5 h et tous les membres de la mission étaient en tenue de camouflage pour le désert. Ils se servirent une dernière tasse de café et un bout de brioche beurrée, et rejoignirent la piste. Ils décidèrent de laisser Yann et Mamadou en stand-by sur la base aérienne. Ils décolleraient à la moindre alerte.

Pour gagner du temps, les combattants choisirent d'avoir recours à l'hélicoptère. Il serait assez tôt pour ratisser la région sur les montures locales, telles les chameaux ou les ânes. Paul avait demandé à Pasang et Deepak de le rejoindre. Le premier, parlant français, apporterait un support linguistique aux autres, et l'expérience au-delà des lignes du second, ainsi que son petit gabarit, représentaient des avantages certains pour le chef d'expédition.

L'Alouette III décolla à 5 h 16 exactement et se dirigea plein nord-est. Par chance, l'engin permettait de transporter six passagers en plus du pilote, Greg n'aurait pas à exécuter d'aller et retour inutiles. Un quart d'heure plus tard, l'hélicoptère se posait et l'équipe se transforma en fins limiers. Ils se séparèrent en deux groupes et commencèrent à interroger les locaux.

Cela faisait cinq jours que les Faucons parcouraient les pistes sableuses du nord du Tchad d'abord, puis du Niger voisin. En suivant les témoignages des nomades rencontrés, ils avaient avancé pas à pas en partant du lieu de l'enlèvement, soit une cinquantaine de kilomètres au nord de Faya-Largeau, en direction de la ville d'Ounianga Kébir.

Ils avaient assez vite compris que les ravisseurs n'avaient pu prendre que trois directions pour éviter de rester dans le territoire tchadien, où ils savaient que les autorités locales, soutenues par la France, les rechercheraient. Il y avait le nord, avec soit la Libye, soit l'Algérie, ou bien l'ouest et le désert du Ténéré. L'analyse faite par les Faucons corroborait les renseignements récoltés çà et là. La meilleure cache se trouvait au Niger, et les ravisseurs avaient dû passer par Zouar, ville frontière. Cela expliquait pourquoi les soldats français n'avaient rien pu faire. Quand l'alerte avait été donnée, le bus était certainement déjà passé en territoire nigérien.

Les combattants avaient donc rapidement rattrapé la route de Zouar, et suivi la piste principale qui les avait menés jusqu'à la bourgade de Séguédine, peuplée de Kanuri, de Touaregs et de Toubous, ces deux dernières communautés étant essentiellement nomades. Les officiers de la DGSE que le colonel de Séverac avait rencontrés à la base aérienne de Zouar lui avaient indiqué un contact au sein d'une caravane qui traversait régulièrement la frontière. Les Faucons avaient trouvé un accord avec le chef de la tribu et s'étaient joints à celle-ci pendant son trajet jusqu'à Séguédine.

Paul s'était arrangé pour qu'un des membres de la caravane lui soit détaché, afin de lui servir de pisteur pendant les prochains jours. C'est ainsi qu'un peu à l'écart du centre de la ville, les Faucons firent un point de situation. C'était absolument nécessaire avant de s'aventurer plus loin à la recherche des otages et de leurs ravisseurs.

— Bon, cela fait plusieurs jours que nous bourlinguons dans le désert sans avoir repéré nos lascars. Il est temps de définir une stratégie.

— Tu as raison, Paulo. Ils sont sûrement ici, dans le désert, tapis quelque part, mais où ? demanda Deepak.

Issa, le guide, qui était un Toubou de la région de Séguédine et parlait très bien français, s'adressa à Paul :

— Cette région du Niger est désertique et presque dépeuplée. Pour survivre, il faut se trouver proche des oasis. Il y en a plusieurs au nord et au sud de la ville. Par contre, je ne sais pas où se cachent les personnes que vous recherchez. Elles n'appartiennent pas aux peuplades de la région. Elles devront donc se débrouiller seules et ne pourront pas compter sur les populations autochtones. Ici, nous sommes musulmans, mais la tolérance et le respect sont des règles incontournables.

— Issa, que proposes-tu de faire ?

— Honnêtement je ne sais pas. Ce sera difficile de les débusquer, ils seront méfiants et vont vraisemblablement bien se cacher.

Bien entendu, Paul assurait la traduction en anglais pour les autres combattants. Deepak prit alors la parole :

— Dis-moi, Paul : il est clair que ces gars-là vont être prudents, et s'ils sont passés du Tchad au Niger, c'est qu'ils en ont l'habitude et qu'ils ont aussi des connexions sur place. Je ne serais pas surpris que nos faits et gestes soient rapidement observés, si ce n'est pas déjà le cas.

— Oui, Deepak a raison, intervint Tom Wood.

— Et tu as une proposition à nous soumettre, Deep ?

— Ça se peut bien, lâcha l'Indien, fier de lui.

— Bon, vas-y.

— Eh bien ! Voilà. Notre priorité est de localiser les preneurs d'otages le plus rapidement possible. Ils sont en terrain conquis et bénéficient pour le moment d'un net avantage sur nous. Je me demande si on ne devrait pas jouer à la chèvre.

— Tu peux préciser ?

— C'est super simple : on peut parier que ces types ont des sentinelles à eux qui vont les alerter si des étrangers débarquent.

C'est certainement déjà fait. Mon idée consiste à faire en sorte qu'un de nous se fasse remarquer le plus possible, et se fasse enlever à son tour. Il y a de bonnes chances pour qu'il soit amené au campement où se trouvent déjà les otages.

— Ça y est, je pige ! s'exclama le colonel. Alors, avec nos implants géolocalisables, on retrouvera celui qui jouera le rôle de la chèvre. Ce n'est pas bête du tout. Tu penses à qui ?

— Je n'ai pas d'idée préconçue, je suis prêt à le faire. L'avantage, c'est que le groupe aura une position au mètre près. Il suffira ensuite d'utiliser les drones de repérage pour préparer l'assaut.

— Tu es génial à tes heures, Deep ! lança Tom.

— Ouais, c'est vrai, fit l'Indien, fanfaron.

— Qui veut faire la chèvre ? demanda Paul.

Tous levèrent la main, ce qui n'étonna pas le colonel. Mais seul un combattant serait désigné.

— Sur ce coup-ci, je verrais bien Deepak servir d'appât et Tom diriger l'escouade de secours. Moi, je resterai en arrière. Vous êtes OK ?

Les Faucons opinèrent de la tête. Cette décision était pour eux assez logique.

— Dans ce cas, je vais prévenir le patron et, surtout, Sven pour que nous soyons tous surveillés, et tout particulièrement Deepak, avec son petit bijou électronique. Deep, tu feras gaffe qu'ils ne t'abattent pas.

— Ne t'inquiète pas, j'ai l'habitude, rétorqua-t-il en souriant.

— OK, *let's go*.

20

Des bourrasques de vent tourbillonnaient violemment autour de la datcha aux murs de bois couleur bordeau foncé. Par moment, la pluie battante cinglait les vitres. À l'intérieur, un feu de cheminée réchauffait le grand salon, en ce mois d'octobre au sud-ouest de Moscou.

Le président Sokolov se rendait très régulièrement à Peredelkino, dans la maison de campagne qu'il possédait déjà depuis quelques décennies, preuve qu'il avait bien appartenu à la *nomenklatura* soviétique en son temps, même si de nombreux Russes semblaient l'avoir oublié. Le calme de la région avec ses forêts de bouleaux à perte de vue, lui permettait de se ressourcer. Par ailleurs, il aimait se retrouver à l'écart des bâtiments du pouvoir et y mener des entretiens confidentiels, comme en ce jour-là.

Le président était entouré de plusieurs personnages plus ou moins connus du grand public, ce qui ne préjugeait en rien de leur influence auprès du maître du Kremlin. Deux piliers de son gouvernement se trouvaient là : le Premier ministre Kyrill Novikov et son ministre des Affaires étrangères, Sergueï Lioukov. Ils étaient cinq hommes, au total, assis autour du président russe. Celui-ci prit la parole :

— Chers amis, je vous remercie d'avoir fait le trajet en respectant les consignes de sécurité indispensables. Nos réunions informelles doivent absolument rester secrètes. C'est pourquoi, j'en ai confié l'organisation à mon ancien service, le GRU. Il ne faudrait pas que des agents infiltrés dans le pays puissent nous espionner et apprennent ce qui se dit ici.

— Avec le nombre d'hommes que j'ai déployés sur le terrain, il est peu probable qu'un intrus nous échappe ! s'exclama le général Popov, qui avait remplacé Dimitri Sokolov à la tête de l'espionnage militaire russe.

— Tu as raison, Vladimir. Nous sommes à l'abri des oreilles indiscrètes des Occidentaux et de nos amis du FSB qui nous apprécient modérément, même si je les ai mis gentiment au pas depuis mon premier mandat.

Le président Sokolov ne put s'empêcher d'éclater de rire en pensant au service d'espionnage rival qui lui avait brûlé la politesse quelques années auparavant en intronisant le président Belozerski. Ce fait lui était resté en travers de la gorge et il ne l'oublierait pas de sitôt.

— Bon, trêve de plaisanterie. Si je vous ai fait venir, ce n'est pas pour le seul plaisir de boire un café auprès du feu. Je vous ai convoqués pour faire le point sur la situation de la Russie dans les affaires internationales difficiles, et vérifier où en est notre stratégie en la matière. Nos dernières décisions, qui sont ambitieuses, nécessitent que nous agissions tous en harmonie et qu'il n'y ait aucun couac, au risque de tout faire écrouler comme un château de cartes. Est-ce que nous sommes bien tous d'accord ?

— Oui, répondirent tous les personnages présents.

— Bon, poursuivit le président. Je tiens à reformuler la stratégie que nous avons élaborée lors de notre dernière réunion ici même : en résumé, il n'est plus question que la Russie soit considérée comme une puissance mondiale de rang inférieur aux États-Unis, qui lui dicteraient ce qu'elle doit faire. Nous devons réaffirmer notre suprématie face à eux et à l'Occident en général. Par contre, nous devons le faire en douceur et éviter toute confrontation directe. C'est pourquoi nous nous sommes réparti les rôles. Moi, je joue le conciliant qui participe au concert des Nations. Toi, Kyrill, tu aboies de temps en temps, en affirmant notre différence, et nos divergences avec nos partenaires occidentaux. Quant à toi, Sergueï, tu louvoies entre les deux, comme tu as toujours fait. Est-ce que l'on est bien tous d'accord là-dessus ?

— Pour moi, c'est très clair, et il me semble que c'est ce que nous faisons déjà depuis pas mal de temps, intervint le Premier ministre.

— En surface, nous devons donner le change à tous nos partenaires occidentaux et, en sous-marin, nous soutenons les régimes qui nous le rendent bien. Nous assumons la politique du double jeu !

— Le meilleur exemple actuel est la Syrie, compléta le ministre des Affaires étrangères. Cet argument n'est pas nouveau, puisqu'il est avancé par nos deux pays depuis la fin de la Seconde Guerre mondiale.

— Justement, à ce propos, Viktor. On en est où de la livraison des MIG-29, des SU-25, des hélicoptères et de la privatisation officielle de Rosoboronexport ? questionna le président Sokolov.

L'homme interpellé s'était cantonné jusque-là à écouter et à observer ce qui se passait. Son rôle n'était pas politique, mais il assurait une fonction à la fois de conseil et d'éminence grise du président, sans oublier qu'il avait profité des largesses d'Eltsine et pouvait s'asseoir sur quelques dizaines de milliards de dollars. Sa silhouette était élancée, tout en montrant une carrure imposante. Il arborait des lunettes demi-lune devant des yeux perçants et avait les cheveux coupés ras, gris, laissant surgir quelques reflets blonds. Une estafilade d'une dizaine de centimètres remontait de son menton jusqu'à sa joue. Comme une grande partie des hommes présents en dehors du Premier ministre, il avait presque soixante-dix ans. Il prit la parole :

— Depuis que l'on m'a demandé de mettre en place une stratégie économique en rapport avec notre direction politique, telle que définie ici, il y a six mois, tout a été appliqué, comme prévu. La présidence a annoncé, le lendemain de notre dernière réunion ici même, vouloir dénationaliser les plus grandes sociétés d'armement russes. Nous sommes donc un groupe d'une cinquantaine de magnats qui a officiellement racheté la majorité des actions de ces groupes, y compris Rosoboronexport, qui est dirigé par l'un des nôtres. Pour nous, rien n'a changé : l'armement est un élément fondamental de notre diplomatie, mais aux yeux des Occidentaux, ce n'est plus le cas.

— Tu vois, Dimitri, c'est facile pour toi et pour moi d'affirmer haut et fort que la Russie en tant qu'État n'y est pour rien si des kalachnikovs ou des tanks T-90 tombent aux mains de rebelles.

— Tu as raison, Kyrill. Merci Viktor, d'avoir été aussi efficace.

— Vu que cela sert les intérêts de la Sainte Russie, et les miens au passage, puisque j'en suis un des principaux bénéficiaires, cela allait de soi.

L'homme parlait lentement et distinctement, s'assurant que tous l'écoutaient attentivement. Son visage de marbre n'exprimait aucun sentiment. Il restait impassible, froid, voire glacial.

— Alors, on en est où avec ces MIG-29 et ces SU-25 ? Et les mouvements de guérillas en Afrique ?

— Tout se passe comme prévu. Les MIG-29 et les SU-25 sont officiellement des avions d'occasion revendus à l'Iran, voisin de la Syrie. Ils passeront en douce de l'autre côté. On lancera une campagne de communication sur Internet, avec des photos d'avions ayant quelques heures de vol. En ce qui concerne l'Afrique, comme vous avez pu le constater, les mouvements révolutionnaires ont repris du service un peu partout ; en Angola, en Côte d'Ivoire, au Sahel, au Soudan, etc. Je ne peux les citer tous. Comme je m'occupe personnellement de cela, je peux garantir que nos kalachnikovs et nos RPG sont quasiment dans toutes les mains qui nous intéressent. Nos amis de Pékin, qui cherchaient à s'implanter sur le continent, n'ont qu'à bien se tenir.

— C'est parfait Viktor. L'Afrique est en rébellion un peu partout et personne ne sait que la Russie tire les ficelles. Pour le reste du monde, où en sommes-nous ?

— Les choses se mettent en place progressivement. Nous avons réactivé toutes nos relations avec nos anciens alliés, comme Cuba et les pays d'Amérique latine. Viktor s'occupe d'armer les régimes qui nous soutiennent, et nous livrons du matériel militaire aux groupuscules révolutionnaires dans les pays soutenus par les Occidentaux. En Asie, nous appuierons toutes les organisations qui s'opposent à leur gouvernement quand celui-ci n'est pas de notre côté.

— Merci, Kyrill, de ton résumé de la situation. Est-ce que notre rôle dans tout ceci a été signalé par tes collègues ?

— D'une manière générale, il y a toujours eu une relative méfiance à notre égard. Après tout, nous le leur rendons bien ! Par contre, je ne pense pas qu'en l'état, on nous suspecte de quoi que ce soit. Mais il ne faut pas s'illusionner, cela ne durera pas. Alors préparons-nous à continuer de jouer notre partition, et affirmons au monde entier que nous condamnons tout ce qui se passe. En sous-main, Viktor soutiendra militairement nos alliés.

— C'est parfait. Vladimir, quelles sont tes informations en provenance du Donbass et de Kiev ? Quelle est notre position ?

— Président, je résumerai la situation en disant qu'elle est explosive à tout point de vue. Pouchiline est en sursis, et ses opposants sont dans la rue, place Maïdan. Il semble totalement dépassé et incapable de les mâter. Dans le Donbass, la population russophone, qui nous est favorable, craint que les opposants prennent le pouvoir.

— Et nous, là-dedans ? Il n'est pas question que l'Ukraine, tombe sous la coupe des Occidentaux et devienne un ennemi à notre porte !

— Tout est mis en place pour éviter cela, Président, dit le général. Des détachements de Forces spéciales franchissent quotidiennement la frontière et prennent position dans tout l'est du pays, avec des uniformes sans distinction. Par ailleurs, le ministre de la Défense a expédié des Spetsnaz à Kiev. Ils protègent le président Pouchiline et sont prêts à intervenir pour éliminer les fortes têtes. Ils ont d'ailleurs déjà commencé.

— Surveille cela de près, Vladimir. C'est une priorité.

— Oui, Président.

Les hommes poursuivirent leur discussion ainsi, puis se séparèrent un à un en toute discrétion.

21

Comme chaque lundi en fin de journée, un meeting du *Board* se tenait dans la salle de réunion.

Mark commença le brainstorming en faisant le point sur la situation au Sahel :

— Bonsoir à tous. Comme vous le savez, Paul et son équipe ont réussi à pister ceux qui pourraient être les ravisseurs des ingénieurs enlevés au Tchad. Ils sont à présent dans des oasis au nord du Niger et ont mis en place un guet-apens.

— Vous entendez quoi par là ? demanda Amanda.

— Ils ont décidé d'utiliser un appât. En l'occurrence, Deepak, qui s'est porté volontaire. Ce dernier se promène actuellement dans la région du nord Niger et a activé sa balise de géolocalisation qui nous permet de le suivre au mètre près. Paul pense que les preneurs d'otages vont en profiter pour l'enlever.

— Mais n'est-ce pas dangereux pour Deepak ? interrogea Alexia.

— Toute action comporte un risque, qui reste cependant calculé. Nous suivons pas à pas notre combattant, et ses collègues sont prêts à intervenir si nécessaire. Maintenant, il nous reste à attendre que le poisson morde. Pendant ce temps, des combattants des Forces spéciales de pays amis se préparent pour renforcer notre système sur place et se mettre sous les ordres de Paul, et surtout de Tom, pour l'assaut.

— Ils sont combien ? questionna le professeur Kamoun.

— Une trentaine d'hommes va renforcer notre équipe. Il y aura des Américains, des Britanniques et quelques Canadiens et Australiens. Ils sont tous volontaires et ont tous une expérience du désert et de ce type d'intervention. Ils porteront des uniformes sans aucune distinction et seront munis de la même puce électronique que nos combattants afin que nous puissions les retrouver en cas de besoin. Je suis satisfait que nous procédions à cet essai grandeur nature. Nous serons fixés sur l'avantage que cela nous apporte ou pas.

— Je trouve pour ma part que cela vaut la peine d'essayer, intervint Nibs.

— Ceci étant dit, je voudrais que nous nous concentrions à présent sur la livraison de MIG-29 et d'hélicoptères de combat à la Syrie par la Russie. Nibs, puisque vous avez pris la parole, je vous laisse poursuivre avec votre présentation.

— OK ! Comme convenu, nous avons travaillé ces derniers jours, mon équipe de combattants et les gens du Réseau Ambassador, pour collecter suffisamment de renseignements sur la livraison d'aéronefs russes à Bachar el-Assad. Nous savons de sources diplomatiques que les MIG et les hélicoptères seront livrés dans les prochains jours. Ils transiteront de la Russie à la Syrie via l'Iran. Si vous regardez attentivement la carte régionale, il suffit aux pilotes de survoler la mer Caspienne et de rejoindre tranquillement la base aérienne de Tabriz au nord-ouest de l'Iran. De là, après ravitaillement, ils peuvent traverser le territoire iranien sur deux à trois cents kilomètres et ils pénètrent dans le ciel syrien où ils seront à l'abri...

— Nibs, si je comprends bien ce qui précède, les avions et les hélicoptères ne sont pas encore arrivés, mais le seront tout bientôt, c'est juste ? le coupa Alexia.

— Affirmatif.

— Dans ce cas, tu comptes les intercepter avant qu'ils ne se réfugient en Syrie ? poursuivit le professeur de géopolitique.

— Alex, je ne te cacherai pas que nous y avons pensé. Cependant, nous serions confrontés à deux écueils de taille. Primo, les aéronefs peuvent rejoindre Tabriz en utilisant un couloir qui mesure à peu près 200 kilomètres. Par conséquent, nous ne serions pas assurés d'être situés au bon endroit pour les intercepter. D'autant plus que nos lance-missiles portatifs n'ont qu'une portée de six kilomètres environ, ce qui est déjà très performant, mais insuffisant dans ce cas précis.

— OK ! Et ton secundo ?

— Notre objectif est de neutraliser totalement le ciel syrien. En intervenant comme suggéré, on n'éliminera que les nouveaux aéronefs, pas ceux qui sont déjà utilisés par l'armée du régime de Bachar el-Assad.

— Sur ce point, ce qu'affirme Nibs tient la route, dit Mark. J'imagine que vous désirez pénétrer sur le sol syrien et vous charger d'éliminer tout ce qui vole.

— En gros, oui !

— Et vous ferez comment ?

— Les bases aériennes syriennes sont réparties en grande partie au sud et sud-est de Damas, au nord à Hama et Alep et à l'est à Deir ez-Zor. Soit une petite quinzaine de bases. Cela dégage donc trois axes d'accès. À l'est par l'Irak. Au sud par la Jordanie et Israël en longeant la frontière et le lac de Tibériade. Enfin au nord par la Turquie. Je préconise que des petits détachements munis de lance-missiles russes du type Igla-1s ou son clone chinois FN6 éliminent les avions sur leurs bases.

— Vous ne risquez pas de vous faire prendre ? interrogea Amanda Johns, la psy du groupe.

— Tout est possible, bien entendu. L'idée, en utilisant ce type d'armement, est justement de pouvoir tirer de n'importe où et de nous mouvoir rapidement. Ainsi, en cas de représailles de la part des

Syriens, on aura déjà décampé depuis longtemps et nous pourrons éliminer les aéronefs en vol pour nous débusquer. L'avantage de cet armement, c'est que chaque missile ne pèse que dix kilogrammes. Donc, avec des Faucons où des hommes entraînés, on peut facilement les transporter. On prend des armes russes ou chinoises parce qu'elles pullulent dans le monde et que cela ne rattache notre action à aucun pays occidental.

— Nibs, votre plan me paraît des plus logiques. J'ai cependant quelques interrogations. Pensez-vous qu'introduire ces armes en Syrie sera si facile que cela ? Est-ce que les pays limitrophes que vous avez cités fermeront les yeux pendant votre incursion ? Enfin, anéantir toute force aérienne de Bachar el-Assad ne va-t-il pas laisser le champ libre aux fous furieux des différents groupes djihadistes qui pullulent dans le coin, à présent ?

— Concernant l'introduction des armes et leur transport, ce sera jouable en créant des trinômes pour chaque secteur et en y ajoutant des hommes de la résistance pour nous aider à porter les missiles. Chaque équipe n'aura besoin, en définitive, que de dix à vingt ogives au maximum. Pour rejoindre la Turquie, la Jordanie et l'Irak, sans parler éventuellement d'Israël, je pense qu'il ne sera pas difficile pour vous de les persuader de regarder ailleurs alors qu'on fera ce qu'ils n'osent pas faire eux-mêmes. Par contre, au sujet du risque d'affaiblir les forces militaires du régime, et donc d'accroître les forces opposantes, quelles qu'elles soient, je ne peux que confirmer la chose : notre rôle se bornera à priver le régime d'un avantage certain sur le terrain, et ainsi rééquilibrer les forces en présence. Sur ce qu'il faudrait faire après, j'ai bien ma petite idée. Néanmoins, à ce stade, j'ai reçu pour mission d'établir un plan pour anéantir la force aérienne du régime en place.

— En l'occurrence, il a raison, patron, intervint le stratège en chef. Vous ne croyez pas qu'en agissant ainsi, on risque d'ouvrir la boîte de Pandore ?

— Alexia, il est évident que remplacer el-Assad pour des cheffaillons islamistes sectaires et assoiffés de sang, n'arrangera rien à la situation. Il faudra certainement mettre en place une stratégie qui permette à la fois un changement de régime et l'assurance d'une stabilité des institutions, afin que ce pays ne tombe pas dans le chaos, comme ce fut le cas en Libye. Je dois soumettre un projet au président Chan et au secrétaire général de l'ONU prochainement, on verra à ce moment-là vers quoi nous allons. Je pense que nous pouvons déjà commencer par ce que Nibs nous propose. Y a-t-il des objections ? Barbara, la voix officielle a-t-elle un complément à apporter ?

— Écoutez, Mark. Non ! Je crois que Nibs a parfaitement résumé les enjeux. Je pense que tous autour de cette table désirent la fin d'une dictature féroce, mais nous ne souhaitons pas qu'elle soit remplacée par la barbarie des groupes djihadistes sévissant actuellement en Syrie.

— Merci, Barbara. On passe au vote. À l'unanimité, l'opération est acceptée. Nibs, vous en prenez le commandement si vous êtes d'accord, vous avez déjà travaillé dessus. Choisissez vos collègues. La question qui se pose est la suivante : est-ce que, dans cette intervention, il vous faudra plus que huit autres Faucons ? Et si votre réponse est positive, ne serait-il pas judicieux de faire appel à des renforts extérieurs comme nous avons fait pour le Niger ?

— Je n'ai pas réfléchi à la chose jusqu'à présent, patron, répondit le combattant sud-africain. Il est clair que si j'ai des troupes aguerries en nombre suffisant, je serais plus à l'aise. Mais il ne faut pas non plus être trop nombreux. Enfin, ce qui me fait un peu souci, c'est que, jusqu'à présent, on n'a compté que sur nos propres forces, et que ces renforts, on ne les connaît pas et nous n'avons jamais combattu à leurs côtés. C'est nouveau pour moi.

— Les choses sont claires, Nibs.

— Le mieux, à mon avis, serait d'engager des insurgés Syriens et quelques peshmergas irakiens avec nous en renfort. Ils sont familiers avec la topographie, la culture et la langue. Ils nous seront également utiles pour nous aider à transporter les charges. Il faudrait prendre contact avec eux.

— Dans ce cas, je m'en occupe, dit Mark. Je demanderai au commandement allié qui intervient déjà au nord de l'Irak et à ceux qui gèrent les relations avec la résistance syrienne. Vous aurez rapidement la réponse.

— OK, c'est parfait. Donc, je m'attèle à mon plan et je vous tiens informé par mémo, comme d'habitude.

— Merci.

22

Rebecca était en Israël depuis quelques jours. Sa mère était venue la chercher à l'aéroport international Ben Gourion, comme à chaque fois que sa fille revenait au pays, pour son plus grand bonheur. Puis, elles avaient pris la route du sud en direction du désert du Néguev et avaient parcouru les cent vingt kilomètres qui séparaient l'aéroport international de la ferme Leibowitz.

En effet, quand Avram Leibowitz avait été nommé général, quelques jours avant ses quarante ans, il avait décidé de s'installer dans le désert du Néguev. Il avait profité du fait que cette région était à l'époque la plus pauvre du pays, et que le gouvernement proposait aux courageux des baux de cinquante ans renouvelables sur des surfaces arides de 20 à 50 hectares. Le père et la mère de Rebecca s'étaient décidés pour un bout de désert au sud du village d'Ofaqim, ce qui signifie « Horizons » en hébreu. N'ayant aucune connaissance en matière agricole, ils embauchèrent des paysans arabes israéliens, qu'Aïcha dirigea de main de maître.

C'est ainsi que les Leibowitz firent construire un très grand corps de ferme et des habitations pour le personnel. Après des travaux importants pour rendre la terre cultivable et des agencements d'irrigations sur toute la propriété, ils obtinrent leur première et belle récolte la troisième année. Par ailleurs, ils avaient acheté un troupeau de moutons qui paissait sous la direction d'un jeune berger palestinien. À présent, la ferme était devenue prospère. Rebecca aimait beaucoup ce lieu, qui était maintenant verdoyant dans sa plus grande partie, même si une autre était restée dans un état semi-désertique. Il y régnait un calme incroyable. Ses parents avaient créé leur Terre promise, à laquelle ils étaient attachés.

Son père avait choisi cet endroit pour sa majesté, mais aussi parce qu'il se situait à proximité de lieux hautement stratégiques, tels que la base d'écoute d'Urim, une base secrète du Sayeret Matkal à Tze'Elim, ou encore les différentes bases militaires secrètes, au sud, non loin du centre de recherche nucléaire de Dimona. Sans oublier qu'à l'extrémité sud de la propriété se trouvaient deux aérodromes militaires, dont celui du musée de l'air de Hatserim, ce qui était fort pratique pour les déplacements du général. Il est évident que pour celui qui venait d'être nommé général, dirigeait le Sayeret Matkal et deviendrait plus tard le grand patron emblématique du Mossad, cela représentait un avantage certain. D'autant plus qu'Avram Leibowitz préférait le terrain à ses différents bureaux. Même à la retraite, il n'aurait en aucun cas changé de domicile. Il aimait se ressourcer en ces lieux à l'ombre d'oliviers.

Rebecca avait profité des premiers jours de son arrivée pour se rapprocher de sa mère, qu'elle voyait beaucoup moins depuis que son activité en Europe la retenait. Après quelques heures ensemble, mère et fille retrouvèrent cette complicité qui s'était nouée il y a fort longtemps. Elles étaient heureuses de se revoir, même si l'une et l'autre semblaient inquiètes de l'absence inexpliquée du général. Rebecca décida de discuter franchement avec sa mère et d'essayer d'en apprendre plus :

— Maman, je sais que tu t'inquiètes pour papa, même si tu ne le montres pas. Tu n'as vraiment aucune idée d'où il peut se trouver ?

— Non, ma chérie. Tu connais ton père aussi bien que moi, il ne m'a jamais dit ce qu'il faisait et où il le faisait. J'ai toujours eu confiance en lui et je savais qu'il servait notre pays. Là, c'est autre chose.

Il est à la retraite et devrait donc être plus souvent à la maison, ce qui n'est pas vraiment le cas. Il s'absente très souvent, Dieu sait où. Aujourd'hui, cela fait onze jours qu'il est parti après le petit déjeuner et qu'il n'est pas revenu. Ce qui m'a perturbée, c'est qu'Avram m'a toujours dit s'il rentrait ou pas, que je puisse m'organiser. Et là, rien !

— C'est pourquoi je suis là, maman. J'ai senti dans ta voix de l'inquiétude comme je n'en ai jamais ressenti jusqu'alors et, pourtant, le général nous en a fait voir...

Rebecca s'était rapprochée de sa mère et l'embrassa tendrement. Pendant toute son enfance, c'était elle qui avait assuré la stabilité du foyer familial, quand son père parcourait Israël et le monde. Aïcha avait élevé quasiment seule Rebecca et son petit frère. Elle avait toujours gardé ses inquiétudes pour elle-même.

— Tu sais Reb, je suis peut-être stupide, mais cette fois-ci j'ai un mauvais pressentiment. Je ne sais pas dans quoi il a pu se fourrer, mais il y a quelque chose qui cloche. Pourtant en plus de quarante-cinq années de mariage, j'en ai vu !

Elle esquissa un sourire à sa fille qui n'était pas dupe.

— C'est bien pour ça que je suis venue aussi vite.

— Merci, Rebecca. Tu es la seule sur qui je puisse me reposer dans ces circonstances, car tu es faite du même bois qu'Avram et par conséquent tu sauras quoi faire. Dan est débordé par son travail à Tel-Aviv et en dehors de la médecine, il ne connaît rien à votre monde obscur.

— En effet mon petit frère a choisi la chirurgie cardiaque où il excelle, d'ailleurs, quand papa et moi on a préféré la chirurgie des opérations spéciales.

Rebecca partit dans un éclat de rire, qui fut rapidement suivi par celui de sa mère, tant sa remarque dépeignait bien la situation dans la famille Leibowitz.

— Je n'avais jamais vu vos activités comme cela, mais au final, ce que tu dis se rapproche beaucoup de la vérité et illustre bien la façon dont vous avez toujours exercé vos fonctions au service du pays.

— Oui, je crois que cela décrit bien ce que nous pensons, papa et moi, de notre job. Bon, pour revenir à nos moutons, depuis qu'il est parti, tu n'as reçu aucun texto, aucun courriel ?

— Non, rien !

— Tu as contacté son ancien bureau ?

— À quoi cela aurait-il servi ? Tu les connais mieux que moi. D'abord, il ne travaille plus pour l'Institut* depuis longtemps, même si je sais qu'il est resté en contact étroit avec certains de ses membres. Par ailleurs, on ne m'aurait jamais rien dit. C'est bien pourquoi je suis ravie que tu sois à mes côtés, car toi tu les connais.

— Tu as raison, maman. Dis-moi, depuis que papa est à la retraite, tu as une idée de ces occupations ?

— Tu sais très bien, Reb, que je n'ai jamais interrogé ton père de toute ma vie. De même, je ne pénètre jamais dans son bureau. C'est lui qui y passe l'aspirateur une fois par semaine.

Rebecca sourit du comique de la situation, imaginant le général en femme de ménage.

— Écoute, je vais dans son antre voir si j'y trouve des indices intéressants. Je vais aussi contacter certaines personnes qui en sauront peut-être plus sur ses occupations de retraité actif.

— Fais comme bon te semble, Rebecca. De toute façon, tu es la seule qu'il ait autorisé à pénétrer dans son bureau. Vous partagez des secrets qui vous appartiennent. Le principal, c'est que tu découvres où il est.

— Je vais te laisser maintenant, j'ai du boulot.

— À tout à l'heure, ma fille chérie.

Aïcha Leibowitz embrassa sa fille, une larme au coin de l'œil. Rebecca aida sa mère à ranger les restes du petit déjeuner, puis elle se rendit au sous-sol et pénétra dans une grande pièce, juste éclairée par un puits de lumière. Elle alluma tout de même les lampes à basse

---

* *Nom couramment donné au Mossad, ce dernier étant le diminutif pour : Institut pour les renseignements et les Affaires spéciales.*

consommation, qui éclairèrent le bureau d'une lumière blanche et douce.

Comme à chaque fois qu'elle était venue discuter avec son père dans ce bureau, elle était frappée par le rangement impeccable de celui-ci. Tout était parfaitement rangé. Des classeurs s'alignaient dans des armoires anti-feux fermées avec des codes. Le bureau lui-même était débarrassé de tout document.

Rebecca avait toujours été fascinée par le sens de l'ordre de son père. Un jour, elle l'avait interrogé à ce sujet et la réponse du général était tellement pleine de bon sens qu'elle l'avait surprise. « Tu sais Reb, quand ta vie est remplie de secrets d'État, tu n'as d'autres choix que de tout mettre en ordre et sous bonne sécurité. J'ai mes repères dans le bureau, comme cela, si quelqu'un y touchait, je le verrais aussitôt. Sans parler bien entendu des systèmes de sécurité bien cachés. »

Elle s'installa confortablement à la table de travail de son père qui consistait en un plateau de bois brut épais de cinq centimètres, large et long, posé sur des trépieds massifs. Elle saisit le combiné et appela ses relations au Mossad, dont elle faisait toujours partie, tout en étant détachée au Sword.

Comme elle avait pu le présager, ses interlocuteurs usèrent de la langue de bois habituelle, et lui affirmèrent ne rien savoir sur le général à la retraite Leibowitz. « Comme si ces abrutis pensaient que j'allais gober des conneries pareilles de la part du Mossad » hurla-elle, énervée de la bêtise des réponses de son service de renseignement d'origine.

Elle avait confirmation qu'officiellement, personne ne saurait rien, d'autant plus que son père avait demandé son droit à la retraite juste après avoir remis sa démission au nouveau Premier ministre, encore au pouvoir. Les deux hommes ne s'entendant guère, il était logique que le Mossad prenne une certaine distance avec son ancien patron, en tout cas, officiellement.

Cependant, Rebecca savait que le général, tout en ayant un caractère bien trempé dont elle avait en partie hérité, était quelqu'un de très apprécié et avait noué des amitiés profondes dans toutes les strates de la société israélienne. En bon chef d'un grand service de renseignement, il pouvait compter sur la véritable toile d'araignée que représentait son réseau.

Après réflexion, Rebecca en arriva à la conclusion que, si quelqu'un pouvait avoir eu vent de quelque chose, cela ne pouvait être que le colonel Ariel Herzog. En fouillant dans les tiroirs du bureau, elle mit la main sur un répertoire téléphonique et y trouva les coordonnées recherchées. Elle composa aussitôt le numéro.

— Herzog !

— Bonjour Ariel, c'est Rebecca.

— Bonjour Reb ! Comment vas-tu ?

— Je vais bien, merci. J'ai besoin de te parler d'Avram, tu aurais un peu de temps à me consacrer ?

— Bien sûr. C'est urgent ?

— Oui, je pense.

— Est-ce que si je viens en fin de journée à la ferme, à l'heure de l'apéro, cela te conviendrait ?

— C'est parfait. Tu es un véritable ami, Ariel.

— C'est ce que le général dit assez souvent.

Elle raccrocha, ravie de revoir l'ancien aide de camp et ami intime par excellence de son père, qu'elle connaissait depuis une bonne vingtaine d'années. Le colonel Ariel Herzog avait une quinzaine d'années de moins que le général Leibowitz. Ce dernier, quand il avait été nommé directeur du Mossad, avait demandé son transfert du Sayeret Matkal et en avait fait son adjoint direct. Lorsqu'il avait quitté le service de renseignement, il s'était organisé afin que son fidèle collaborateur et ami soit à l'abri de toute tentative de rétorsion du Premier ministre. Il l'affecta donc à un poste tranquille de Tsahal. Ariel Herzog lui en était reconnaissant.

Rebecca n'ignorait pas que, si le général avait compté sur cet homme durant deux décennies, elle pouvait en faire autant. Elle croisait juste les doigts pour qu’il en sache assez pour l’aider. Elle attendrait le soir avec impatience. Une lueur d’espoir semblait enfin scintiller.

23

Anook était arrivée en Afrique depuis quelques jours. Elle avait d'abord pris un vol de Genève à Bruxelles, puis la direction de Kinshasa. Laura l'avait accueillie à l'aéroport et elles avaient rejoint ensemble la ville de Goma, au Kivu, qui connaissait, depuis plusieurs années, les affres de la guerre entre rebelles et armée de la République démocratique du Congo.

Les femmes médecins n'y étaient restées que quelques jours. La responsable médicale de MSF Suisse en Afrique souhaitait montrer à son amie et collègue la réalité d'un conflit armé violent, ainsi que ses conséquences pour la population civile qui en était toujours victime. Même si la visite des camps de réfugiés du Kivu n'était pas le but premier de la venue du professeur Kammermann, elle profita d'être présente pour prodiguer des soins de base, tant aux adultes qu'aux enfants des camps. Bien entendu, tous ses sens de neurochirurgienne étaient en alerte, mais elle n'avait rien remarqué de bien notable relevant de sa compétence spécifique.

Après ces quatre jours intenses en zone de guerre, les deux médecins avaient repris un vol pour rejoindre la capitale puis le sud du pays. Leur avion s'était finalement posé sur la piste de l'aéroport de Kolwezi, dans la province du Katanga. Pendant leur trajet aérien, Laura avait expliqué à Anook les raisons qui les amenaient dans cette région de la RDC. Elle lui indiqua que, si les médias occidentaux relataient essentiellement les méfaits des combats au nord-est du pays, ce qui se justifiait totalement, ils restaient très silencieux au sujet du Katanga. Or, un mouvement frère des rebelles du Kivu, le Mai Mai Bakata Katanga, était entré en rébellion et revendiquait l'indépendance de la région. Certes, la population ne s'était pas encore déplacée massivement dans des camps pour fuir les combats, comme dans la province du nord-est. Cependant, certains flux migratoires vers les grandes villes étaient perceptibles. C'était en effectuant une visite d'inspection sanitaire que le docteur Glassey avait remarqué un nombre important d'enfants en bas âge présentant des signes de pathologies du visage. Le médecin avait été étonné de la prégnance de ce phénomène. Le système de santé étant des plus précaires, ces enfants ne bénéficiaient d'aucun soin et d'aucun suivi particuliers. Laura Glassey avait tenté d'interroger quelques confrères congolais, qui semblaient dépassés par la situation.

À leur arrivée, les deux femmes prirent le volant d'une Land Rover et partirent en direction du sud vers la frontière avec l'Angola, non sans avoir tout d'abord fait un tour de la petite ville de province qu'était Kolwezi. Anook demanda à Laura quel était son but précis en roulant ainsi.

— Tu as déjà remarqué, comme moi, qu'il y a des enfants dans Kolwezi qui présentent des malformations du crâne.

— Oui, en effet, c'est assez flagrant.

— Figure-toi que, la dernière fois que je suis venue, on m'a parlé de rassemblement de fortune de villageois le long de la rivière Lualaba, la source du fleuve Congo. J'ai donc parcouru les pistes de terre en remontant ce cours d'eau. Et j'ai abouti aux mêmes constatations que dans Kolwezi et en amont de Bukama.

— Par conséquent, tu imagines que la Lualaba pourrait en être l'origine, c'est ça ?

— On sait bien que l'eau est un vecteur majeur de maladies pour l'Homme. Donc oui tu as parfaitement saisi mon raisonnement.

J'aimerais maintenant que nous parcourions l'ensemble de la région, puis que nous nous installions dans un centre de consultation, axé essentiellement sur ton expertise, même si je vais moi-même me rendre utile pour d'autres soins. Mes collaborateurs locaux se sont occupés de tout mettre en place. Nous n'aurons qu'à nous mettre au travail en arrivant.

— Ça marche pour moi.

Anook sourit à son amie. Celle-ci prit la parole :

— Dis-moi Anook, comment vont bébé et maman ? Ce n'est pas trop dur à supporter, cette chaleur et cette humidité ?

— Le plus difficile, au Kivu, c'était cette très forte humidité, rendue encore plus désagréable par la chaleur étouffante. Maintenant, l'air est un peu plus sec et je crois que mon organisme commence à s'habituer. Bébé n'a pas l'air de s'en faire beaucoup. Je ne te cacherais pas que je serais soulagée quand nous aurons achevé notre tournée et que je ne serai plus bringuebalée comme un sac à patates dans cette Land Rover.

— Je suis désolée.

— Laura, je savais pertinemment ce que je faisais en partant. Je suis juste un peu plus fatiguée et plus sensible que tu ne l'es toi-même. Il n'y a rien de grave. Quand nous serons au dispensaire, je me reposerai suffisamment et je reprendrai un rythme plus adapté.

— Je te trouve bien philosophe. En tous les cas, la grossesse te va magnifiquement. Tu es resplendissante.

— Merci, Laura.

Les choses avaient beaucoup évolué dans le nord du Niger. Après leur décision d'utiliser Deepak comme appât, les combattants s'étaient fait remarquer dans la ville de Séguédine, dans l'espoir que leur présence serait tôt ou tard rapportée aux preneurs d'otages, s'ils se trouvaient toujours dans la région. La troupe était facilement repérable, avec un ballet d'hélicoptères et l'arrivée de trois détachements de Forces spéciales du Canada, d'Australie, des États-Unis et du Royaume-Uni, soit une trentaine d'hommes aguerris dans une contrée désertique, aride et peu peuplée.

Une fois les renforts sur place, Deepak enfourcha un dromadaire et partit vers le sud avec son guide. Il serait considéré par la population comme une sentinelle avancée. Le groupe avait choisi cette direction pour deux raisons majeures : d'une part, le Nord était montagneux, de l'autre, le Sud s'étendait dans le désert du Ténéré, qui bénéficiait de quelques oasis et de puits pour les caravanes depuis la nuit des temps. Si les preneurs d'otages étaient dans la région, comme tous le suspectaient, il était vraisemblable qu'ils se terraient dans ces lieux où la chaleur était supportable.

Le reste de la troupe avait pris ses quartiers dans la ville de Séguédine et attendait. Bien entendu, l'Alouette III de Grégoire Hassler était en stand-by sur la base de Madama. De même que le traceur GPS implanté de Deepak était suivi au mètre près, seconde par seconde, par satellite, depuis le quartier général du Sword, à Lutry.

Cela faisait maintenant trois jours que les deux hommes avançaient lentement dans la direction de la prochaine ville, Bilma. Ils s'arrêtèrent et prirent leur quartier pour la nuit dans l'oasis de Dirkou, passage obligé de nombreuses caravanes. Quand ils y arrivèrent, ils avaient été précédés par toute une méharée, qui y avait déjà allumé un feu. L'odeur d'un mouton grillé éveilla leurs sens. Une fois installés, ils prirent leur repas avec ces nomades qui partageaient le peu qu'ils possédaient. L'hospitalité de ces peuples demeurait légendaire.

Après quelques palabres, que le guide traduisit, les deux hommes rejoignirent le coin où ils avaient attaché leurs montures, leur permettant de boire et de se reposer. Ils s'installèrent pour la nuit en creusant dans le sable, juste une étoffe sur le corps, les nuits du désert étant fraîches.

Au lever du jour, Issa se leva et s'approcha du trou où Deepak s'était étendu. Personne ! Il fouilla toute l'oasis, rien. La caravane de la veille n’était plus là. Il était seul avec les deux dromadaires. Deepak avait été enlevé en pleine nuit.

24

L'avion Easyjet venait juste de se poser sur le tarmac de Gatwick, en ce tout début de matinée. Quelques minutes plus tard, le flot des passagers se déversait dans l'aérogare. Mark Walpen, une serviette en cuir à la main, suivi de son garde du corps du jour, Duncan Campbell, rejoignit la sortie principale et gagna la file de taxis. Il ne fallut pas longtemps pour qu'ils s'engouffrent tous deux dans un de ces *cabs* noirs si typiques. Le véhicule se dirigea aussitôt vers le centre de Londres.

Malgré une circulation dense à cette heure-là, le directeur du Sword fut déposé quarante minutes plus tard devant l'entrée de l'hôtel Churchill Hyatt, dans le quartier de West End. Mark se dirigea vers la réception, où il repéra un homme qui correspondait parfaitement à l'image qu'il se faisait d'un responsable du *Secret Service* américain. Ce dernier lui demanda avant toute chose de lui présenter son passeport, qu'il scanna afin d'en vérifier l'authenticité. Une fois confirmation reçue, il le palpa, puis se dirigea vers les ascenseurs, invitant Mark Walpen à le suivre. Il appuya sur le bouton de l'étage supérieur, où se situait la suite présidentielle.

Là, ils furent accueillis par plusieurs hommes équipés de leurs oreillettes et de leurs armes de poing cachées sous leurs vestes. Le chef du service, qui ne s'était pas déridé une seule fois depuis l'arrivée de Mark et n'avait prononcé que les mots indispensables, poursuivit son chemin jusqu'à la porte de la suite où, là encore, des hommes montaient la garde. Il frappa et patienta. Il ne fallut que quelques secondes pour que deux autres molosses, fassent leur apparition. Ils accompagnaient un homme d'une quarantaine d'années, qui prit la parole :

— Monsieur Walpen, bonjour. Monsieur le président vous attend. Veuillez entrer. Merci messieurs, dit-il à l'attention des hommes du *Secret Service* et de Duncan Campbell.

Mark suivit le personnage, qui le conduisit dans un salon au décor luxueux. Le président Chan l'attendait, assis dans un des fauteuils. Il se leva, retira ses lunettes de vue et lui tendit la main.

— Bonjour, Mark. Comment allez-vous ? Vous êtes toujours aussi matinal ? Vous vous êtes levé à quelle heure pour me rejoindre ici aussi tôt ?

— Bonjour, monsieur le Président. Mon avion étant à 6 h à Genève, j'ai quitté mon domicile à 4 h 30. Pour ne rien vous cacher, j'aime commencer ma journée de bonne heure. Donc ce rendez-vous en début de matinée me convenait parfaitement.

— Je vous en prie, prenez place, dit le président américain indiquant un fauteuil face à lui. Puis-je vous offrir un café et des viennoiseries ?

— Un expresso et un croissant me feront le plus grand bien.

Aussitôt, l'homme qui avait accueilli Mark, et qui était resté en retrait jusqu'alors, partit s'occuper de la collation demandée. Le directeur du Sword avait compris qu'il s'agissait d'un des membres du cabinet présidentiel en charge du protocole. Quelques minutes plus tard, alors que les deux hommes discutaient de la pluie et du beau temps, il revint avec un plateau qu'il posa devant leur hôte et se retira dans un coin du salon, prêt à servir son président.

— Cher Mark, je vous remercie d'avoir répondu à mon invitation.

— Mais de rien, monsieur le Président.

— Je sais que cela vous a obligé à venir jusqu'ici, cependant c'était ce qu'il y avait de plus simple. Les normes de sécurité entourant mes déplacements sont tellement compliquées, et ajustées au millimètre près, que j'ai préféré vous recevoir ici pendant mon étape britannique avant de poursuivre ma tournée en Asie.

— Vous avez bien fait. De toute façon, Londres est à un jet de pierres de Lausanne et est parfaitement bien desservie depuis l'aéroport de Genève.

— Bien ! Dans ce cas, entrons dans le vif du sujet. Je voulais profiter de m'arrêter quelques heures en Europe pour faire le point avec vous sur la situation en Syrie et sur vos projets afin de mettre un terme à cette barbarie du régime de Bachar el-Assad. Depuis notre entretien de Washington, où en êtes-vous ?

— Nous avons appris que l'armée syrienne allait recevoir tout prochainement des avions et des hélicoptères de combat, ce qui, bien entendu, accentuerait le déséquilibre sur le terrain avec les forces rebelles. Mes équipes ont préparé un plan qui sera mis en œuvre incessamment pour les détruire.

— J'ai vu passer une note de la CIA sur cette livraison et je me suis bien douté que vous alliez vous en charger. Et pour ce dont nous avons parlé la dernière fois ?

— J'ai mis une cellule de réflexion sur le coup. Elle va prochainement me soumettre des propositions d'actions. Vous savez comme moi qu'il faut du temps pour amasser toutes les informations nécessaires, et ensuite élaborer des scénarios qui tiennent la route.

— Mais vous n'avez aucune idée ?

— Aucune. Mes stratèges travaillent sur le dossier depuis mon retour en Europe. Quand ils seront prêts, ils me le diront. Cela ne devrait pas tarder.

— Je comprends, mais cela presse à présent.

— Oui et non, monsieur le Président.

— Pardon ?

— Cela fait plus de deux ans qu'une véritable guerre civile est déclarée en Syrie et que personne de la communauté internationale n'a levé le petit doigt. Alors, je considère que l'on peut accepter que nous nous accordions quelques semaines pour affiner un plan. Qu'en pensez-vous ? demanda le stratège en chef du Sword avec un sourire malicieux, en regardant le président américain, pris au dépourvu.

— Vu comme cela, en effet. Donc, mis à part l'intervention planifiée contre les avions et les hélicoptères de combat, il n'y a rien de bien nouveau. Je vous ai fait venir pour rien.

Le président avait le visage fermé et tendu.

— Je comprends votre frustration. Néanmoins, j'ai pu vous informer de ce que nous faisions, tant pour neutraliser le ciel syrien que pour mettre au point un plan de transition politique qui vaille la peine. Dès que nous aurons établi un projet sérieux, ce qui ne devrait pas tarder, je vous en avertirai et nous trouverons un moyen d'en débattre.

— Vous avez raison, je suis trop pressé. Mais j'estime que tout cela a trop duré.

— Moi aussi, mais ne confondons pas vitesse et précipitation. Par ailleurs, puisque je suis ici face à vous, je voudrais en profiter pour aborder une question sensible pour moi.

— À quel propos ?

— Au sujet des procédures judiciaires américaines contre les banques suisses et en particulier de la Banque Boissier Naville & Cie.

— Et pourquoi vous intéressez-vous à cela, Mark ? demanda le président Chan, tout à sa surprise.

— Simplement parce que Laurent Boissier est mon ami le plus cher et, visiblement, votre administration lui cherche des noises sans raison apparente. Je n'apprécie guère de le voir mis en cellule et sous mandat d'arrêt international sans motif avéré.

— Cher Mark, je peux comprendre votre réaction et votre sens de l'amitié. Votre franchise vous honore. Cependant, vous pensez bien que ce n'est pas le président des États-Unis qui gère ce genre de dossiers, mais le département de la Justice.

— Je m'en doute. Il n'empêche qu'il s'agit bien de votre administration, et que j'imagine assez bien que vous avez le pouvoir d'intervenir.

— Si le département de la Justice a lancé une procédure internationale contre certaines banques, dont celle de votre ami, cela ne peut être que dans le respect de la loi américaine, et cela signifie que la banque de votre ami l'a violée. Par conséquent, il est tout à fait normal qu'une enquête soit menée et que la justice soit rendue. Nous ne pouvons accepter que des banques étrangères viennent sur notre sol et proposent à nos ressortissants de frauder le fisc.

Le ton était sec, froid et sans appel. Cependant, il en fallait plus pour démonter un homme comme Mark.

— De ce que je sais du dossier, Laurent Boissier n'a rien à voir avec un démarchage quelconque aux États-Unis. Je considère donc cette procédure judiciaire exagérée et sans fondement.

— Je suis désolé, Mark, mais je ne peux rien faire pour votre ami. La loi est la même pour tous. Si un mandat d'amener a été lancé contre lui, c'est que les juges ont estimé que c'était justifié, et comme nous sommes un État de droit, je suis impuissant. Il lui faudra s'expliquer devant une cour américaine.

— Certes, je ne conteste pas cet aspect des choses. Néanmoins, cette chasse aux sorcières me semble des plus politiques et, donc, dépend de vous.

— Mais enfin, Mark, on ne peut indéfiniment laisser des paradis fiscaux intervenir sur notre sol et détourner des milliards de dollars sans rien dire ! Nous lutterons sans merci contre ces établissements bancaires.

— C'est intéressant, comme point de vue ! Dans ce cas j'aimerais beaucoup savoir ce que vous faites d'États comme le Delaware aux États-Unis, de la City de Londres, où bien encore de Hong Kong, Singapour, etc. car ce sont tous des paradis fiscaux.

En entendant cela, le président s'empourpra quelque peu. Il garda bonne figure et répondit :

— Le Delaware respecte parfaitement les lois américaines et, pour ce qui est de ses activités financières, il se conforme aux lois du marché, de la même manière que les autres lieux que vous avez cités.

— En clair les seuls voyous, c'est nous ! Ce n'est vraiment pas convaincant.

— Mon administration ne fait qu'appliquer les lois de mon pays, Mark. Je suis désolé pour votre ami. Il aurait dû réfléchir à deux fois avant d'enfreindre nos lois.

— Vous me pardonnerez pour ma franchise, monsieur le président, mais je ne peux vous suivre sur ce terrain et, connaissant bien Laurent Boissier, je sais que vos assertions le concernant sont inexactes. Je prends acte de votre position et par conséquent, je vous informe que le Sword ne travaillant qu'en confiance, il ne pourra pas vous être d'une aide quelconque pour résoudre la crise syrienne.

Mark, excédé mais gardant son calme, se leva. Le président Chan, visage fermé, en fit autant. Il ne s'attendait pas à ce que l'entretien tourne de cette manière.

— Monsieur le président, je vais poursuivre ma journée. Je tiens à vous signaler que le Sword mettra toutes ses ressources pour défendre Laurent Boissier et sa banque. Attendez-vous à des moments difficiles pour votre administration.

— Je suis désolé que vous le preniez ainsi. Je ne fais qu'appliquer la loi.

Mark gagna la porte dans un silence pesant et rejoignit Duncan Campbell.

25

Ces dernières semaines, le chaos était de mise à Kiev et dans tout le pays. Les opposants notoires et une partie de la population de la capitale ukrainienne s'étaient révoltés et demandaient le départ du président russophone Pouchiline. Ils l'accusaient d'autoritarisme, d'allégeance à Moscou et, enfin, de corruption. Ils avaient installé un camp retranché à la place Maïdan.

Le président en exercice ne semblait plus savoir que faire. Il refusait toute démission. Il interdisait toute élection anticipée et n'osait pas envoyer l'armée nettoyer la ville de ceux qu'il nommait « les rebelles ». Un climat d'insurrection armée régnait sur la capitale. Le camp de Maïdan était encerclé par la police ukrainienne.

Certains observateurs avaient remarqué la présence de Forces spéciales aux vêtements de camouflage, mais ne portant aucun signe distinctif. Tous étaient convaincus qu'il s'agissait de Spetsnaz envoyés en renfort par Moscou pour réprimer la contestation. Depuis quelques jours, des passants qui venaient apporter de la nourriture aux révoltés avaient été victimes de tirs de snipers. La tension était vive, et les deux partis campaient sur leurs positions. On comptait déjà plusieurs dizaines de morts par balles.

Pendant ce temps, la Russie accusait les Occidentaux de soutenir l'insurrection et de se mêler d'affaires intérieures d'un pays ami et d'un voisin. Les Européens et leurs alliés ne se gênaient pas pour accuser le président Sokolov des mêmes maux.

La place Maïdan craignait un assaut de la part des soldats russes venus soutenir un allié du président Sokolov, surtout que le président Pouchiline, soutenu par son parti, le Parti des régions et le Parti communiste ukrainien, avait fait voter au parlement des lois afin d'interdire toute manifestation. Face aux assassinats, la colère était montée d'un cran.

Finalement, les soutiens politiques du président aux abois quittèrent le navire les uns après les autres. Son Premier ministre démissionna, un vice-amiral rejoignit ceux que les Occidentaux dénommaient les « Euromaïdans ». Une majorité se fit au parlement, et vota une série de lois abrogeant notamment l'interdiction de manifester. Les anciens alliés de Pouchiline, pris de peur, avaient rallié le camp des opposants. La tension était à son comble.

La révolte craignait un coup de force de dernière minute et que le pouvoir lance les chars pour réprimer le mouvement, à l'instar de ce qui s'était passé à Prague en 1968.

Au lever du jour, tous les médias sur place relayèrent la nouvelle inattendue : le président Pouchiline avait quitté la capitale pour rejoindre la région du Donbass, puis la Crimée. La photo du prince déchu s'engouffrant sans un avion privé sur un aérodrome de la banlieue de Kiev était à la une, ainsi que le nombre impressionnant de valises sur le Tarmac. Beaucoup pensait qu'il avait regagné la ville de Donetsk, son fief électoral. Cependant le bruit courait qu'il avait déjà franchi la frontière sous protection militaire russe.

Mark, qui suivait le cours des événements sur CNN depuis qu'il s'était levé, se demandait comment tout cela allait tourner. « La guerre froide que je pressens depuis quelques années n'est plus très loin » se dit-il, inquiet.

Rebecca aperçut le tout-terrain du colonel Herzog se garer devant le grand porche de la demeure. Un homme mince, voire émacié, de taille moyenne et quasiment chauve, sortit du véhicule et sourit à la vue de la fille de son ami qui venait pour l'accueillir.

— Bonsoir, Ariel ! Cela me fait plaisir de te revoir après tout ce temps.

— Moi aussi Rebecca. Depuis que tu es installée en Suisse, on ne te voit plus guère.

— Maman me l'a assez reproché ces derniers jours. Mais c'est la vie et je suis heureuse comme cela. Entre, on sera mieux dans le salon.

— Oui, tu as raison, il commence à faire frais.

Ils rentrèrent dans la bâtisse aux volumes généreux. La mère de Rebecca ne s'était pas montrée. Elle savait que sa fille avait un rendez-vous important avec l'ancien aide de camp de son mari et elle préférait les laisser à leur intimité pour parler de choses certainement des plus secrètes.

Rebecca leur servit un vin blanc liquoreux du Golan, bien frais, aux arômes de vanille, de fruits exotiques et de chêne. Ils firent santé et goûtèrent ce nectar.

— Humm, Rebecca. Il est excellent.

— C'est papa qui en achète. Il aime en boire un verre le soir, et je dois reconnaître que quand je reviens à la maison j'aime en faire autant. Merci, Ariel, d'être venu aussi vite.

— Tu m'as dit que c'était urgent, me voilà. À quoi servent les amis sinon ? Alors que se passe-t-il ?

— Maman n'a aucune nouvelle d'Avram depuis plus de dix jours. Pas un mot, pas un courriel, pas un texto. Il n'a jamais fait cela en plus de quarante-cinq ans. Je sais que vous êtes en contact permanent et que s'il peut compter sur une seule personne, c'est toi. J'aimerais savoir s'il était sur une affaire quelconque qui expliquerait son absence. Depuis qu'il a pris sa retraite, je ne sais absolument rien de comment il occupe ses journées, mais je serais surprise qu'il passe son temps à lire au soleil.

Elle sourit à son invité.

— Connaissant Avram, on peut, en effet, en douter ! Que désires-tu savoir ?

— Tout ! Que fait-il depuis sa mise à la retraite forcée ? Sais-tu s'il était sur un coup foireux? Ou tout simplement où il est, là, maintenant ? Ce n'est pas difficile !

Le ton de la combattante s'était tendu indiciblement, l'inquiétude prenant le dessus.

— Je comprends très bien ton angoisse, et certainement aussi celle de ta mère. Je vais te confier le peu que je sais. Mais tu imagines assez bien qu'Avram ne m'a jamais tout révélé de sa vie active ou à la retraite. Tout d'abord, et ça ne va malheureusement pas te rassurer : j'ignore absolument où se trouve actuellement le général. Je suis désolé.

— Je ne suis pas étonnée, connaissant bien l'animal et lui ressemblant, d'après ce qu'on m'a déjà dit !

— C'est assez vrai, reprit le colonel avec un sourire de connivence. Ce que je sais, c'est que ton père allait souvent à Tel-Aviv, et qu'il conseille le président depuis ces dernières années.

— J'imagine que le Premier ministre n'a pas dû apprécier.

— Je doute qu'Avram lui ait envoyé un faire-part et il s'y rendait certainement en toute discrétion. Cependant, on peut raisonnablement penser qu'il s'en doute.

— Quel est son rôle exactement, Ariel ? Je ne vois pas le général se contenter d'apporter son expertise théorique.

— Tu as raison. Il me semble qu'il pilote certaines opérations au service de l'État.

— Tu veux dire qu'il monte des opés avec le président dans le dos du Premier ministre ?

Rebecca n'en croyait pas ses oreilles, même si, de la part de son général de père, elle s'attendait à tout. C'était d'autant plus surprenant que celui qui exerçait le pouvoir réel en Israël était le Premier ministre. Le président avait plus un rôle protocolaire et de garant de la constitution. Cependant, le Premier ministre s'était fait quelques ennemis tenaces au fil du temps, parmi lesquels Avram Leibowitz, qui avait refusé de le servir à la tête du Mossad.

— Je ne pourrais pas te décrire quelles opérations il a montées.

— Et tu penses qu'Ariel Weizman aurait osé le rayer de la carte ?

— Lui-même, certainement pas, mais des anciens du régiment des Forces spéciales dont il est issu, pourquoi pas ? Ceci dit, j'en doute.

— Et pourquoi ?

— Ton père n'est pas n'importe quel client. Il connaît tout de l'Institut et le moindre agent serait repéré à la seconde près. Par ailleurs, il a une escouade toute dévouée à sa personne pour assurer ses arrières. Enfin, ses ennemis, dont le Premier ministre, le redoutent, et peut-être craignent-ils encore plus les représailles des amis du général, si jamais on touchait un seul de ses cheveux.

— Tu n'as pas l'air inquiet.

— Oui et non. Je ne pense pas qu'il soit en danger chez nous. Par contre, son silence total me surprend. Je suis sûr que le vieux chacal a reniflé une piste et qu'il n'a pu encore donner des nouvelles sans se faire repérer. J'ai confiance en lui.

— Tu as sans doute raison. Mais, n'a-t-il pas franchi la ligne continue une fois de trop pour sa sécurité ? C'est la question qui me taraude depuis mon retour.

— J'espère que non.

— Regarde ce que j'ai trouvé dans son bureau en fouillant ce que j'ai pu, dit-elle en tendant au colonel un magazine où une photo prenait toute la page. On y voyait le président Sokolov lors de son investiture au Kremlin pour son second mandat, accompagné de plusieurs personnages. Très en arrière-plan, une silhouette qui se détachait avait été entourée d'un cercle rouge au feutre épais. Ariel Herzog empoigna le journal, fouilla dans sa poche de blouson et saisit une paire de lunettes loupes qu'il passa sur son nez. Ainsi, il ressemblait à une chouette. Il se concentra sur l'image moyennement nette.

— Je reconnais un certain nombre des hauts personnages de l'État russe. Celui qui est entouré, je sais qu'il n'est apparu que cette fois au grand jour. Il s'agit de Viktor Grylov, un oligarque important. Il pèse quelques milliards. Ton père m'a demandé de me renseigner sur lui il y a quelques semaines.

— Tu veux bien m'en dire un peu plus ?

— Il possède une holding dont le siège social est à Saint-Pétersbourg. Également des bureaux à Moscou, comme de bien entendu. Le bruit court que ses activités couvrent la presse, la gestion des déchets dans toute la Russie, et peut-être l'armement. Ce qui surprend le plus, avec lui, c'est que l'on a que cette unique photo. Nos archives ne contiennent strictement rien sur ce personnage, qui doit être de la génération de ton père, à en croire le cliché. C'est comme s'il n'avait jamais existé jusqu'à ce cliché.

— Formidable ! s'exclama la combattante israélienne, qui pensait enfin tenir un début de piste. Sacré renard de général ! Il a trouvé le moyen de me laisser un indice au cas où, la classe ! Avram ne t'a rien dit sur ce Viktor ?

— Absolument rien. Quand il me demande un service, comme de lui fournir les renseignements disponibles sur untel et untel, je ne lui pose aucune question. Pourquoi s'intéresse-t-il à Grylov ? Aucune idée. Ce qui est sûr, c'est que s'il est sur ce coup-ci, c'est du lourd. Tu ne deviens pas un des premiers oligarques du pays sans être quelqu'un de puissant et certainement sous la protection plus ou moins totale du pouvoir.

— Cela m'inquiète.

— Ton père est un loup solitaire. Il n'a, à ma connaissance, jamais réclamé le moindre soutien à qui que ce soit. Je serais sans doute le premier informé. Même s'il s'est fourré dans un guêpier, il saura s'en sortir ou nous avertir. N'aie crainte, Reb.

— Tu as probablement raison, Ariel. Cela ne m'empêche pas de me faire du souci. Je vais donc partir à sa recherche au plus vite.

— Tu m'étonnes !

— Tu me vois rester ici à attendre ?

— Non, pas vraiment. Tu n'es pas la fille du général et ancienne Kidon pour rien.

Il éclata de rire.

— C'est vrai ! Est-ce que je peux compter sur toi comme soutien logistique et de renseignement ?

— Tu crois que je ne m'y attendais pas à celle-là ? répliqua le colonel, tout sourire. Bien entendu que tu as tout mon appui ! Fais juste gaffe, car nous bénéficierons d'une assistante limitée de la part des ambassades et de l'Institut.

— Je m'en doute. Je prépare mon plan dès ton départ et je file au plus vite. On reste en contact 24 heures sur 24. OK ?

— Affirmatif !

Le colonel se leva, embrassa tendrement Rebecca qui l'accompagna jusqu'à son véhicule, et quitta le domaine.

26

Sven et son équipe d'informaticiens et de hackers professionnels avaient surveillé attentivement la balise de géolocalisation de Deepak, 24 heures sur 24h. Il n'était pas question de le mettre en danger par négligence. C'est ainsi que, quand le combattant s'était fait enlever, les mouvements s'étaient affichés sur les écrans, lançant l'alerte tant attendue.

Un groupe d'une vingtaine de spécialistes s'était formé autour du hacker canadien. L'embauche de quelques pointures internationales suite à la tournée de Mark, ainsi que de celle de jeunes talents suisses, permettait au Sword de bénéficier de la crème en matière d'informatique. Le principe était de donner des directives générales et de laisser libre court à l'imagination des génies de l'Internet. Leur sens inné de la compétition et de l'émulation faisait le reste.

Enfin, pour couronner le tout, une seconde unité centrale de type *mainframe* fut installée au *Sword Learning Center* de Zermatt. L'objectif était d'une part de renforcer la puissance du premier, demeuré au siège de Lutry, et de l'autre de pouvoir assurer son remplacement en cas de panne ou de cyber attaque. Le choix s'était porté cette fois-ci sur le dernier-né de la marque Bull, qui avait été livré à Lutry, puis transporté avec la plus grande discrétion possible par hélicoptère jusqu'au pied du Cervin. Il n'était pas question que l'on sache où il se trouvait réellement.

Quand l'alarme avait retenti, Sven avait aussitôt envoyé un texto à Paul. Les choses sérieuses allaient commencer. Étant donné qu'il faisait nuit, il fut décidé que les détachements en place au Niger poursuivraient leur sommeil jusqu'à ce que le QG de Lutry leur signale l'endroit où la balise de Deepak se serait immobilisée.

Au lever du jour, toute l'équipe du colonel de Séverac se leva et se prépara rapidement. Ils allaient suivre les indications géographiques que Sven venait de leur envoyer par texto. Il fallait qu'ils se rapprochent lentement et discrètement de la bourgade de Bilma. Cette ville fortifiée présentait l'avantage, pour une caravane, de posséder une palmeraie et des points d'eau à l'extérieur nord de la zone protégée.

Arrivé à l'oasis de Dirkou, Paul fit halte avec une partie des Faucons et des Forces spéciales de renfort. Ils avaient retrouvé Issa, le guide. Le commandement fut remis à Tom. Son rôle consistait à poursuivre son avancée avec les Faucons et à s'approcher jusqu'à quelques centaines de mètres de Bilma. Là, ils devaient repérer le lieu probable de détention des otages, puis observer discrètement la situation avec les drones qu'ils avaient emportés avec eux.

Sven avait été chargé auparavant par Mark et Paul de trouver des solutions techniques pour permettre l'espionnage discret et, ainsi, préserver des vies. Le fait que l'école polytechnique fédérale de Lausanne eût un laboratoire spécialisé dans la recherche sur les drones facilita les choses. Le cahier des charges des Faucons était simple, mais exigeant. Il fallait un drone émettant le moins de bruit possible, et bénéficiant d'une autonomie suffisamment importante pour rester en survol d'observation le plus longtemps possible.

Après un temps de réflexion, l'équipe de chercheurs en arriva à la conclusion qu'il était inutile de réinventer la roue. Le plus simple consistait à prendre un produit de haute qualité déjà commercialisé et d'y apporter les améliorations pour répondre aux spécifications réclamées. Deux appareils avaient été retenus : le SenseflyBee de

Parrot et l'octocoptère DJI S1000. Le premier ressemblait plus à un avion à hélice et servait à l'observation agricole. Le second était plus puissant et permettait des prises de vue avec des caméras lourdes.

La première étape consista à changer les batteries standards Lithium-ion pour des accus au Lithium-sulfure, trois fois plus performants. On colla des cellules solaires souples sur les ailes et le corps du drone Parrot. Pour l'octocoptère de BJI, on modifia les huit bras en carbone en aménageant un support plat du même matériau, pour placer des rangées de cellules photovoltaïques. Tout ceci leur fournit une autonomie de plusieurs heures le jour et de plus de deux heures pendant la nuit.

Les deux appareils furent chacun équipé d'une mini caméra ultra légère à haute résolution. Cela leur permettait de voler à deux à trois cents mètres de leur cible et d'obtenir des vidéos d'une extraordinaire précision. Enfin, ces drones étaient pilotables avec une très grande facilité, et n'importe quel Faucon pouvait donc s'en charger.

Tom laissa Paul et le reste de l'équipe à Dirkou et se dirigea plein sud avec cinq autres Faucons et Issa à dos de chameau. Ils portaient tous des vêtements locaux et avaient la tête totalement enrubannée, seul un mince rai laissait leurs yeux visibles.

Ils avancèrent pas à pas, sous le soleil brûlant. Après plusieurs heures de marche lente, ils arrivèrent à la palmeraie située au nord de la ville de Bilma. Tout en repérant la position du signal de Deepak sur leur carte, ils contournèrent la plantation pour trouver un endroit abrité, protégé par quelques arbres et alimenté par un point d'eau. Ils s'installèrent dans un creux entre les palmiers et se camouflèrent au mieux.

Il fallait absolument lancer au moins un des deux engins observateurs avant que le soleil ne se couche, afin qu'il se charge au maximum et qu'il recueille les premiers renseignements opérationnels.

Tom divisa son équipe en deux. Olwethu Ngwenyama et Pasang Getu s'occuperaient du drone en forme d'avion, Dakota Boyington et Riley Hell de l'octocoptère. Chacun s'installa dans un endroit plat et prépara méticuleusement le matériel. Trois quarts d'heure plus tard, tout était prêt. Pendant ce temps, Tom avait réfléchi à la méthode à utiliser et l'avait soumise à ses collègues, qui agréèrent. Les deux engins se positionneraient rapidement, à une distance de trois cents mètres environ, et à la même altitude, l'un côté est et l'autre côté ouest.

Les deux pilotes se mirent côte à côte afin d'échanger pendant l'exercice et d'éviter de faire voler les engins l'un vers l'autre. Par sécurité, Tom surveillait l'ensemble de l'opération sur sa tablette, où figuraient la carte des lieux, le signal de géolocalisation de Deepak, et la position de chaque drone. Le risque de crash était ainsi quasi nul.

Olwethu lança son avion ultra léger en premier et le positionna lentement. Dix minutes plus tard, Dakota en fit autant avec son drone à huit hélices. Moira Ramsey, la sixième du groupe, vérifia sur sa propre tablette les vues des deux appareils, et donna ses instructions à chaque pilote pour une meilleure observation. Les vidéos étaient envoyées en temps réel, par satellite, jusqu'au QG de Lutry, où elles étaient analysées, classées et organisées pour ensuite servir de base de données avant l'assaut.

Le soleil se coucha et les Faucons poursuivirent l'observation de nuit avec les objectifs infrarouges, puis ramenèrent leurs drones pour une pause nocturne. Dans le même temps, ils reçurent de Lutry la synthèse de la première sortie des espions volants.

Tous les Faucons s'assirent et visionnèrent le document concocté par Sven et son équipe. À la fin, Tom prit la parole :

— Cette première soirée d'observation de nos adversaires est déjà riche en enseignements. On compte une bonne vingtaine de gars bien armés, en l'occurrence avec des kalachnikovs dernier cri de la série AK-10, la version améliorée du célèbre AK-47. Cela représente une sacrée puissance de feu.

— Oui, tu l'as dit, compléta Olwethu. Cela ne sera pas du gâteau pour intervenir.

— En effet ! Il va falloir réfléchir à un plan astucieux, mais je crains que les conditions d'assaut soient des plus délicates et que nous soyons soumis à un feu nourri de la part de l'ennemi. Avant d'imaginer quoi que ce soit, je vais en discuter avec le colonel. Mon avis est que nous devons poursuivre nos observations encore quelques jours, afin d'affiner les renseignements déjà en notre possession. Il faut remarquer les automatismes de nos adversaires. Ensuite, on décidera avec le chef quoi, quand, et comment. Et on appellera la cavalerie à la rescousse.

— Oui tu as raison, dit Pasang.

— Bonne nuit, les gars. Je prends le premier tour de garde. Olwethu, tu me relaies dans une heure et demie. Les autres, vous suivrez.

— OK, chef, répondirent les Faucons.

27

Pendant ce temps, les Faucons qui avaient été désignés pour intervenir en Syrie avaient gagné la base aérienne britannique d'Akrotiri, sur l'île de Chypre, partie grecque. Elle avait été choisie, car elle permettait aux trois équipes qui opéreraient de partir du même endroit.

Yann de Silguy avait quitté le Niger et avait rejoint sa base d'Abidjan avec son Transall C-160 et l'Alouette III à son bord. Puis, il avait rallié la base chypriote. Pendant ce temps, Mamadou, qui avait été suivi par Vincent Carrel, le colonel de l'armée de l'air suisse à la retraite, avait rallié la base française de Madama au Niger. Les hélicoptères amenés à Akrotiri et le Transall déposeraient les combattants à leurs trois points de rencontre avec l'Armée libre de Syrie.

Nibs avait choisi le lieutenant-colonel Bradley Sheridan, Australien, et le lieutenant-colonel Karine de Kergadec. Cette dernière avait été promue par Paul, avec l'accord des autres commandants des Faucons. Il estimait indispensable que son équipe de combattants ait de nouveau un chef capable de les amener au combat. Même si la Française faisait partie des derniers arrivés, son âge, son expérience d'instructeur de nageurs de combat, et son comportement pendant l'extraction de la princesse Spinola-Parker, avaient fait l'unanimité. Mark Walpen était satisfait de ce choix et avait apprécié la lucidité du patron des Faucons. Les trois commandants dirigeraient une escouade chargée de détruire un maximum d'avions et d'hélicoptères de combat syriens. Chaque équipe serait renforcée par la présence d'un Faucon israélien parlant parfaitement l'arabe, dont le rôle serait de surveiller les conversations des contacts syriens.

Le lancement des opérations était prévu pour la nuit. Les deux hélicoptères avaient été remis en situation d'intervention et contrôlés.

Nibs organisa un meeting opérationnel avec ses combattants et les responsables logistiques, comme les pilotes du Transall et des hélicoptères, afin de faire le point sur l'opération nocturne.

— Bon ! On part tous pour la Syrie ce soir. Je tiens à vérifier qu'on est prêts. Greg, les hélicos ?

— Tout est paré. Les engins sont opérationnels, ils peuvent partir quand tu le désires. On y a installé les réservoirs de réserve. Tu répartis tes équipes comment ?

— On a trois équipes à déposer, deux au sud de la Syrie, une au nord. Ma proposition est que toi, Greg, tu poses l'équipe à la frontière jordano-syrienne, au sud de Daraa. Pendant ce temps, Marcus prendra le deuxième coucou et déposera la deuxième équipe dans la région d'Alep, après avoir longé la frontière turco-syrienne. Enfin, la troisième équipe sera déposée par Yann à la frontière sud irako-syrienne. Nous avons tous notre point de rencontre avec des membres de l'ASL, armée syrienne libre.

— J'emmène qui ? interrogea Marcus le second pilote.

— Bradley dirigera l'équipe d'Alep. Karine l'équipe du sud-est, qu'on appellera équipe de Deir ez-Zor. Enfin, mon équipe se chargera des bases situées au sud de Damas et prendra donc son nom. Par ailleurs, Nathan accompagnera Karine, Ziva suivra Bradley, et Liora sera avec moi. Je préférerais que vous restiez discrets le plus longtemps possible. Nos contacts n'ont pas besoin de savoir que quelqu'un les comprend parfaitement. Comme cela, si vous entendez une conversation anormale, vous préviendrez votre commandant.

Tout est bien compris ? interrogea Nibs en dévisageant les trois combattants israéliens.

— Cinq sur cinq, répondirent-ils tous en même temps.

— Parfait ! Départ à 23 h pour les trois escouades. Est-ce que les paquetages avec les ogives sont prêts et embarqués ?

— Affirmatif ! Chaque groupe dispose de vingt charges pour Igla-S. En cas de pépin, il y en a encore en réserve dans le Transall de Yann, sans parler des Spike, si on devait intervenir militairement pour sauver un de nos membres.

— Nickel, Greg, enclenchez vos balises de suivi GPS à partir de maintenant. Et faites gaffe, on ne sait pas où on met les pieds.

Tous acquiescèrent.

Les Faucons attendirent la tombée de la nuit en se détendant sur la base de l'OTAN. Vingt minutes avant l'heure de départ prévue, de l'agitation se devinait autour du camp des combattants du Sword. Un quart d'heure plus tard, les trois aéronefs décollaient les uns après les autres dans la nuit noire.

Marcus, qui s'était élancé le premier, prit le cap nord-est. Il devait rattraper la frontière turco-syrienne au nord de Lattaquié, puis la longer vers l'est jusqu'à la ville de Kilis, et déposer les hommes et femmes à son bord, le plus près possible, en territoire syrien. C'était sa première mission militaire seul aux commandes. Pour l'instant, il avait toujours couvert les arrières de son chef, Greg Hassler. Il était tendu, lui qui n'avait effectué que du sauvetage en montagne. Il ne pouvait oublier les dangers que son collègue avait bravés dans le couloir de Wakhan et il souhaitait être épargné de vivre ce genre de mésaventure.

Pour faciliter les choses, Mark Walpen avait contacté les différents commandements avec lesquels il travaillait, et obtenu une neutralité bienveillante de la part des armées des pays traversés, à savoir : Israël, la Turquie, la Jordanie et l'Irak. Pour ce dernier État, ce n'était que pure politesse, étant donné qu'il n'avait aucun moyen d'intervention, et qu'il avait laissé le champ libre aux milices affiliées à l'État islamique.

Une heure et demie plus tard, le Haut-Valaisan déposait l'équipe de Bradley à cinq kilomètres de la ville d'Azaz, en Syrie. La jonction avec l'ASL étant établie, l'Australien lui fit le geste OK, signifiant qu'il pouvait partir.

Pendant ce temps, Yann de Silguy volait à basse altitude plein est, en direction d'Al Qa'im. Il était confiant, alors qu'il se trouvait encore en territoire jordanien. Il allait bientôt devoir se concentrer à l'approche de l'Irak. Il avait prévu de se poser au nord de la ville où une route longeait la frontière sur plusieurs kilomètres. C'était l'endroit parfait. La route était en terre battue, ce qui ne gênait aucunement l'atterrissage, son engin étant conçu pour cela.

Le colonel de Silguy descendit en douceur et passa à deux cents mètres au-dessus des maisons d'Al Qa'im. Cinq minutes plus tard, le chemin de terre éclairé par ses phares apparut. Des signaux de lampes torches le guidèrent. Il manœuvra et se posa. À peine au sol, le hayon arrière s'ouvrit et trois ombres sautèrent, aussitôt rejointes par d'autres. Le Transall accéléra et redécolla dans le même sens avant d'effectuer un demi-tour.

Greg Hasler avait décollé plein nord-est afin d'atteindre au plus vite le port israélien d'Haïfa. Une demi-heure de vol plus tard, il vira à l'est de la ville, après s'être dûment annoncé aux autorités de la Marine israélienne prévenues par le QG du Sword. Après un quart d'heure, il passa au-dessus du lac de Tibériade, se dirigea alors vers le sud-est, pénétrant ainsi dans le territoire jordanien. Dix minutes plus tard, il franchit rapidement la frontière syrienne en rasant le sol et se posa dans la banlieue de Daraa. Les Faucons sautèrent aussitôt, laissant ainsi leur pilote-chef regagner la base d'où il avait décollé moins d'une heure plus tôt.

Yann s'en retourna à sa base d'Akrotiri et fut rapidement rejoint par les deux hélicoptères. La première phase de l'opération s'était achevée dans des conditions optimales. Les pilotes n'avaient plus qu'à attendre quelques jours et ils repartiraient chercher les combattants.

Cela faisait maintenant une dizaine de jours que les Faucons s'étaient infiltrés en Syrie. Visiblement ils étaient opérationnels, à en croire certains médias qui rapportaient de violentes confrontations aux abords de bases militaires. Certains parlaient même d'attaques mystérieuses lancées sur l'aviation syrienne, causant des dégâts considérables à l'armée de l'air.

Bachar el-Assad accusa les Occidentaux d'avoir envoyé des soldats d'élite pour le renverser. Ces derniers nièrent tout en bloc. Il n'y eut pas un jour sans que des MIG ou des hélicoptères ne soient abattus mystérieusement.

La tactique imaginée par les Faucons était simple mais efficace. Chaque équipe s'était divisée en trois groupes autour de chaque aérodrome militaire. Cela évitait que l'aviation ne se concentre que sur un seul point après un tir de roquette. Le but était de tirer au plus vite une seconde fois depuis un autre point. Et ainsi de suite. Après dix jours, une partie des avions de chasse syriens avait été détruite. Puis, ce fut le tour des hélicoptères. Finalement, l'armée syrienne se retrouvait avec moins d'aéronefs en état de voler qu'avant la livraison russe.

Marcus fut le premier à recevoir un texto par téléphone mobile crypté. Bradley réclamait une exfiltration à la tombée de la nuit, à quelques encablures du lieu où il avait été déposé quelques jours plus tôt.

Le lendemain, ce fut au tour de Nibs. Il indiqua à Greg un point de prise en charge à la frontière libano-syrienne, au mont Hermon. Même si le lieu ne plaisait pas particulièrement au pilote, il suivit la frontière israélienne le plus longtemps possible jusqu'après Kiryat Shmona et fila en direction de la montagne indiquée par le commandant sud-africain. Ils n'essuyèrent aucun coup de feu.

Yann et les autres membres de l'intervention commençaient à ronger leur frein. Cela faisait deux jours que Greg et Marcus étaient de retour et ils n'avaient toujours aucun signe de vie de Karine et de son équipe. L'inquiétude les gagnait peu et peu. Ils réalisaient qu'ils avaient confié la tâche la plus ardue à Karine, pour qui s'était la première opération en tant que commandant des Faucons. Depuis Deir ez-Zor, elle devait parcourir des centaines de kilomètres en territoire syrien, passer l'ancienne ville romaine de Palmyre et s'en prendre aux bases de la région révoltée de Homs située entre Alep et Damas. Un sentiment de culpabilité perçait lentement.

L'attente devenait longue et difficile à gérer pour ces hommes et femmes d'action. Enfin, une lueur d'espoir apparut : un Mayday retentit au QG de Lutry. Karine était vivante, elle avait activé sa balise de détresse. L'inquiétude gagna cependant tout le Sword. Nul ne savait en quelles mains elle pouvait se trouver, ni dans quel état.

28

Depuis plusieurs semaines, le professeur Kammermann arpentait les territoires au sud de Kolwezi et visitait les camps de réfugiés éparpillés çà et là. Globalement, la population se portait bien. Les déplacés avaient trouvé asile dans des zones plus calmes et pouvaient se nourrir correctement.

Ce qui interpellait le plus la neurochirurgienne, c'était le nombre élevé d'enfants en bas âge présentant des malformations de type encéphalopathique. Ce pourcentage bien au-dessus de la normale indiquait clairement une cause exogène. Mais laquelle ?

Anook était pessimiste. Elle ne voyait guère de solution chirurgicale à toutes ces pathologies. Elle en parla avec sa consœur.

— Tu sais, Laura, je doute qu'une quelconque opération aille guérir ces enfants dans la globalité. Seuls ceux qui sont atteints de malformations du visage au niveau de la bouche, du palais, des lèvres, peuvent être traités chirurgicalement.

— C'est vraisemblable.

— À mon avis, on devrait se concentrer sur la cause de ces encéphalopathies. Cela nous permettra d'une part de prendre les décisions adéquates pour enrayer le processus et d'autre part, peut-être, d'adopter le meilleur moyen pour soigner ces enfants. Cela ne nous empêche pas de nous occuper des enfants nécessitant une chirurgie réparatrice. Par contre, il faut faire appel à un spécialiste, car ce n'est pas dans mes cordes.

— Après ces jours d'observation avec toi, je partage ton point de vue. Tu veux commencer par quoi ?

— Quand je vois tous ces enfants nés récemment avec autant de malformations et toutes ces personnes gravement malades, je pense qu'une contamination sévère est responsable. Ce n'est pas possible autrement

— Je partage ton analyse.

— Par conséquent, la priorité absolue, c'est d'en trouver la cause. Il faut procéder à des analyses médicales des victimes, avec des prélèvements, afin de déterminer quels sont les vecteurs communs. Il faudrait aussi effectuer une analyse de l'eau et de l'environnement. Et toi, Barnabé, qu'en penses-tu ?

— Je suis entièrement d'accord avec tes remarques. Il est temps d'avancer.

En arrivant au Katanga, Laura et Anook avaient fait la connaissance du docteur Barnabé Luengue, qui était déjà en mission à la demande de l'évêque de Lubumbashi, Monseigneur Célestin Kabunga. Elles avaient appris qu'il était originaire du sud de l'Angola et qu'étant orphelin depuis la guerre civile, il avait été recueilli par un missionnaire de l'ordre de frères spiritains, le père Joao. Il leur raconta son arrivée à Lubumbashi, ses études de médecine. Coïncidence amusante : il connaissait bien Lausanne, pour y avoir résidé deux années en tant qu'étudiant boursier grâce à Monseigneur Kabunga, qui y avait exercé de longues années avant de revenir dans son pays comme évêque. Depuis, il dirigeait une association humanitaire dépendante de l'évêché. Il agissait sur tout le territoire sud-congolais. Le père Célestin, comme il préférait qu'on l'appelle, attachait beaucoup d'importance au rôle de l'Église auprès des plus démunis. Il considérait que sa mission consistait avant tout à apporter compassion, soutien et soulagement à ses concitoyens. C'est ainsi qu'en prenant ses fonctions à Lubumbashi, et en faisant la connaissance de Barnabé, il lui confia la tâche de mettre en place une structure de dispensaires dans la province. C'est dans ces conditions que Barnabé croisa donc les deux femmes. Tous trois avaient rapidement décidé d'unir leurs forces face au désastre.

— Parfait ! On procède comment ? demanda Laura.

— Nous trois, nous allons effectuer des prélèvements sur les patients en tenant compte de la gravité des pathologies. Je dirais qu'une dizaine par classe de gravité devrait suffire. Ensuite, on fera parvenir au plus vite ces échantillons en Europe, pour analyse.

— Si on se dépêche, ils peuvent arriver ce soir à Kinshasa par notre petit Cessna MSF.

— Parfait.

— Tu veux faire comment pour déterminer la cause de toutes ces pathologies ? demanda Barnabé.

— Je crois qu'anticiper ne servira à rien. Autant attendre les premiers résultats des analyses. Avec un peu de chances, nous obtiendrons des indices sur ce que nous recherchons.

— Oui, tu as raison, dit Laura.

— Occupons-nous donc de faire venir au plus vite un spécialiste en chirurgie maxillo-faciale, et d'effectuer nos prélèvements aujourd'hui. Ensuite, Barnabé, tu organises un bloc opératoire de campagne, mais fiable, avec Laura et les moyens de MSF Suisse. Une fois les résultats reçus, il sera temps de décider comment déterminer la source de toutes ces anomalies.

— Je vois que je n'ai plus rien à faire ! s'exclama Laura. Tu n'es pas chef de service pour rien.

— *Sorry*, Laura. Je ne voulais pas te couper l'herbe sous le pied.

— Ne t'inquiète pas, je trouve cela très dynamisant et je sais que tu agis ainsi parce que tu t'investis dans tout ce que tu entreprends. Allons-y !

— OK, répondirent les deux autres.

Pendant ce temps, le chaos gagnait l'Ukraine. Depuis le départ précipité du président Pouchiline, les frictions entre pro-Européens et pro-Russes augmentaient jour après jour. À Kiev, le parlement avait élu un président par intérim. Ce dernier avait choisi Michaïl Shevchenko comme Premier ministre. Les deux hommes étaient connus pour leur attachement à la démocratie et à l'Europe et, partant de là, pour une certaine aversion envers le régime pro-russe. Dans la foulée, l'élection présidentielle avait été reportée à deux mois.

Bien entendu, les séparatistes du Donbass ne l'entendirent pas de la même oreille, et considérèrent ces décisions comme antidémocratiques, et surtout belliqueuses à leur endroit. Aussitôt, des hommes armés prirent d'assaut tous les bâtiments représentant le pouvoir de la capitale ukrainienne et y hissèrent le drapeau russe. Parmi ces hommes, on remarquait de nombreux Ukrainiens russophones et russophiles, mais certains journalistes et observateurs relevèrent la quantité importante d'hommes en treillis lourdement armés.

Mark Walpen, qui suivait de près la situation, ne doutait pas une seconde qu'il s'agissait de Forces spéciales russes ayant pénétré en territoire ukrainien discrètement.

Dans le même temps, les séparatistes de Crimée, soutenus ostensiblement par le Kremlin, avaient organisé en moins d'une semaine un référendum sur l'indépendance de la région. Le oui l'emporta, avec 94 %. Cela ne surprit personne, les opposants n'osant sortir de chez eux de peur d'être molestés – dans le meilleur des cas – par les séparatistes armés. Le président Sokolov s'empressa de reconnaître la Crimée comme étant russe.

Au grand dam de Mark Walpen, les Occidentaux, incapables d'élaborer une quelconque stratégie cohérente et efficace, s'entendirent sur des sanctions financières et l'interdiction de voyager de certains hauts personnages de l'État et de l'économie russes. Pour le patron du Sword, ce serait absolument improductif, mais risquait de pousser le président Sokolov à aller plus loin dans la provocation.

La situation devenait électrique.

29

Après plus d'un mois d'incarcération préventive, le procureur de la République de Genève trancha en faveur d'une libération de Laurent Boissier, contre une caution importante et le port d'un bracelet électronique. Le passeport du banquier fut confisqué.

Si d'aucuns pouvaient considérer ces conditions comme draconiennes, maître Éric Bauer les accepta d'emblée. Elles permettaient à son client de retrouver l'air libre et sa famille, tout en garantissant aux autorités américaines que, si l'extradition était décidée, elle serait applicable.

Mark se réjouissait de la tournure des choses, même s'il était convaincu que rien n'était joué. Le patron du Sword avait rencontré Laurent Boissier peu de temps après sa libération. Il l'avait trouvé amaigri, mais combatif, d'autant plus qu'il était à présent libre.

Mark organisa aussitôt un brainstorming avec maître Eric Bauer, Laurent Boissier et quelques membres du Sword. À l'issue de cette réunion, il fut décidé d'agir selon plusieurs axes de travail.

Maître Bauer se chargerait de la défense de Laurent Boissier en Suisse. Il serait épaulé par des ténors du barreau de Berne pour la partie plus politique de l'extradition.

D'un autre côté, les personnes participant au meeting considéraient qu'il fallait aussi agir au niveau des États-Unis, pays d'où émanait la demande d'extradition. Selon elles, il fallait également démêler l'imbroglio sur l'origine de toute la procédure. La question centrale demeurait la même : qui avait lancé l'affaire et pourquoi ?

Mark Walpen, qui s'était entretenu préalablement avec lui, considéra qu'il fallait confier l'affaire à son beau-père, le professeur de droit de Yale, maître Fitzsimmons et à maître Robert Wood, l'un des meilleurs avocats fiscalistes américains. À eux deux, ils dirigeraient la cellule juridique chargée de défendre les intérêts de la banque Boissier Naville & Cie et de son patron aux États-Unis.

Par ailleurs, Sven présenta les premières conclusions de son enquête sur les causes de l'affaire. Après inspection minutieuse des systèmes informatiques de la banque, son équipe avait découvert qu'un employé avait dupliqué la liste des clients étrangers de l'établissement. Il s'agissait d'un Franco-Américain, un certain Martin Spalding, assistant de gestion de fortune. Le parquet de Genève avait ouvert une enquête et aurait souhaité l'entendre, mais il demeurait introuvable. Il avait donné quelques interviews, où il se proclamait le Robin des Bois de la fraude fiscale. La réalité, après enquête semblait beaucoup moins reluisante, et certaines sources faisaient état de prises de contact avec différents États dans le but de vendre ces données.

Il était très probable qu'il se cachait en France, celle-ci n'extradant jamais ses ressortissants. Sven avait proposé à Mark d'essayer d'approcher ce personnage de manière détournée et d'en apprendre plus sur ses intentions et sur ses complices, s'il en avait. Il fut donc convenu que Sven et ses hackers mettraient tout en place pour le piéger.

À quelques milliers de kilomètres de là, cela faisait déjà plusieurs jours que les Faucons observaient les activités des preneurs d'otages à Bilma. Paul de Séverac, qui jusque-là était resté patiemment en retrait avec les Forces spéciales étrangères à sa disposition, décida de rejoindre ses collègues. Les combattants partirent de l'oasis de

Dirkou, discrètement, par petits groupes. Ils se mirent à l'abri afin de ne pas se faire remarquer. Paul fit le point avec Tom et ceux qui avaient participé à l'espionnage avec les drones.

— Alors, Tom ! On en est où ? Est-ce qu'on en sait assez pour donner l'assaut ? Le temps passe et les conditions de vie des otages sont loin d'être bonnes.

— Tu sais, j'en suis conscient. Mais je ne voulais pas me précipiter. De toute façon, j'aurais fait le point avec toi ce soir, mais puisque tu es là, ce sera plus simple.

Le géant afro-américain sourit à son chef, n'étant pas étonné de la réaction de Paul.

— J'ai tenu plusieurs jours, c'est déjà un exploit pour moi. Je sais que je n'irai pas au combat, mais sincèrement, rester à quelques dizaines de kilomètres à ne rien faire, ce n'est pas pour moi. Alors maintenant, dites-moi ce qui se passe. On peut attaquer ou pas ?

— Nous devrons bien donner l'assaut tôt ou tard, répliqua Tom Woods. Je ne sais pas si attendre augmentera nos chances de réussir sans casse. Avant de te détailler les points importants, je résumerai la situation en disant ceci : pour moi, l'opération sera très périlleuse.

— Précise !

— On a en face de nous au moins vingt à vingt-cinq gaillards. Donc, on n'a pas un avantage numérique majeur. De toute façon, être plus sur un théâtre d'opérations de la taille d'un mouchoir de poche rendrait la situation plus compliquée. Ils sont lourdement armés avec des AK-10, des AK-97, des lance-roquettes et des grenades.

Moira intervint :

— Je compléterai ce que vient de dire Tom en ajoutant qu'ils n'ont pas l'air commodes et qu'ils sont visiblement très bien organisés. Je te soutiens totalement, Tom, sur le fait que c'est une mission hyper dangereuse.

— Merci Moira et Tom. Vous pensez qu'il faut renoncer ?

— Pour faire quoi ? demanda Tom.

— J'en sais rien. Je te demande juste ton avis.

— Il est évident que nous allons avancer de manière furtive pour éliminer les combattants que nous rencontrerons. Mais, à un moment donné, les autres vont bien réaliser qu'il y a quelque chose qui ne tourne pas rond, et l'affrontement sera inévitable. Je te dis ça parce que c'est la première fois que les Faucons sont confrontés à ce genre de situation et nous devons prévoir des pertes ou des blessés. Je doute que nous en sortions tous indemnes, otages inclus. Je suis d'avis que nous interrogions Mark avant de nous lancer.

— Je vais l'appeler tout à l'heure. Tu veux procéder comment et quand ?

— Une fois que la décision du QG sera prise, on pourra y aller. On sait que nos gaillards effectuent une dernière ronde vers 23 h. Après, ils vont tous se coucher et laissent environ cinq hommes de garde autour d'un feu. Ces gars-là se baladent souvent. Je pense qu'on devrait y aller vers minuit, une heure. On rampe jusqu'aux veilleurs, on les exécute au pistolet silencieux ou à l'arme blanche, selon la situation. Après, les renforts qui seront déjà juste derrière rejoindront les sentinelles et *alea jacta est*.

— Pour moi, c'est bon. Tu répartis les hommes en combien de groupes ?

— Vu que nous avons des renforts de quatre nations différentes qui sont tous issus de la même formation, ils se connaissent et savent se battre ensemble. Je garde cette cohérence : je répartis les six Faucons avec les quatre groupes. Chaque Faucon partage le commandement du groupe avec le chef d'escadron étranger. Je reste le patron opérationnel et toi, chef, tu regardes.

— Tu trouves ça drôle ?

Paul sourit.

Ils prirent encore une heure et demie pour affiner les derniers détails de l'attaque. À l'issue de la réunion, Paul joignit Mark Walpen et lui résuma la situation telle que les Faucons la percevaient. Après un monologue d'un quart d'heure, il conclut :

— Voilà, patron. Alors on fait quoi ?

— Je crois que nous n'avons pas beaucoup d'options, en l'occurrence, non ?

— Je suis d'accord avec vous. Mais, ils vont dire quoi nos amis ricains, australiens, britanniques et canadiens ?

— Votre question se justifie, Paul. Je pense que l'on doit jouer cartes sur table, surtout qu'ils nous épaulent avec leurs Forces spéciales. Je vais demander à Barbara de les informer de ce que vous venez de m'exposer et, une fois qu'on aura leurs réponses à tous les quatre, plus la Suisse, on y va. Ce sera donc ce soir ou demain. Mais je ne veux pas qu'on donne l'assaut sans avoir averti nos amis des risques encourus tant par les soldats sous nos ordres que par les otages.

— C'est ce que j'aimerais qu'on fasse si j'étais à leur place. Vous avez raison. On attend votre feu vert jusqu'à 23 h pour ce soir. Si c'est après, on décale à demain.

— OK, bonne chance à vos gars, Paul. Vous, vous restez en arrière et en contact avec nous. Le Sword sera en stand-by pendant l'opération.

Les hommes s'étaient préparés à l'attaque en vérifiant leur matériel. Les quatre groupes d'assaut s'étaient déjà formés. Finalement, cinq minutes avant 23 h, alors que Paul s'attendait à annoncer aux combattants que la mission était retardée, un texto parvint sur son téléphone mobile satellitaire crypté : « 5 sur 5. Merde ! Mark. »

L'adrénaline monta d'un coup dans le corps du colonel de Séverac, même s'il savait que, pour la première fois, il ne participerait pas au bal.

— OK ! *Let's go* !

— Yeah ! répondirent les hommes en se levant, sourires aux lèvres. Il ne fallut que deux minutes pour qu'ils reprennent leur concentration. Dans une à deux heures, les choses sérieuses commenceraient.

30

Mark finissait juste de ranger la cuisine après avoir embrassé les enfants, et s'était installé confortablement dans son canapé en cuir fauve, un verre d'armagnac à la main, quand la sonnette retentit. « Qui peut bien venir à une heure pareille ?» se demanda-t-il. Il se leva, rejoignit la porte d'entrée et ouvrit.

— C'est toi !

Mark Walpen n'arriva pas à prononcer plus de mots. Son père Ralph, l'air déconfit, deux valises à ses côtés, le regardait comme un mollusque échoué à marée basse.

— Entre donc, dit-il à son père. Que t'arrive-t-il pour débarquer sans crier gare ?

Ralph restait silencieux. Il était plus amaigri que jamais, son visage décharné. Il semblait à la fois résigné et en colère. Il se décida finalement à lâcher ses bagages et à entrer dans le hall.

— Je te sers un armagnac comme moi, un verre de vin ?

— Un verre de vin avec plaisir, s'il te plaît, répondit le vieux diplomate. Je ne vais pas rester longtemps.

— Retire quand même ton pardessus et installe-toi dans le canapé. J'arrive avec ton verre. Du rouge ou du blanc ?

— Un verre de blanc frais si possible, mais n'ouvre pas de bouteille pour moi.

— T'inquiète, j'ai une amigne ouverte dans le frigo.

Cinq minutes plus tard, père et fils étaient assis comme deux chiens de faïence ne sachant trop comment s'adresser la parole. Mark était à la fois surpris et mal à l'aise.

— Santé, fit-il.

— Santé, répondit Ralph distant.

Chacun se concentra sur son verre et sa première gorgée, se demandant bien lequel des deux briserait ce silence pesant. Finalement, Mark, n'y tenant plus, prit la parole :

— Alors, Vati, que me vaut ce débarquement impromptu en pleine nuit ?

— Tout ça, c'est de ta faute !

Ralph s'était exprimé avec un calme étourdissant de colère froide et maîtrisée. Il poursuivit :

— Si tu ne t'étais pas entêté à ne pas protéger Kathleen, elle ne serait pas dans le coma, et Hannah ne m'aurait pas viré comme un malpropre juste parce que je porte le même nom de famille que toi.

Les propos étaient pleins de rancœur, mais pour une fois, Ralph Walpen ne hurla pas. La souffrance et l'épuisement avaient pris le dessus sur la colère.

— On ne va quand même pas remettre ça sur le tapis !

— Si, justement ! Si tu avais été un bon fils, tu aurais protégé Kathleen, ne serait-ce que pour moi.

— Et qui te dit que je ne l'ai pas fait ?

— Tu as dit à Kathleen, à Hannah et à moi-même qu'il fallait qu'on embauche une société australienne de sécurité autre que le S3.

— Qui a refusé ma proposition ?

— Nous, car on voulait que ce soit ta société.

— Je suis désolé, mais aucune raison ne justifiait votre caprice et ta pression sur moi. Par ailleurs, vu le comportement général de Kathleen et de ta chère Hannah, je ne me serais jamais permis de remettre le Sword dans une situation branlante après le coup qu'elles nous avaient fait. Enfin, je suis surpris que tu ne sois pas resté là-bas, car si elle était vraiment amoureuse de toi, elle devrait être capable de faire la part des choses. Qu'elle m'en veuille, pourquoi pas. Mais pas à toi. Je ne vois pas beaucoup d'amour dans tout cela.

Ralph demeurait silencieux, comme s'il commençait à réaliser certaines choses.

Mark poursuivit :

— Tu m'accuses depuis longtemps de tous les maux avec les Parker, et notamment de ne pas avoir protégé Kathleen. Pourrais-tu juste me confirmer qui s'est occupée en urgence de la princesse quand elle s'est fait mordre par le serpent ? Qui lui a prodigué les premiers soins ?

— Eh bien, c'est James, son chauffeur, pourquoi ? Heureusement que lui était là.

— Dans ton aveuglement absurde, tu n'as même pas pensé un instant que James était en réalité un membre du S3 australien.

— Non !

— Eh bien si. Alors, les reproches des deux Parker et les tiens, tu peux imaginer où tu peux te les mettre !

— Désolé, je ne savais pas.

— Écoute, on ne peut pas dire que ces derniers mois, tu as fait preuve de beaucoup de discernement ! J'ai essayé de te faire comprendre que tu devais prendre du temps avant de t'engager avec Hannah. Impossible ! Tout ce que je pouvais dire te passait par-dessus. Je fais abstraction de toutes tes crises de nerfs que nous avons dû essuyer. Malheureusement, il était écrit qu'au moindre pépin, la Hannah t'en rendrait responsable et te foutrait dehors comme un malpropre.

Ralph réalisait que ce que son fils exprimait n'était que du bon sens et une grande part de la vérité qu'il avait totalement occultée.

— Je suis désolé pour toi que ton aventure australienne s'achève ainsi. J'aurais préféré que tu t'épanouisses avec Hannah. J'avais beaucoup de doutes, mais je pouvais me tromper. Je constate que tu es là.

— Je suis fatigué. Je vais m'installer chez moi. On se verra demain.

Ralph était littéralement épuisé de tous ces mois et réalisait combien il avait été injuste envers son fils et combien l'amour l'avait rendu aveugle. Par orgueil, il ne l'aurait pas admis, mais son air abattu était assez éloquent.

— Je pense qu'après ces heures de vol et le décalage horaire, une bonne douche et une bonne nuit de sommeil te feront le plus grand bien. Moi, je suis de veille cette nuit, car on a une opération qui sera certainement lancée dans quelques heures au Sahel. Viens quand tu veux demain.

— Merci.

Le vieux diplomate se leva et se dirigea vers la porte d'entrée. Il finit par embrasser affectueusement son fils, une larme à l'œil. Mark lui ouvrit la porte. Ralph saisit ses valises et partit de son côté.

À 22 h 50 Mark avait enfin reçu le dernier feu vert à l'opération qui lui manquait et avait envoyé son texto à Paul.

Sous le coup des 23 h 30 il quitta son logement, laissant les enfants dormir tranquillement pour rejoindre la salle de crise. Il avait prévenu Zoé et Elliott de son absence nocturne. Ils étaient à présent assez grands et habitués à ce genre de situation, dont ils ne s'inquiétèrent nullement. De plus, la proximité du bureau finissait de les rassurer.

Quand Mark arriva, une partie du *Board* était présente. Il était convenu que Paul resterait en visuel, mais aussi que les Faucons le seraient au moment de l'assaut, avec une mini caméra fixée sur leur front. Sven avait enclenché tous les écrans, mais ils demeuraient pour l'instant totalement noirs. Tous attendaient le signal de Paul et personne ne savait quand cela arriverait. Ils discutaient donc de tout et de rien.

Soudainement, le visage de Paul, planqué dans la palmeraie de Bilma, apparut sur un des écrans.

— Allô, Lutry, ici Bilma. Assaut dans une minute !

— OK, Bilma, répondit Sven, responsable des télécommunications.

Tous se massèrent devant les écrans qui s'allumèrent un par un sur une image de désert dans la nuit noire. Les objectifs furent mutés en vision nocturne.

Une minute plus tard, les images s'animèrent. On percevait un bruit de frottement, correspondant à la reptation des commandos en phase d'approche, ainsi que le souffle de ceux-ci.

Cette période dura plusieurs minutes, mais parut interminable à ceux qui ne participaient pas à l'opération. Soudain, les cibles de chaque éclaireur apparurent et, peu de temps après, chacune s'écroula lourdement dans le sable. Jusqu'alors, tout se déroulait lentement et calmement.

Tout à coup, une salve de kalachnikovs perça violemment le silence de la nuit. L'affrontement commençait. Mark était inquiet. Barbara, qui avait tenu à suivre l'assaut, était à ses côtés, comme pour être rassurée. C'était la première fois de sa vie qu'elle participait en direct à une intervention. Un silence de mort pesait dans la salle.

Au même moment, le bruit discret de la porte se fit entendre et un Ralph penaud fit son apparition. Tous restèrent concentrés sur les écrans. Le bruit était assourdissant. Ça tirait de partout. « Heureusement que Yann, Grégoire et le toubib sont en vol à une demi-heure. Ça va chauffer ! » se dit Mark.

L'opération dura une bonne vingtaine de minutes. Puis, comme par enchantement, le silence de la nuit reprit sa place. Cela paraissait presque irréel après la précédente pétarade. On entendit la voix de Tom :

— Paulo, viens nous aider.

— OK, je suis là dans deux minutes.

Paul n'avait jamais été très éloigné des belligérants, juste suffisamment en retrait pour éviter d'être pris à partie directement.

— Alors Tom. On en est où ?

— Aucune idée. On doit établir le bilan de l'assaut. Toi, va vers les otages. Moi, je rassemble mes gars et je te redis.

Il fallut un certain temps aux combattants en état pour décompter les pertes du côté du Sword et des preneurs d'otages. Une demi-heure plus tard, le toubib arriva avec Yann et Greg. Ils firent le point en direct devant les caméras.

— Bon, au niveau des otages, ils ont globalement été épargnés. Ils ont suivi les conseils de Deepak, en se couchant dans le sable dès que le premier tir a retenti. Il avait compris la situation et avait prévenu ses compagnons d'infortune. Malheureusement, il y en a un qui n'a pas suivi ses instructions et a voulu sortir. Il est mort, une balle de Kalachnikov dans le cœur.

— Et Deep ? demanda Amanda.

— RAS.

— Du côté des Forces spéciales, on a des pertes importantes.

— Combien et qui ? s'enquit Alexia angoissée.

— Deux soldats américains, un Britannique et un Canadien décédés. On déplore aussi un Faucon...

— Qui est mort ? le coupa Amanda.

— Je disais, on a un Faucon grièvement blessé et un autre plus légèrement. Le premier c'est Riley et le second c'est Olwethu. Le doc s'occupe d'eux. Il y a encore quelques blessés chez les Forces spéciales, mais rien de grave. Je suis désolé, réussit à dire Tom, ému.

— Tom, vous avez fait du bon boulot, intervint Mark. On peut se considérer heureux d'avoir aussi peu de pertes quand on voit la rage avec laquelle ces fous furieux vous ont canardés.

— Mark a raison. Je n'aurais pas voulu être à votre place, continua le colonel de Séverac. C'était chaud.

— Merci, les gars, répondit Tom tout en rejoignant ses hommes, l'âme lourde.

— Mark, on va vous laisser. On doit s'occuper de ceux qui restent, on fera le point plus tard.

— Reçu 5 sur 5.

Mark Walpen coupa la liaison. C'était fini. Les Faucons et les Forces spéciales devaient se retrouver. Amanda s'occuperait d'eux plus tard, à leur retour.

Barbara était blême. Mark, s'en rendant compte, brisa le silence.

— Barbara, ça va ?

Quelques secondes s'écoulèrent avant que la directrice du Réseau Ambassador ne puisse répondre :

— Oui, merci.

Elle était choquée.

— Je suis désolé.

— Vous n'y êtes pour rien et vous m'aviez prévenue. C'est malgré tout différent quand on le vit en direct, avec des hommes et femmes que l'on connaît qui se battent devant vos yeux. Je ne m'imaginais pas, en prenant mes fonctions, me retrouver autant dans la réalité crue du monde. Mais c'est la vraie vie. Il va se passer quoi, maintenant ?

— Les Faucons et les hommes des Forces spéciales vont faire un état des lieux rapide. Pendant ce temps, le médecin va s'occuper des blessés et comptabiliser les morts. Tout ce petit monde sera en route pour la Suisse d'ici une heure ou deux.

— Et les blessés ?

— Ils seront pris en charge, comme d'habitude, par notre clinique privée, à Montreux.

Mark et Barbara, sous le feu de l'action, avaient totalement occulté que Ralph, ancien directeur de la Task Force diplomatique suisse et du Réseau Ambassador, était dans la pièce, et ne s'en rendirent compte que quelques minutes plus tard.

— Bonsoir, Vati. Tu n'arrives pas à dormir ? Je n'ai pas besoin de te présenter madame Apfelbaum ?

— Bonsoir, madame. Je vois que vous formez une sacrée équipe ! Tu m'as dit que vous aviez une opération en cours, j'ai voulu voir ce qui se passait. C'est du beau boulot, même si la casse est assez élevée.

— Malheureusement, on le savait dès le départ et les possibilités que cela se passe autrement étaient inexistantes. Nous avons fait au mieux. Tu bois quelque chose avec nous ? Pour le moment on attend les instructions de Paul et de Yann sur leur retour.

— Volontiers, mais je ne veux déranger personne. Je ne suis qu'un retraité, à présent.

— Restez un peu avec nous, monsieur, dit gentiment Barbara sentant le malaise du diplomate qu'elle avait remplacé.

31

Les différents prélèvements effectués par Laura, Anook et Barnabé étaient parvenus sans encombre jusqu'à l'aéroport de Kinshasa. Là, ils avaient été pris en charge par le personnel de bord d'un avion Brussels Airlines ralliant la capitale belge de nuit. Ils étaient enfin arrivés à l'aéroport de Genève le lendemain, en fin de matinée, où un membre du CHUV les y attendait, et repartit aussitôt.

Il fallut ensuite quelques jours pour que les laboratoires analysent les prélèvements. Toute cette démarche avait bénéficié du soutien financier des autorités fédérales, au niveau de l'aide au développement, et de différentes associations humanitaires actives dans le canton de Vaud. Les résultats définitifs furent connus une semaine après l'arrivée des échantillons et le moins que l'on pouvait dire, c'était que personne ne s'y attendait.

Compte tenu de la gravité de la situation, le chef de service du laboratoire appela lui-même le professeur Anook Kammermann, qui était officiellement en charge de l'affaire au nom du CHUV. Il la joignit sur le téléphone mobile satellite que Mark lui avait confié, l'état du réseau en République démocratique du Congo étant des plus précaires.

— Bonjour Anook, ici Éric du labo. Tu as deux minutes ?

— Bonjour, Éric ! Comment vas-tu ? Vous avez les résultats des analyses de nos patients ?

— C'est pour cela que je t'appelle avant de les faxer à MSF comme cela a été demandé.

— Et alors ?

— Ce n'est pas bon du tout !

— Vas-y, dis-moi tout, s'il te plaît.

— Il n'est pas étonnant que vos enfants et leurs parents soient dans un état déplorable et que des malformations se soient développées, avec le cocktail qu'ils ont dans le sang et dans le corps.

— Bon, dépêche, Éric.

Anook était pressée d'obtenir la réponse à la question qui la taraudait depuis des jours.

— On trouve un mélange de produits chimiques toxiques allant de la Dioxine au sulfure de cyanure... en passant par de l'uranium, appauvri puisque nous avons découvert une forte radiation des biopsies envoyées ! Je ne peux te dire comment cela est arrivé, mais la contamination est massive.

Anook restait silencieuse. Elle appréhendait les résultats, mais n'avait pas imaginé ce qu'elle venait d'écouter. Elle était aussi consciente que, si ses patients étaient exposés à des produits toxiques, elle et le bébé l'étaient aussi. Finalement, elle reprit la parole.

— Merci de m'avoir appelée. Faxe le document à MSF à Genève au plus vite. Nous allons prendre les décisions qui s'imposent. À bientôt.

— Fais attention à toi, Anook.

Ils raccrochèrent.

Bien évidemment, Laura et Barnabé étaient juste à côté de la neurochirurgienne quand le téléphone avait sonné. Le médecin-chef de chirurgie maxillo-faciale du CHUV, qui était arrivé trois jours plus tôt, se trouvait à leurs côtés.

— Anook, à voir ta tête, les nouvelles ne sont pas les meilleures.

— Non, en effet.

Anook leur détailla ce que le patron du laboratoire du CHUV lui avait résumé. Elle reprit.

— Ce que nous constatons ici s'explique enfin. Ces hommes et femmes et leurs enfants sont exposés à des matières hautement toxiques. D'où viennent-elles ? Je n'en sais rien. Comment ? Je n'en sais pas plus. Il est évident que nous sommes tous contaminés d'une manière ou d'une autre.

— Ça, c'est certain, intervint Laura. On l'est sûrement moins que ces gens puisque nous ne sommes là que depuis deux semaines pour Anook et moi, et depuis trois jours pour Jonathan. Par contre, toi, Barnabé, tu es en danger. Tu dois te faire examiner au plus vite dans un hôpital.

— C'est hors de question. Ces gens ont besoin de moi. On verra après.

— Tu sais Laura, reprit Anook, la contamination est probablement déjà très élevée pour Barnabé. Je comprends qu'il veuille rester, pour le moment. Je pense que l'on peut, dans un premier temps, effectuer des prélèvements sur lui immédiatement et les envoyer chez Éric à Lausanne, on aura ainsi un point de situation. Je préconise que nous fassions de même pour toute l'équipe soignante.

— En effet, c'est plus sage, dit le professeur Jonathan Bream, chirurgien maxillo-facial. En attendant les résultats, il faudra que l'on poursuive nos activités et que nous nous protégions avec des combinaisons adaptées. Par ailleurs, il faut que nous continuions à boire de l'eau en bouteille et à surveiller notre alimentation.

— Tu as raison, Jon ! Je m'en occupe, dit Laura.

— Il faut que l'on contacte Greenpeace chez nous et qu'on leur demande ce qu'ils pensent de ces produits toxiques.

— C'est urgent. J'appelle la direction de MSF tout de suite. Faisons les prélèvements maintenant et, après, on organise le camp comme convenu.

— OK, répondirent les autres.

La journée était vite passée tant les médecins avaient de choses à mettre en place. Ils effectuèrent sur eux les mêmes prélèvements que sur leurs patients une semaine plus tôt, et les envoyèrent à Lausanne par le même canal. Vu la gravité de la situation, MSF Suisse avait fourni tous ses moyens logistiques à la disposition de l'équipe africaine.

La direction médicale avait pris contact avec les bureaux de WWF à Lausanne et de Greenpeace Suisse à Zurich. La situation étant sérieuse, les deux organisations, assez souvent concurrentes, décidèrent d'unir leurs forces et d'envoyer immédiatement une équipe conjointe de spécialistes qui devait partir de Zurich dans les 48 heures. Après cela, les médecins reprirent leurs différentes activités. Ils ne pouvaient rien faire de plus. Ils recevraient du matériel de protection dans les prochaines heures, et l'équipe venue de Zurich les compléterait rapidement, afin de détecter les endroits les plus exposés et, surtout, déterminer l'origine de la contamination.

Le Transall C-160 se posa en fin de matinée à l'aéroport de Sion, qui était beaucoup plus discret que celui de Genève. Mark Walpen, Barbara Apfelbaum et d'autres membres du *Board* du Sword attendaient l'avion en bout de piste quand, enfin, il s'immobilisa et les pales des hélices s'arrêtèrent de tourner.

L'aéroport, qui présentait déjà l'avantage d'être excentré, était aussi la base d'Air Glaciers. Le Sword pouvait donc se reposer sur toute sa structure de sauvetage, tant les hélicoptères que les ambulances ainsi que tout le personnel médical et paramédical.

Le grand hayon s'ouvrit lentement. Paul fut le premier à sauter sur le sol valaisan, suivi des Faucons et du docteur Jacques Durer.

— Ravi de vous revoir, Paul ! s'exclama Mark. Comment s'est passé le voyage ?

— Bien, patron. Maintenant, il faut évacuer les blessés, car Jacques a fait de son mieux mais la libellule n'est pas une clinique.

— Le moral des troupes ?

— Ça va. Ils étaient tous conscients des risques pris et les assument parfaitement. Nous avons ramené tout ce qui était important. Nous avons aussi les dépouilles de nos compagnons morts au combat. Il faut avertir leurs ambassadeurs. Je pense qu'en attendant leur transfert, il faudra les laisser au frais à la clinique.

— Je vais m'en occuper dans les minutes qui suivent, colonel, intervint la directrice de la Task Force, l'air concentré et peiné.

Le patron d'Air Glaciers fit son apparition et se rapprocha de Mark, qu'il connaissait depuis sa plus tendre enfance, étant un ami de Ralph.

— Bonjour, Mark. Désolé pour ce qui vous est arrivé cette nuit. Ça va aller ?

— Bonjour Bruno. Merci de t'être déplacé. Si tes gars pouvaient prendre en charge ceux qui en ont besoin, ce serait sympa. Il faut voir avec Jacques, c'est lui le patron médical, comme tu sais. Sinon, que veux-tu que je dise ? On se doutait que ce serait chaud et les gars n'ont pas bronché. Ils ont fait leur devoir, qu'ils soient des nôtres ou des alliés. On ne peut que leur rendre hommage. Ce sont des types bien, des hommes de l'ombre. Je vais te laisser, je vais saluer les survivants blessés ou indemnes.

Mark avait l'air grave et tendu. Une larme coulait lentement au coin de son œil. Barbara l'avait remarqué et lui passa furtivement sa main sur les épaules. Elle était touchée de voir cet homme, un véritable chef, assumer aussi honnêtement ses émotions.

Les ambulanciers de la Maison du sauvetage suivirent les ordres et sortirent les blessés au fur et à mesure. Mark prenait le temps de saluer chacun avec, systématiquement, quelques mots de compassion. Il fit le tour de tous les brancards qui partaient à la *Swiss Aesthetic Clinique* de Montreux, dont le Sword était actionnaire et dont le directeur, le docteur Christian Morel, était un ami du professeur Kammermann. Puis, il salua chaque Faucon et chaque soldat des Forces spéciales alliées.

Il fut décidé que les combattants étrangers seraient hébergés pendant quelques jours au *Sword Learning Center* de Zermatt. Mark Walpen préférait qu'ils restent avec leurs compagnons d'attaque quelques jours avant de retrouver leur pays d'origine.

Une heure plus tard, Mark prit le volant de sa Maserati hybride, accompagné de Barbara, Paul et Tom. Il souhaitait discuter librement avec ses deux commandants des Faucons. Barbara s'assit à droite de Mark et resta discrète, considérant que c'était un moment privilégié entre le boss du Sword et ses hommes, et qu'elle avait déjà beaucoup de chance d'être admise parmi eux.

Une fois sur l'autoroute, Mark prit la parole :

— Tom, ça va ? Vous pouvez nous raconter comment cela s'est passé, hier soir ?

— Ça va patron, je suis juste fatigué et triste pour les gars qui y sont restés. Que vous dire ? Au moment où on allait s'approcher des otages, on est tombé nez à nez avec des terroristes qui sortaient de leurs tentes, et ils nous ont aussitôt canardés avec des armes puissantes. On s'y attendait, mais pas à ce moment-là. Que ce soient les Faucons ou nos frères d'armes, ils ont tous été nickels. Immédiatement, ils ont appliqué le plan de combat que l'on avait préparé. Ils se sont tous battus comme des lions. Mais, en face, ils étaient vingt-sept et possédaient des armes dernier cri. Ce qui a limité la casse, c'est les gilets pare-balles du Sword, les lunettes de vue nocturne, et la qualité des combattants.

— Si je peux me permettre, patron, intervint Paul, je n'aurais pas fait mieux que Tom sur ce coup. C'était quasi impossible de lancer l'opération sans blessés. Malheureusement, on a aussi des morts, mais on avait vraiment des durs en face. On a perdu Riley cette nuit. Jacques a fait son maximum, mais les dégâts étaient irréversibles.

— Je suis désolée pour votre compagnon d'armes, fit d'une voix douce la diplomate.

— Je craignais que cela nous arrive un jour, lâcha le patron du Sword, ému.

— Excusez-moi, poursuivit Barbara. Personne n'a parlé des preneurs d'otages. Il y a combien de morts et combien de blessés ? Y a-t-il des prisonniers ?

— Mark, je peux répondre ? demanda le colonel de Séverac.

— Oui, tout à fait. Nous sommes tous du *Board* du Sword, donc Barbara a le droit de savoir ce qui s'est passé. Rien ne sortira du véhicule de toute façon.

— Avant l'assaut, les commandants des Faucons ont eu une discussion de principe avec Mark, comme souvent. Sur la suggestion d'un des combattants au sujet du traitement de l'adversaire lors de l'attaque, il a été décidé à l'unanimité qu'il s'agissait d'un extrême préjudice et...

— Pardon, Paul, c'est quoi ?

— Un extrême préjudice pour nous, comme pour les services action du monde entier, c'est quand on estime que le préjudice subi est trop élevé pour qu'il reste impuni. En l'occurrence, nous pensions qu'il n'y avait pas besoin de faire des prisonniers pendant le combat. Nous ne recherchions aucune information. Il fallait simplement libérer les otages et neutraliser ces adversaires. Comme ils ont tous combattu, on les a mis hors circuit définitivement. Donc, il n'y a parmi eux, aucun survivant. On a juste récupéré les armes et on a pris des photos de chacun d'entre eux pour les rentrer dans nos systèmes. Cela sera peut-être utile pour certaines polices et les services de contre-espionnage.

— Merci Paul, pour l'explication.

Barbara considéra que les choses étaient claires, et elle savait que faire comparaître ce genre de preneurs d'otages était toujours délicat. Elle comprenait le choix de ces hommes qui les avaient combattus courageusement, et il ne lui serait pas venu à l'idée de leur donner un cours sur les droits de l'homme.

Ils poursuivirent leur route jusqu'à la clinique, où ils devaient faire le point avec le docteur Christian Morel, puis retourner au QG de Lutry.

32

Après le départ du colonel Herzog du ranch Leibowitz, Rebecca prépara ses affaires. Le lendemain, elle rassura sa mère, puis rejoignit l'aéroport Queen Alia d'Amman par le bus, sous une de ses identités d'emprunt habituelles. Il n'était pas question que son nom apparaisse sur les radars des Russes quand elle entrerait dans leur pays. Il lui suffit de quelques arrangements pour correspondre à Aïcha, dont elle détenait un passeport.

Elle préféra brouiller les pistes et son périple dura donc plusieurs jours. Depuis Amman, elle prit un avion Jordanian Aiways pour rejoindre Ankara. De là, elle eut un vol Turkish Airlines pour Astana, capitale du Kazakhstan. Enfin, elle voyagea à bord d'un Boeing 767 flambant neuf de la nouvelle compagnie Air Astana jusqu'à Moscou, où elle arriva trois jours après son départ d'Israël. Elle savait pertinemment que la surveillance serait élevée à l'aéroport de Domodedovo, mais venant d'un pays frère, elle serait plus relâchée et elle serait rapidement fixée sur sa couverture.

Elle rentra sans encombre avec son passeport marocain, puis se rendit en centre-ville et se présenta à son hôtel en jouant son rôle de touriste à la perfection. Ensuite, elle gagna l'ambassade d'Israël avec toutes les précautions nécessaires, évitant les caméras, portant un foulard sur ses cheveux et des lunettes de soleil. Elle n'était pas censée s'y rendre en tant que sujet de Sa Majesté Mohammed VI.

Rebecca pénétra dans l'enceinte comme tout visiteur, puis déclina sa véritable identité d'agent du Mossad détaché au service de sécurité. On l'amena aussitôt au chef d'antenne qui, n'étant pas informé de sa venue, l'accueillit relativement froidement.

— Bonjour, mademoiselle Leibowitz. Que me vaut votre visite inopinée en Russie ?

— Bonjour et merci de me recevoir aussi vite. Je suis à Moscou pour raison personnelle. Je suis à la recherche d'un personnage important que vous connaissez sans doute.

Rebecca sortit de son sac à main la copie de l'article avec la photo de Viktor Grylov.

— C'est Viktor Grylov, qui est influent dans le monde des affaires russes. Sachez qu'étant détachée de la maison depuis un certain temps, et votre visite n'étant pas liée à nos opérations habituelles, nous ne pourrons vous aider en quoi que ce soit.

Le ton du chef d'antenne du Mossad était suffisamment éloquent pour que Rebecca comprenne entre les lignes que ce personnage recevait ses ordres du bureau du Premier ministre, et n'était certainement pas un admirateur du général Leibowitz. Au moins, elle savait où elle mettait les pieds. Elle choisit de jouer la comédie à fond :

— Je comprends parfaitement et je respecte votre décision. Je poursuivrai donc mon enquête seule.

— Je vous en remercie. Évitez de faire du grabuge comme à l'accoutumée, cela arrangerait votre pays.

— Bien entendu, monsieur.

« Autant faire profil bas » pensa l'espionne. L'entretien s'abrégea ainsi. Rebecca quitta l'ambassade aussi discrètement qu'elle y était entrée. Elle en profita pour se promener. « Après tout, je suis ici en touriste, non ? » se dit-elle à elle-même. Son contact avec le Mossad à Moscou ayant échoué, il lui fallait maintenant établir une nouvelle approche du problème. Elle décida qu'elle en aurait tout le temps ces prochaines heures, et flâna le long de la Moskova et de la place Rouge, visitant les hauts lieux de la capitale russe. Elle fut émerveillée par la cathédrale Saint-Basile-le-Bienheureux, avec ses coupoles multicolores en forme de bulbes.

Fatiguée et perplexe quant à la suite à donner à son enquête, elle rentra à son hôtel, l'Arbat House, situé dans une petite rue à proximité de la place Rouge. Cet établissement de catégorie moyenne, de dimensions modestes et peu voyant, était le lieu de prédilection de nombreux touristes.

Quand elle arriva à la réception et demanda les clés de sa chambre, on lui remit un message. Surprise, elle le saisit en même temps que sa clé et prit l'ascenseur. Une fois dans sa chambre, elle ouvrit l'enveloppe et y trouva un simple mot : « Rejoins-moi demain 15 h 30 au cimetière Novodevichy tombe de Chostakovitch. Natacha. »

Rebecca ne put refréner un sourire de soulagement. Enfin une lueur d'espoir dans sa quête. Elle connaissait une certaine Natacha, de l'Institut, qui travaillait régulièrement sous couverture. Elle avait une dizaine d'années de moins qu'elle, mais était considérée comme un excellent élément. Rebecca l'avait rencontrée lors de plusieurs missions. Elle doutait qu'il s'agisse d'un traquenard. Elle irait donc au rendez-vous.

Le lendemain, elle quitta l'Arbat House et gagna la première station de métro pour arriver au plus vite à la gare « Sportivnaya ». Elle pénétra dans le cimetière et trouva un plan indiquant les lieux d'inhumation des personnages célèbres. Une fois sa cible repérée, elle marcha dans les allées pour rejoindre celle qui l'intéressait.

Devant la tombe se tenait une femme en vêtements sombres, foulard noir sur les cheveux, prostrée. Rebecca s'approcha. La femme se tourna vers elle.

— Shalom, Reb !

— Shalom, Natacha ! Comment vas-tu ? Et que fais-tu ici ?

— Toujours aussi directe à ce que je vois.

— Je n'ai pas beaucoup changé, tu sais.

— Non, tu es toujours aussi resplendissante.

— Tu as fait comment pour me trouver ?

— C'était tout ce qu'il y a de plus facile. Après ton passage à l'ambassade, le chef d'antenne a cru bon de nous avertir de ta présence à Moscou, et qu'il était hors de question qu'un d'entre nous t'aide. Ce n'est guère étonnant, vu que c'est un lèche-bottes de première catégorie et qu'il souhaite grimper les échelons quatre à quatre. Tu imagines bien que Weizman est déjà au courant de ta présence ici.

— Je m'en doutais. Vu comme il m'a reçue ce matin, j'ai compris que porter le nom de Leibowitz n'était pas un avantage à ses yeux.

Rebecca souriait, elle était habituée à cela. Être la fille d'un ancien patron emblématique du Mossad créait soit des mouvements de sympathie soit l'inverse. « On ne peut plaire à tout le monde !» se dit-elle.

— Tu imagines bien que je n'allais pas te laisser seule ici sans te contacter, et sans voir si je pouvais t'aider. Surtout que si j'ai bien compris, tu t'intéresses à Viktor Grylov.

— Écoute Natacha, je vais tout te raconter, je sais que tu seras muette comme une tombe, surtout ici. (Elle sourit.) C'est déjà courageux de ta part de venir me rencontrer contre l'avis de ton chef, et je t'en remercie. Si on marchait un peu ?

— Oui c'est une bonne idée, il fait frais. Les nuits moscovites sont froides. Allons jusqu'au monastère, ils vont bientôt fermer le cimetière pour la nuit. Nous y aurons plus chaud de toute façon.

— En fait, pour résumer la situation, mon père a disparu depuis trois semaines. Il n'a même pas averti ma mère de ne pas s'inquiéter, comme il le fait depuis quarante-cinq ans. Le seul indice de taille est ceci.

Rebecca tendit l'article avec la photo de Viktor Grylov entourée. Elle poursuivit :

— C'est donc pour cela que je suis ici incognito. Je suis venue à l'ambassade, pour tenter d'obtenir un certain soutien de la maison. Visiblement je suis *persona non grata* à l'antenne moscovite.

— Je suis désolée pour ton père et j'espère que tu le retrouveras rapidement. Mais je dois te prévenir que s'il a affaire avec Viktor, tu dois craindre le pire.

— Explique.

Les traits du visage de Rebecca se tendirent.

— Figure-toi que Viktor Grylov est un très gros poisson et que nous le suivons à la trace depuis plusieurs mois, notamment depuis que son joli minois a été publié.

— Ah bon ! Le flair du général a encore frappé !

— C'est vraisemblable. Ce qui nous a titillés, c'est que Viktor n'a aucun passé nulle part. On n'a aucune information le concernant avant la période Eltsine.

— Donc, comme mon père, vous trouvez cela louche et vous voulez savoir ce qui se cache derrière tout ça, d'autant plus qu'ils ont plus ou moins le même âge, exact ?

— Affirmatif. On n'aime pas les générations spontanées, comme tu sais. En plus, on a découvert récemment qu'il avait un rôle très important dans le groupement militaro-industriel russe. C'est pourquoi on m'a demandé de m'approcher de lui sous couverture. Je suis sa maîtresse depuis trois mois. Ce n'est pas un cadeau, car le bonhomme est un rustre brutal, mais au moins j'essaie d'en apprendre plus, même si c'est délicat tant il est précautionneux. Je préférais te le révéler moi-même avant que tu ne le découvres.

— Merci Natacha. Tu prends de grands risques en me rencontrant.

— Oui et non. Je sais être discrète et Viktor ne peut pas me faire suivre sans cesse. Je connais bien les rues de Moscou, surtout que ma famille en est originaire, comme tu le sais.

— Que peux-tu me dire sur cet homme que je ne connaisse pas déjà ?

— C'est un oligarque extrêmement puissant qui dirige une holding dénommée Rodina, dont le siège social se situe à Saint-Pétersbourg, ville dont il serait originaire. Mais il n'y a aucun acte de naissance le concernant là-bas, on a vérifié. Il est actif dans la presse, c'est un proche de Sokolov et un des principaux administrateurs de Rosoboronexport depuis quelques mois. On suppose qu'il possède des actions dans bon nombre d'entreprises d'armement. Enfin, sa toute dernière activité lucrative consiste en la gestion des déchets de tous types, à grande échelle. Il a gagné de très nombreux appels d'offres de gestions des ordures ménagères, comme ici et à Saint-Pétersbourg. Il a développé récemment une branche qui traite les déchets toxiques chimiques en tous genres, y compris radioactifs. Cette branche obtient des marchés dans le monde entier et il a une usine de retraitement au port de Nakhodka. Par contre personne n'a jamais pu la visiter, c'est secret défense, ou presque.

— On dirait que c'est du costaud.

— C'est le moins que l'on puisse dire ! Ma tâche de surveillance est très délicate, car il est d'une méfiance maladive. Il compartimente tout, et il est mieux gardé que notre Premier ministre ou le président américain. Tu vois le topo.

— En effet.

— À part cela, je suis sûre que c'est un ancien militaire, probablement un Spetsnaz. Il entretient sa forme physique à outrance, bien qu'il soit âgé de soixante-douze ans. Il a une cicatrice longue et profonde au visage, comme un coup de couteau de commando affûté ou une machette. Et, sur son corps, j'ai observé des cicatrices de blessures par balles ou éclats d'obus. Enfin, son comportement, ses cheveux courts... Tout fait penser à un gars des Forces spéciales. Par conséquent, fais très attention à toi.

— Je pense que je peux te répondre la même chose, Natacha, car toi tu t'es mise dans la gueule du loup, direct.

— C'est vrai ! C'était la seule solution, et j'ai accepté, même si cela n'est pas ce qu'il y a de plus agréable. Malheureusement pour moi, mon physique de petite poupée blonde plaît à ce vieux libidineux et donc je suis de corvée. Nous sommes encore pour quelques jours à Moscou, puis nous partirons après à Saint-Pétersbourg, son lieu de résidence de prédilection.

— Je te remercie pour tout, Natasha. Voici mon numéro de téléphone local, ajouta-t-elle en lui tendant un papier.

Natacha fit de même :

— Voici le mien. Laisse un message subliminal, je comprendrais.

— Fais-moi confiance.

Les deux femmes s'embrassèrent chaleureusement, conscientes qu'elles étaient toutes deux en danger.

33

À sa grande surprise, Mark avait reçu un appel téléphonique d'un des participants de sa Master Class en Irlande, le général Ahmed al-Majali. Ce dernier ne s'était pas étendu sur sa requête, mais avait expliqué qu'il devait rencontrer de toute urgence le stratège qu'il était. Bien que sur tous les fronts en même temps, Mark accepta.

Il fut donc convenu que le général voyagerait en civil sur un aéronef de la Royal Jordanian Airways, et qu'il serait pris en charge par un des Faucons à l'aéroport de Genève. Le Faucon fut autorisé à pénétrer sur le tarmac et embarqua le général à son bord alors qu'il descendait de l'avion en premier. Il sortit aussitôt de l'aéroport et rejoignit les environs de Lausanne, non sans être discrètement escorté par deux autres véhicules du Sword.

Une petite heure plus tard, les trois blindés pénétraient dans le parking souterrain du Sword. Le général al-Majali fut accompagné jusqu'au bureau du directeur par son escorte. Mark l'accueillit chaleureusement :

— Bonjour, général ! Comment allez-vous ?

— Très bien, Mark. Merci beaucoup. N'oubliez pas ce que l'on avait tous dit en Irlande : il n'y a pas de général, ici. Mais Ahmed.

— Oups, *sorry*.

Le général sourit.

— Cela me fait plaisir de vous revoir, Mark. Même si les raisons qui m'amènent sont sérieuses.

— Asseyons-nous, Ahmed et expliquez-moi tout.

Les deux hommes s'installèrent dans la partie salon du bureau de Mark Walpen. Wendy apporta un plateau avec café et rafraîchissements, puis ferma la porte et laissa les deux stratèges en tête à tête.

— Alors, qu'est-ce qui préoccupe autant le Royaume de Jordanie ?

— Les bouleversements dans le Moyen-Orient d'une manière générale, et la Syrie, en particulier.

— Je m'en doute un peu, bien que tout cela dure depuis déjà deux années.

— Oui, en effet. Cependant, du point de vue du roi, la situation devient incontrôlable et explosive. Nous sommes submergés de réfugiés syriens qui, finalement, s'entassent dans des camps de fortunes à la frontière. Par ailleurs, Bachar el-Assad est toujours au pouvoir, et son pays est maintenant un repaire pour les fondamentalistes de tous poils. Mon pays se sent menacé.

— C'est assez compréhensible. Mais qu'attendez-vous de moi, précisément ? Je ne peux envoyer toute une armée en Syrie ! s'exclama le stratège du Sword.

— Non, bien sûr ! En fait, le roi Abdallah a discuté en catimini avec ses homologues de la région et, chose des plus étonnantes, a obtenu un consensus : il faut imposer une solution politique avant que tout le Moyen-Orient ne s'embrase. C'est pourquoi, je suis mandaté pour vous demander de travailler sur un projet de résolution de crise afin que la région retrouve sa stabilité. J'ai, en l'occurrence, pleins pouvoirs pour agir. Le roi, auquel j'ai proposé de vous recruter, me soutient totalement. Pouvez-vous nous aider, et cela au plus vite ? Je sais que votre esprit fertile trouvera une idée à laquelle personne n'a pensé.

— Vous me flattez un peu trop, Ahmed.

— Non, je me rappelle très bien les discussions que nous avons eues lors de la Master Class. Est-ce que je peux compter sur vous ?

— Dans un premier temps, laissez-moi en parler avec les cerveaux du Sword. Je vais essayer d'organiser une réunion en urgence. Ensuite je vous envoie un mail pour vous dire oui ou non. Est-ce que cela vous convient ?

— C'est parfait. Puis-je avoir des nouvelles d'ici une semaine au plus tard ?

— Oui, je pense que ce sera possible. Je vous tiens au courant.

— Merci, Mark. Je suis soulagé.

Les deux hommes continuèrent de discuter de la situation géopolitique du Moyen-Orient encore une bonne heure, puis le général fut reconduit à l'aéroport.

Si Sven poursuivait ses efforts pour traquer Spalding avec ses équipes, sa priorité absolue, depuis l'appel de détresse de Karine, restait de suivre les déplacements du GPS de la jeune femme sur écran. Cette décision avait été prise quand le hacker avait montré aux commandants des Faucons que le signal bougeait depuis que le Mayday avait été lancé. Tous considérèrent qu'aucune opération de sauvetage ne pourrait être montée tant que le lieu d'extraction ne serait pas fixe, et donc connu.

Karine avait envoyé son alerte quand elle se trouvait à l'est de la ville d'Homs. Depuis, la petite lumière sur l'écran qui la symbolisait s'était promenée lentement dans la ville, puis vers l'ouest, avec des arrêts de temps à autre. Enfin, elle se figea pour de bon entre deux villes frontalières avec le Liban : Talkalakh et Al-Qusayr. Cela faisait maintenant presque vingt-quatre heures que le signal s'était immobilisé. Sven alerta Bradley, qui attendait des informations depuis la base d'Akrotiri, à Chypre.

À présent, si rien ne changeait, les Faucons pourraient travailler sur un plan pour l'évacuation de leurs camarades Karine et Nathan. Par sécurité, le commandant australien demanda à Mark et à Paul de lui envoyer au plus vite les escadrons étrangers qui avaient combattu au Sahel. Après un temps de réflexion, Paul accepta. Ils s'accordèrent deux jours pour sortir les deux Faucons des griffes de ceux qui les avaient faits prisonniers.

Ils s'inquiétaient pour leurs camarades, surtout qu'ils ignoraient totalement ce qui s'était passé, et pourquoi un Mayday avait été lancé. Ils étaient tous convaincus que c'était grave, car aucun Faucon n'aurait appelé à l'aide sans une raison majeure. Ils espéraient retrouver Karine et Nathan vivants et en bon état.

Pendant ce temps, l'équipe de spécialistes du WWF et de Greenpeace avait débarqué à Kolwezi et rejoint les médecins. Ceux-ci leur expliquèrent leur travail et leurs propres constatations médicales. Une des responsables des scientifiques prit la parole :

— Depuis que vous avez fait appel à nos deux organisations et que cette équipe a été constituée, nous avons essayé de comprendre la situation. Une première conclusion s'impose : c'est totalement anormal que l'on retrouve des traces de produits chimiques toxiques et de déchets radioactifs, en quantités aussi élevées, dans un coin à ce point reculé d'Afrique.

— C'est ce que nous nous sommes dit quand les résultats nous ont été communiqués, confia Anook.

— Cela signifie que quelqu'un a déposé ces matières dangereuses quelque part, en toute illégalité, bien entendu ! Enfin, pour que toute une population soit touchée dans une aire géographique importante comme celle-ci, il doit y avoir un vecteur. Pour nous, il y a quasiment 100 % de chance qu'il s'agisse de rivières qui drainent les déchets toxiques depuis leur lieu de dépôt en amont. Nous devons effectuer des prélèvements et remonter jusqu'à l'endroit d'où s'écoule ce poison.

— Nous sommes d'accord avec vous, intervint Laura. Nous devons prodiguer ici beaucoup de soins. Je vous suggère que nous vous indiquions les lieux d'où proviennent les patients les plus atteints. Ensuite, on vous laisse pratiquer vos prélèvements et vos analyses sans nous. Cela vous convient-il ?

— C'est parfait. À chacun son boulot. On a déjà préparé une carte hydrologique. Cela devrait aller vite, de transcrire vos informations dessus.

— OK ! Par contre, vous devrez vous faire accompagner par un pisteur et être sur vos gardes. Les actes de guérilla ont augmenté ces derniers jours et il y a de nombreux hommes armés qui parcourent les sentiers, intervint le docteur Luengue.

— Barnabé a raison. Cela devient très tendu. Faites vraiment attention, car ils ne plaisantent pas. Je ne suis pas sûre que la présence d'Occidentaux leur convienne particulièrement, compléta le professeur Kammermann.

— On suivra vos conseils. On y va et l'on vous retrouve ce soir.

— OK, répondirent les médecins.

La réunion de contact et de synthèse s'acheva ainsi, et chacun vaqua à ses occupations. Les médecins avaient de nombreux patients qui réclamaient leur présence. Le professeur Bream opérait à tour de bras, épaulé par le professeur Kammermann avec lequel il avait l'habitude de traiter les jeunes patients nés avec des malformations crâniennes, et souvent des complications neurologiques, au CHUV.

Par ailleurs, les médecins avaient reçu verbalement les premiers résultats de leurs propres analyses sanguines et biopsies. Sans surprise, les trois médecins suisses étaient contaminés, avec une sévérité au-dessus des normes de sécurité, mais encore à des taux acceptables si la l'exposition ne perdurait pas. Bien entendu, le chirurgien maxillo-facial était moins concerné que les autres. Par contre, les mesures du docteur Barnabé Luengue étaient alarmantes.

Les quatre médecins en avaient discuté en toute franchise. Barnabé ne souhaitait pas quitter le Congo immédiatement pour se faire soigner, et abandonner cette population dans le besoin. Finalement, Anook fit une proposition qui parût à tous, y compris l'intéressé, raisonnable : étant enceinte et contaminée, et ne devant rester que quelques jours, elle suggéra à Barnabé de rentrer avec elle et de se faire traiter au CHUV. Il accepta.

Anook ne put cacher bien longtemps à Mark la situation tendue dans laquelle elle travaillait, ni les résultats de ses analyses. Elle avait préféré jouer franc-jeu, sachant qu'avec Mark, dissimuler quelque chose ne servait à rien d'autre qu'à le braquer.

Le patron du Sword avait écouté les arguments de sa compagne. Il n'était convaincu qu'à moitié, mais comprenait qu'elle souhaite rester encore quelques jours. Il pria néanmoins Cathy Mundine et Kathlelo Ledwaba de redoubler de vigilance à l'égard du professeur. Il organisa un mini-brainstorming dans son bureau, avec Paul, Nibs et Alexia pour faire le point sur la situation en Afrique. Il ouvrit la discussion :

— Merci à vous tous. Je ne vous cacherai pas que les informations qui me proviennent depuis le sud de la République démocratique du Congo, où se trouve Anook en ce moment, ne me rassurent pas. Non seulement il y a une contamination aux déchets chimiques toxiques et nucléaires, mais en plus les groupuscules armés semblent plus actifs que jamais. Qu'en pensez-vous ?

— D'un point de vue géopolitique, je dirais qu'il n'y a rien de bien nouveau, même si, je vous l'accorde, les groupes armés pullulent en ce moment.

— Y a-t-il une raison particulière à cela ?

— Il y en a plusieurs. Le manque de démocratie chronique en Afrique, les rivalités ethniques et tribales... Par ailleurs, il faudrait ajouter la question cruciale : à qui profite le crime ? En effet, quasiment tous les pays concernés ont des ressources naturelles colossales qui intéressent toute la planète. Il est certain que, dans ce cas-là, soutenir des conflits locaux permet aux extracteurs de ces richesses de faire plus ou moins ce qu'ils veulent au détriment, comme toujours, des populations locales.

— Je compléterai ce qu'Alexia vient d'exposer en disant que ce climat est actuellement renforcé par un triste phénomène : la croissance exponentielle du trafic d'armes, si j'en crois ce que j'ai vu au Niger et ce que Deepak a entendu pendant sa détention, dit Paul.

— Vous pouvez préciser ? demanda le patron du Sword.

— Ce qui était surprenant, à Bilma, c'était que les preneurs d'otages étaient équipés d'armes de guerre de la toute dernière génération. Il ne s'agissait pas de kalachnikovs à 50 dollars, disséminées à grande échelle depuis l'ère soviétique, mais d'armes à plusieurs milliers de dollars. Cela confirme ce qu'expliquait Alexia : des trafiquants échangent des armes, contre des ressources naturelles par exemple. Il me paraît des plus évidents que la Russie n'est pas loin.

— Je rejoins Paul d'un point de vue géopolitique. La Russie n'était plus très présente sur le continent africain, et depuis une dizaine d'années la Chine y est intensément active pour s'approvisionner en matières premières cruciales pour son développement. Il semblerait que, depuis quelques mois, la Russie ait changé son fusil d'épaule, si je puis dire, et y revienne en force, n'appréciant guère la prédominance actuelle de la Chine.

— Ce que vous me racontez là n'est pas réjouissant, dit Mark qui réalisait que la situation africaine était plus sérieuse encore qu'il ne l'imaginait.

— Anook va bien ? Et le bébé ? Ils rentrent quand ? se hasarda Alexia.

— Selon les premiers résultats des analyses, Anook a été contaminée, par des déchets toxiques radioactifs entre autres, mais cela resterait gérable pour le moment. Elle devrait rentrer dans quelques jours. Elle souhaite achever sa mission. Pourvu que la situation ne se détériore pas plus !

— Oui, il faut l'espérer, dit Paul. Si jamais il fallait un coup de main pour la ramener saine et sauve, on enverrait nos hommes.

— Merci, Paul. Je crois que, pour le moment, ce n'est pas nécessaire, même si je suis inquiet.

34

En Ukraine, la situation se détériorait considérablement. L'élection du président par intérim Leonid Lysenko, plutôt enclin à un rapprochement avec l'Union européenne, avait élargi le fossé avec les russophiles de l'Est. Ces derniers étaient entrés ouvertement en rébellion, occupaient toutes les mairies et encerclaient les casernes peuplées logiquement de soldats ukrainiens dans le Donbass.

L'armée ukrainienne, en complète déconfiture, disposait d'armes totalement obsolètes. Les rebelles au pouvoir de Kiev, eux, étaient secondés par de nombreux hommes armés jusqu'aux dents, et des journalistes occidentaux et ukrainiens avaient constaté qu'ils s'exprimaient en russe.

Un cessez-le-feu avait été décidé par celui qui s'était autoproclamé chef des pro-russes, et par le président Lysenko. Cependant, les combats persistaient. On voyait même des chars des deux côtés se faire la chasse… et ceux de l'armée de Kiev dataient des années soixante-dix !

Les Occidentaux avaient essayé de discuter avec le président Sokolov, tout en l'accusant ouvertement d'ingérence dans un pays reconnu depuis plus de soixante ans. Le chef du Kremlin restait de marbre et considérait ces reproches totalement infondés.

Le président Lysenko, se sentant soutenu par l'Union européenne, montra lui aussi du doigt les troupes russes entrées illégalement sur le territoire ukrainien. Il en appela à l'ONU pour qu'une résolution soit votée et exige le départ des hommes armés russes.

L'Union européenne, sous la houlette des Français, présenta une motion allant en ce sens au Conseil de sécurité. Comme tout observateur averti pouvait s'y attendre, le jeu de dupes se mit en place comme à son habitude. La Russie posa son veto, la Chine s'abstint et ne froissa ainsi personne. Ce fut encore une fois un coup d'épée dans l'eau.

Le président Sokolov, en rusé de la politique qu'il était, accorda une interview exceptionnelle à la chaîne Américaine CNN. Celle-ci, flattée d'avoir l'exclusivité de cet événement mondial, en fit une publicité incroyable, servant ainsi, sans s'en rendre compte, les desseins du maître du Kremlin.

L'interview dura une bonne heure et recueillit des dizaines de millions de téléspectateurs du monde entier. Par ailleurs, nombre de chaînes de télévision en reprirent des extraits dans leurs propres journaux télévisés.

Le président Sokolov s'était prêté à un jeu de séduction de haut vol. Il était souriant, calme et aimable, et cela malgré la maladroite agressivité sous-jacente de la journaliste américaine. Elle n'avait de cesse de répéter mot pour mot tous les griefs assénés par les ministres des Affaires étrangères américains et européens, sans même se donner le temps d'écouter ce que cet homme avait à raconter. Mark, qui avait regardé l'émission en direct s'était dit : « Voilà encore une de ces journalistes d'aujourd'hui, au sujet de laquelle on se demande pourquoi elle interroge quelqu'un, alors qu'elle s'est déjà forgé son opinion et a ses propres réponses. » Cela l'agaçait au plus haut point.

Mark Walpen n'était certainement pas un fan inconditionnel du président Sokolov, ni de son régime politique, proche de la dictature soviétique sous un habit de fausse démocratie, selon son analyse personnelle. Néanmoins, dans toute relation, y compris conflictuelle, il considérait qu'il n'y avait pas un tenant qui avait raison et l'autre tort. Pour le patron du Sword, pour aller de l'avant dans une situation aussi complexe que celle des relations russo-ukrainiennes, il fallait écouter les deux parties et essayer de comprendre le point de vue de celle qui vous était a priori la plus éloignée.

Ce ne fut pas le cas pendant l'interview et, contrairement à ce que pensait la journaliste, le président Sokolov eut tout le loisir de développer sa stratégie de communication bien rodée. C'est ainsi qu'il exprima tout son respect pour la nation et la civilisation ukrainienne. Il expliqua qu'en aucun cas la Russie ne souhaitait annexer ce grand pays et, au contraire, qu'elle désirait le soutenir et l'aider.

Comme on pouvait s'y attendre, il nia catégoriquement toute présence de soldats russes en Ukraine et mit la journaliste au défi de lui prouver le contraire.

Au final, Sokolov s'était présenté comme le beau-père idéal, soucieux de la liberté et de la démocratie et ne comprenant pas les accusations portées contre lui et son gouvernement. Ce jeu de rôles lui convenait d'autant mieux qu'il savait pertinemment qu'il était soutenu par 80 % de sa population. Après tout, les médias autorisés étaient sous tutelle de son parti, et ses opposants notoires se retrouvaient soit en train de croupir en Sibérie pour de fausses raisons, soit exilés.

En réponse à tout cela, les Occidentaux, Américains en tête, n'avaient que deux mots à la bouche : sanctions économiques.

Mark était abasourdi par ce genre de politique à la petite semaine. Le Secrétaire général des Nations Unies l'avait interrogé à ce sujet. Sa réplique avait été des plus simples et limpide :

— Vous savez, à ce petit jeu, c'est Sokolov qui va gagner.

— Ah bon ? lui avait répondu Anderson. Et pourquoi ?

— Parce que le désigner comme fou ne fait que monter le sentiment nationaliste russe. Étrangler l'économie de ce pays aboutit à l'inverse de ce qui est attendu, car même si le peuple souffre d'une baisse de pouvoir d'achat, il gagne la fierté d'appartenir à une grande nation qui s'oppose aux Américains et à ses alliés. C'est le réflexe de Pavlov, version XXIe siècle. On n'est pas sorti de l'auberge !

Le Secrétaire général, impressionné par l'analyse du directeur du Sword, en avait profité pour lui demander amicalement ce qu'il ferait s'il en avait les moyens.

Là encore, la réponse était toute prête :

— On sait tous que Sokolov veut faire renaître soit la grande Russie soviétique, soit celle des Tsars... Lui en étant un, bien entendu. Il sait qu'il a un avantage majeur : il prend ses décisions seul, sans que personne n'ait les moyens de s'y opposer, au contraire des pays occidentaux dont les parlements et surtout les opinions publiques ont un poids énorme. On sait aussi qu'il a déployé environ vingt mille hommes dans l'est de l'Ukraine, afin d'empêcher Kiev de gouverner sur la totalité du territoire, et qu'il clame que ce n'est pas vrai et qu'il veut la paix dans la région, tout en y mettant le feu. Dans ce cas, faisons pareil ! Formons les troupes ukrainiennes, livrons du matériel de qualité, et on verra.

Le Secrétaire général de l'ONU avait apprécié cette discussion avec quelqu'un qui n'utilisait pas la langue de bois. « Cela change de ce que j'entends d'habitude. » s'était-il dit en raccrochant.

Bradley avait activement préparé l'extraction des deux Faucons retenus prisonniers au sud d'Homs, dans la bourgade de Qattinah, au bord du lac du même nom, et non loin de la frontière libanaise. Les Faucons avaient parfaitement compris que pénétrer dans un pays en guerre où il faudrait se méfier de ses alliés potentiels était des plus dangereux. Ils décidèrent de ne compter militairement que sur leurs propres effectifs et ceux des Forces spéciales utilisées au Sahel qui avaient été envoyées en renfort à Akrotiri et avec lesquelles les relations étaient excellentes.

Par contre, un problème demeurait : le transport des troupes jusqu'à proximité de la ville de Qattinah. Car il fallait traverser 80 kilomètres soit en Syrie, soit au Liban. Dans tous les cas, c'était trop dangereux, et le Sword n'avait que deux hélicoptères de petites dimensions. La solution la plus simple vint de Tel-Aviv, comme souvent, même si c'était plus difficile à présent, sans l'aide d'Avram Leibowitz.

L'état-major israélien accepta néanmoins de mettre à disposition un hélicoptère Sikorsky MH-53J utilisé pour le largage des Forces spéciales, certainement parce que les Faucons enlevés comptaient un de leurs compatriotes. Son rôle se bornerait à transporter les combattants de la base d'Akrotiri et à la frontière nord du Liban, puis à la longer plein est jusqu'à déposer les soldats à cinq kilomètres de Qattinah. Pour les pilotes israéliens, c'était une tâche des plus aisées : à basse altitude, il y avait peu de chances qu'un radar les repère. L'endroit où atterrirait le MH-53J était assez peu peuplé et quasiment désertique, et les pilotes resteraient au sol le temps de l'opération, tout en étant sur leur garde. En cas de danger, ils redécolleraient en un instant et se mettraient à l'abri.

En moins de vingt-quatre heures, toute l'opération était parfaitement planifiée, et les hommes se tenaient prêts à quitter le tarmac chypriote. Il ne manquait plus que leur taxi, qui arriverait à minuit et repartirait aussitôt après le plein refait.

Une demi-heure après s'être posé dans la nuit, le Sikorsky s'élança avec trente hommes et leur barda à son bord. Il prit la direction nord-est, vola au-dessus de la Méditerranée un bon quart d'heure puis, à hauteur de la ville de Tripoli, amorça son virage à droite pour suivre la frontière syro-libanaise pendant une demi-heure encore. Il rasait les collines grâce à un équipement radar et électronique dernier cri, et les deux pilotes avaient une grande expérience de ces opérations au-delà des lignes. Le MH-53J avait été précisément conçu pour ce genre de mission.

Ce fut vers 1 h 20 que le gros hélicoptère se posa auprès du lac de Qattinah, à un peu moins de cinq kilomètres de la petite ville. Il ne fallait pas que le bruit des rotors y soit entendu. Un à un, les soldats et les Faucons sautèrent, et les quatre groupes déjà formés au Sahel se mirent en route.

Bradley avait pris le commandement d'une escouade et ouvrait le chemin à marche rapide. Les commandos étaient tous équipés des gilets pare-balles du Sword, de fusils-mitrailleurs MK5, d'un pistolet personnel et d'un couteau commando Ka-Bar. Enfin, deux hommes par escouade portaient des lance-roquettes Igla-S courte distance en cas de besoin. Ils communiquaient avec leurs micro-oreillettes.

Il fallut une quarantaine de minutes à ces guerriers expérimentés pour rejoindre les abords de la bourgade endormie.

Sven, qui était de piquet au QG de Lutry avec les membres du *Board*, suivait pas à pas les hommes et les conseillait avec les relevés GPS de Karine et Nathan qui, visiblement, étaient toujours ensemble.

Bradley fit signe que le combat allait commencer et que le groupe qui les couvrirait devait s'installer là où ils étaient. Deux escouades se positionnèrent aux endroits névralgiques afin d'éviter l'arrivée de renforts de combattants ennemis ou de la population.

Enfin, l'équipe de l'Australien se mit en mouvement vers le point indiqué par Sven sur les lunettes électroniques que chacun portait. Ils avaient longé le lac d'un côté et la zone industrielle de l'autre, et étaient maintenant dans les premiers faubourgs de la ville. Le lieu qu'ils devaient atteindre se situait à trois pâtés de maisons à l'ouest de Saint-Elias.

Les hommes de Bradley avançaient lentement, sans bruit. La ville semblait endormie et loin des tumultes des combats qui sévissaient régulièrement à Homs. C'était d'ailleurs une des raisons pour lesquelles de nombreuses familles de la grande ville s'étaient réfugiées dans un rayon d'une cinquantaine de kilomètres.

Une fois les accès névralgiques bloqués par les autres combattants, le groupe de Bradley, arrivé à quelques dizaines de mètres de la cible, fit halte et observa les alentours. Rien ! Le commandant jeta un coup d'œil à la partie écran de ses lunettes électroniques affichant la vision nocturne. Il fit un mouvement lent de 360°. Tout paraissait calme. Aucun homme n'était de guet. « Ils doivent se sentir sacrément en sécurité et inatteignables » se dit Bradley.

— Bon, fit-il tout haut. Les gars, on va donner l'assaut. Je veux des hommes aux quatre coins de l'immeuble. Moi je rentre avec Deepak et nos deux FS, James et Humpfrey. OK ?

Tous firent le signe OK de la main.

— GO !

C'était parti. Bradley entra furtivement dans la maison où il espérait trouver Karine et Nathan. Selon les plans, ils se situaient au dernier des trois étages de l'immeuble. Les combattants avançaient lentement, retenant leur souffle, de peur de réveiller quiconque. Ils se répartirent par binômes, l'un couvrant celui qui pénétrait en premier avec son fusil-mitrailleur. Le premier avait en main son pistolet équipé de son silencieux et son Ka-bar à sa portée. Il n'était pas question de se faire repérer pendant l'extraction.

Arrivés dans le hall, les hommes laissèrent un FS pour surveiller les va-et-vient du rez-de-chaussée. Les trois autres continuèrent de monter des escaliers poussiéreux et délabrés. Là, Bradley et Deepak abandonnèrent un second soldat et poursuivirent l'ascension vers le dernier étage. La crainte des attaquants était que tout l'immeuble abrite ceux qui avaient vraisemblablement enlevé Karine et Nathan. Arrivés en haut, ils constatèrent qu'il y avait quatre portes d'entrée. Bradley regarda sa visière intelligente, espérant que le GPS serait assez précis pour lui donner un indice quant à quelle porte forcer en premier.

Selon ses informations, les deux Faucons se trouvaient dans le second appartement sur leur droite. Brad et Deepak avancèrent jusqu'à la porte et se positionnèrent. Le premier essaya lentement de tourner la poignée, sans succès. Il décida d'utiliser un pied-de-biche, la porte n'étant ni blindée, ni d'excellente qualité. Bradley pensait casser facilement le pêne et ouvrir. Il introduisit l'outil à la hauteur adéquate et l'enfonça pour avoir une bonne prise. Une fois positionné, il fit le signe GO à son compère qui s'avança, prêt à le protéger par un tir nourri. En même temps ils avertirent les autres que cela risquait d'être tendu dans les minutes suivantes.

Le pêne lâcha d'un coup, accompagné d'un claquement sourd et sec. Bradley ouvrit la porte en grand et laissa Deepak entrer. Il fallait faire vite. Ils entendirent des bruissements dans des pièces. Dans le salon un jeune de type européen, pas rasé et pas très propre, dormait, visiblement si on regardait les vestiges au sol, suite à une « cuite carabinée ». Deepak le menotta bras en arrière, lui fourra un morceau de tissu trouvé sur place comme bâillon, et poursuivit son chemin.

Bradley, Deepak dans son dos, ouvrit une porte derrière laquelle, selon ses lunettes, deux personnes dormaient. Immédiatement, deux hommes se redressèrent et tendirent la main vers une kalachnikov. Brad visa celui de gauche avec son pistolet muni de son silencieux et lui tira une balle en pleine tête. Pendant ce temps, il entendit un sifflement et tourna la tête vers la droite. Le second gardien se tenait inutilement la gorge des deux mains. Deepak avait lancé son Ka-bar à la vitesse de l'éclair. La jugulaire avait été sectionnée et la pointe avait certainement fini sa course dans la moelle épinière de l'homme. Le cadavre s'écroula net.

Les deux Faucons sortirent et poursuivirent vers la seconde chambre, où Bradley avait perçu de légers mouvements. Il craignait une seconde attaque. Les deux hommes répétèrent le même scénario. Quand l'Australien entra, le pistolet prêt à tirer, il vit Karine, assise, les pieds et les mains liés et le regard hagard. Il chercha Nathan, lorsqu'il prit ses deux poings sur la tête.

Passé la surprise et la douleur du coup, il aperçut l'Israélien confus derrière la porte, poings liés. Les Faucons libérèrent leurs collègues et les interrogèrent sur leur état et leur capacité à les suivre, puis sur les habitants de la bâtisse. Karine restait très en retrait et très discrète, ce qui ne troubla personne car cela faisait partie de sa personnalité. Nathan leur livra les informations demandées : Karine était faible et choquée, lui avait un bras en mauvais état après avoir pris un coup de couteau en tentant de protéger son amie. Les deux combattants avaient les visages tuméfiés. Ils avaient été torturés pour qu'ils indiquent leur nationalité. Les rebelles du groupe al-Nosra voulaient les échanger contre une grosse rançon mais, pour cela, il fallait savoir à qui s'adresser. L'état dans lequel ils se trouvaient laissait présager de leur silence. Brad et Deepak étaient arrivés à temps.

Tous quatre repartirent. Nathan s'occupa de Karine. Quand Brad lui demanda doucement et tout souriant comment elle allait, elle réussit à répondre : « Merci Brad », puis l'embrassa et pleura d'un coup. Une minute plus tard, elle se détacha du lieutenant-colonel.

— Bon, on y va. Je descends en premier. Karine, tu me suis, puis Nathan, et Deep, tu fermes la marche. Les autres, restez sur vos gardes. Nos compagnons sont dans un état moyen, j'y vais mollo.

— Reçu 5 sur 5, répondirent les leaders d'équipes.

Les Faucons firent le chemin inverse et arrivèrent sans encombre jusqu'au rez-de-chaussée. C'est à ce moment-là qu'un homme déboula de derrière une porte menant à la cave, kalachnikov en main. Tous s'en aperçurent au moment où il appuyait sur la détente. Nathan prit Karine par la main et se coucha. Deepak et Bradley en firent autant et se positionnèrent pour répliquer dans le torse de l'individu qui, visiblement, restait valide, même s'il semblait moins vigoureux. Ils comprirent pourquoi en repérant l'un des gilets pare-balles du Sword, qu'il portait sur un tee-shirt.

Deepak visa dans l'aine et l'homme tomba. Bradley avait visé la tête dans le même temps.

— On y va fissa, maintenant. GO, GO ! cria Bradley dans son micro.

Ils sortirent, et furent aussitôt encadrés par les autres Forces spéciales qui attendaient depuis quelques instants, prêts à les soutenir.

Ils marchèrent à pas cadencés jusqu'aux rives du lac. Quelques lumières s'allumèrent et s'éteignirent immédiatement. Les combattants se faufilaient discrètement le long des murs. Karine avait repris une certaine vigueur et suivait l'équipe.

Trois quarts d'heure plus tard, ils arrivèrent au pied du MH-53J, dont les pâles tournaient déjà. Tous les hommes s'y engouffrèrent rapidement et, deux minutes après, le gros bourdon s'éleva dans les airs : direction plein ouest.

Avant quatre heures du matin, toute l'équipe de sauvetage se posait sur la base d'Akrotiri.

35

Mark estima que le temps passait et voulut faire le point sur les avancées des différentes équipes chargées de travailler sur l'affaire de la banque Boissier Naville & Cie. Il avait donc convoqué une réunion en fin de journée, réunissant les experts suisses et américains. Bien entendu, ces derniers y participaient par visioconférence, d'autant plus que certains se trouvaient à Boston ou à Washington, et d'autres encore en Californie. À l'heure dite, Mark Walpen prit la parole :

— Bonjour ou bonsoir à tous. Merci d'avoir répondu à mon invitation. Maintenant que Laurent Boissier est en liberté surveillée jusqu'à la décision finale de l'extrader ou pas, j'aimerais en savoir plus sur l'ensemble de l'affaire. Commençons par la Suisse. Maître Bauer, quoi de neuf ?

— Bonsoir. Le Ministère public de la République de Genève, en collaboration avec le Ministère public de la confédération, poursuit son enquête depuis la sortie de prison de mon client. Certes, aucune décision formelle n'a été prise, mais je reste optimiste, du fait que les investigations ne me semblent plus uniquement à charge, comme c'était le cas quand monsieur Boissier avait été arrêté. À présent, j'ai l'impression que l'on écoute les arguments que fait valoir la défense et que l'on tient moins compte du poids de la partie adverse.

— C'est un grand changement, en effet, dit Mark, soulagé.

— Oui, tout à fait. Votre plaidoyer auprès de la conseillère fédérale Zaneta et le fait que mon client soit président de l'association des banquiers privés, avec une réputation de probité sans faille, tout cela joue aujourd'hui pour nous. Je ne vends pas la peau de l'ours avant de l'avoir tué, mais les choses vont dans le bon sens.

— Je rajouterai à ce que mon confrère de Genève vient d'expliquer, qu'ici, nous avons réclamé les preuves que monsieur Boissier ou ses collaborateurs avaient bien rencontré des clients américains et leur avaient proposé leurs services. Il s'avère que le procureur de New York n'a pu à ce jour nous transmettre le moindre document, intervint maître Robert Wood.

— Donc, vous confirmez ce que Laurent Boissier a toujours affirmé, dit Mark.

— Exactement. Le dossier devient difficile à défendre d'un point de vue juridique, car pas de preuves tangibles égalent pas de procès, ni d'extradition. Je suis par conséquent assez confiant sur l'évolution des choses pour la banque Boissier Naville & Cie.

— Merci, Robert. Si je vous suis bien, tout ceci nous éloigne beaucoup de l'infraction fiscale et bancaire, mais nous conduit gentiment vers un règlement de compte économique, je me trompe ? demanda le patron du Sword.

— Cela paraît de plus en plus évident ! Il est clair que les États-Unis font la chasse aux fraudeurs fiscaux. Donc, ceux de mes compatriotes qui jouent à cela prennent de gros risques et seront lourdement sanctionnés s'ils se font attraper. Ce n'est pas une politique vraiment nouvelle, honnêtement. Par contre, nos différents contacts et enquêteurs à Washington et à New York, entre autres, nous confirment tous que le ministère de l'Économie et le secteur bancaire verraient d'un bon œil un renforcement de la place des États-Unis dans ce marché juteux. Par conséquent, il y a une alliance objective entre Londres et Washington, qui veut maintenir leur influence. Elles s'en prennent à la place financière helvétique, car elle est importante et leur fait de l'ombre. Sans parler du fait que toucher Singapour et

Hong Kong serait bien plus périlleux. Enfin, Paris et Rome ont ajouté leurs forces pour faire rentrer des impôts sur des fortunes dissimulées et améliorer ainsi l'état de leurs finances.

— Vous êtes en train de m'expliquer, cher Robert, que la banque Boissier Naville & Cie n'était pas forcément visée en tant que telle, mais comme une représentante de la place financière suisse.

— Exactement, Mark, reprit le professeur Fitzsimmons. Nous ne sommes plus du tout dans l'infraction judiciaire, comme l'a si bien démontré Bob.

— Mais alors, y a-il un moyen de contrer cela ?

— Je me l'imagine. Mais ce n'est plus du ressort de petits juristes comme nous, répondit avec humour le grand-père de Zoé et Elliott. Ce serait plutôt de ton domaine, Mark. Tu trouveras la parade. Nous pourrons t'aider par nos contacts aux plus hauts niveaux, mais c'est tout.

— C'est déjà beaucoup. Merci à vous tous pour tous ces renseignements. À bientôt.

— À bientôt, Mark, répondirent-ils ensemble.

Mark savait qu'il lui faudrait réfléchir à comment déjouer cette opération contre les banques privées de son pays, mais il s'en occuperait en temps utile. Pour le moment, il avait d'autres priorités.

En Russie, le mouvement Greenpeace s'inquiétait depuis des mois de l'annonce de la signature de contrat de traitements de déchets toxiques par une des sociétés du groupe Rodina, du magnat Grylov. Il n'avait rien contre cet homme en particulier, mais ses cadres et adhérents ne voyaient pas comment la Russie pouvait exécuter une telle tâche, alors que personne dans le pays n'avait travaillé aux technologies nécessaires.

C'est ainsi qu'après avoir surveillé de près si des informations sortaient dans la presse, les responsables prirent les choses en main. Ils décidèrent, dans un premier temps, de demander à être reçus par la direction de la société, tant à Moscou qu'à Saint-Pétersbourg, puisqu'il y avait deux sièges. Il leur fut répondu qu'étant donné qu'il s'agissait d'informations sensibles, on ne pouvait leur divulguer quoi que ce soit.

Après réflexion, Greenpeace Russie décida de passer à l'action. La seule donnée intéressante que l'organisation avait obtenue était la confirmation que l'usine la plus pointue du groupe, qui rassemblait toutes les activités toxiques, se situait à l'est du pays, au port de Nakhodka. Une opération commando, comme Greenpeace savait les monter, fut mise au point. Une vingtaine d'hommes et de femmes motivés furent envoyés en Extrême-Orient russe.

Ils avaient pour mission de pénétrer coûte que coûte dans l'usine et de découvrir ce qu'il s'y passait réellement. Une semaine plus tard, les activistes étaient arrivés sur place. Ils firent un premier tour de repérage de l'usine. Ils constatèrent qu'elle était légèrement excentrée par rapport à la ville et au port, tout en ayant un accès à celui-ci. D'ailleurs, un gros cargo était amarré à proximité. La structure était gardée par des hommes en armes, des chiens de garde et des miradors. Du fil de fer barbelé entourait tout le site.

Malgré ces mesures de sécurité hors normes, les commandos écologistes décidèrent de lancer leur assaut le soir même.

36

Pendant ce temps, les professeurs Souad Mokefi et Lotfi Kammoun s'étaient retrouvés à Paris, ville qu'ils connaissaient parfaitement l'une y exerçant encore, l'autre y ayant beaucoup travaillé. Le duo de choc avait été chargé par Mark, bien avant sa dernière entrevue avec le secrétaire général de l'ONU, de tâter le terrain syrien en termes d'alternance à Bachar el-Assad.

Après avoir réfléchi à tête reposée, ils en étaient arrivés à la conclusion que rencontrer des membres du clan el-Assad, même en disgrâce, pouvait leur fournir des informations intéressantes et ne leur coûterait pas beaucoup.

Paris était la destination idéale pour leur projet et ils organisèrent une série d'entretiens avec des personnages contestés et sûrement contestables, mais incontournables si l'on voulait appréhender finement la question syrienne, en exil dans la capitale française.

Souad et Lotfi rencontrèrent tout d'abord l'oncle de Bachar el-Assad, qui avait toujours été un des rouages fondamentaux du régime baasiste, jusqu'à ce qu'il soit écarté par son frère, le président Hafez el-Assad, qui craignait qu'il renverse son fils à sa mort. Les deux professeurs avaient insisté pour faire la connaissance du fils de Rifaat, Siwar el-Assad, qui vivait entre Damas et Paris et n'était pas considéré comme membre du noyau dur entourant le président syrien.

Après cette rencontre, les deux spécialistes du monde arabo-musulman avaient retrouvé le général Manaf Tlass, qui avait fait défection au régime baasiste deux ans plus tôt et avait été exfiltré en douceur par les services secrets extérieurs français. Ces derniers, d'ailleurs, craignaient tant qu'il leur échappe, qu'il avait fallu que Mark contacte personnellement le Premier ministre, Alain de Chenonceau, pour avoir accès à l'homme. Souad et Lotfi s'en étaient amusés, car ils savaient tous deux que le général avait peu apporté aux Français et que sa défection n'avait pas déclenché le glas du régime dictatorial syrien espéré. Cependant, pour nos deux compères, à partir du moment où ce général, ancien patron de la garde présidentielle et fils du général Tlass, ministre de la Défense de Hafez el-Assad, était à Paris, cela valait la peine de discuter avec lui. Ils obtiendraient des informations de première main, émanant d'un cacique du régime.

Lors de ces entretiens, leur stratégie était des plus simples : laisser parler le plus possible leurs interlocuteurs et écouter attentivement. Chacun des interviewés ayant un ego développé, ce fut chose aisée. Par ailleurs, la communication entre les protagonistes se faisant en arabe, une certaine proximité culturelle facilita les échanges. Au final, les entretiens, qui auraient dû durer dans les deux heures maximum, avaient tous atteint les quatre heures et plus.

La conclusion de ces discussions était claire et ne faisait que corroborer ce que Mark Walpen subodorait : une solution militaire ou externe à la Syrie était vouée à l'échec. Seule, une alternance interne par une personne issue de la communauté alaouite et assez proche du pouvoir était envisageable. Souad et Lotfi étaient ravis. Ils avaient à chaque fois achevé leurs interviews en demandant à leur interlocuteur s'il estimait que cette alternance était réaliste, et dans quelle mesure il gardait assez de contact avec la Syrie pour que le débat soit ouvert.

Les deux hommes, enchantés d'être reconnus et remis en selle, promirent de faire leur possible pour transmettre la proposition aux personnes les plus qualifiées.

Une semaine s'était écoulée depuis que le commando d'activistes de Greenpeace était parti à l'assaut de l'usine de retraitement de déchets toxiques à Nakhodka. Il y avait des sympathisants russes en majorité, mais quelques Européens les avaient accompagnés.

Quand Mark Walpen prit contact avec Greenpeace à Zurich, suite aux résultats des prélèvements effectués sur l'équipe médicale dans le sud du Congo, il apprit ce qui se passait en Russie et fut informé de l'inquiétude qui gagnait toutes les directions de l'organisation de protection de la nature. Personne n'avait de nouvelles de qui que ce soit depuis une semaine. Aucun téléphone mobile ne répondait. Aucune balise GPS de ces mêmes téléphones n'était en fonction. Le commando avait totalement disparu.

Le directeur de Greenpeace, qui discutait au téléphone avec Mark, lui demanda son avis.

— Est-ce que je devrais envoyer des militants sur place avec ceux d'autres pays pour aller voir ce qui se passe et faire pression ?

— Nils, vous oubliez, il me semble, que l'on parle d'agir en Russie. Pas en France, en Allemagne, ou Dieu sait quelle bonne vieille démocratie européenne. Il faut y aller en douceur avant de battre le rappel des troupes. Je préférerais d'abord que l'on récolte des informations sur place avec un contact local.

— Vous le feriez pour nous ? Je ne souhaite pas vous embrigader dans une virée écologiste. Je désire juste savoir où sont nos gars et les libérer.

— Vous vous souvenez quand même que votre dernière intervention dans le Grand Nord russe a failli vous coûter très cher, puisque la police russe a arrêté et enfermé votre équipe pendant plusieurs semaines pour acte de piraterie ? Si je peux me permettre, je n'aurais pas laissé faire une nouvelle opération de ce genre en Russie et je ne jouerais pas aux amateurs dans ce pays.

— C'est Greenpeace Russie qui a décidé d'y aller, pas nous. D'accord, on a des gens qui ont suivi.

— Laissez-nous un peu de temps pour nous renseigner, si nous le pouvons.

— Feriez-vous ça ?

— Oui, mais il nous faut un certain temps pour mettre en place un dispositif d'information. En attendant, si j'étais vous, je n'énerverais pas l'ours polaire du Kremlin.

— Je crains que vous n'ayez raison, Mark. À part cela, on en est où avec nos équipes africaines ?

— Je n'en sais pas plus que vous pour le moment. L'équipe médicale et l'équipe conjointe d'experts de Greenpeace et WWF Suisse travaillent ensemble pour déterminer précisément la source de cette radioactivité et de ces fuites toxiques. La dernière fois que j'ai parlé avec le professeur Kammermann, c'était il y a déjà quelques jours. Les experts partaient en expédition pour identifier le ou les lieux d'origine de la contamination. J'ai tenté depuis de le joindre sans succès. Je ne vous cacherai pas que cela m'inquiète, car jusque-là je l'avais toujours atteint par téléphone satellite crypté.

— N'oubliez pas qu'ils sont au fin fond de l'Afrique, et certainement passablement occupés.

— Vous avez sans doute raison, Nils. Le fait que le professeur Kammermann soit déjà partiellement contaminé tout en étant enceinte ne rassure pas.

— Je comprends. Prévenez-moi quand vous avez des nouvelles des deux affaires qui nous lient.

— Je n'y manquerai pas.

37

En ce lundi, jour du brainstorming hebdomadaire, le professeur Amanda Johns, la psy du Sword, était arrivée aux bureaux du groupe de stratégie une heure plus tôt que d'habitude. Il était environ 17 h 30 quand elle se présenta au bureau de Mark, qui vérifiait encore certains dossiers marketing.

Quand il aperçut son visage, il prit la parole :

— Entrez, Amanda, et fermez la porte, s'il vous plaît.

Le professeur de psychologie, qui avait sollicité cet entretien confidentiel avant la réunion du lundi soir, s'exécuta et salua Mark.

— Asseyons-nous sur le canapé, dit le directeur du Sword en indiquant le coin salon de son bureau. Alors, que puis-je faire pour vous ?

— Pour moi, rien. Je voulais avoir un entretien professionnel avec vous et en toute confidentialité, car nous sommes face à une situation difficile et nouvelle pour le Sword.

— Vous pouvez être plus explicite ? Car pour le moment, je nage.

— J'y viens. Que l'on soit bien clair, ce que je vais dire est de l'ordre du secret médical, mais la personne concernée m'a donné son accord pour vous en parler à condition que cela ne sorte pas de ce bureau, d'où ma venue.

Mark se concentrait et ressentait une certaine tension. Amanda demandait rarement ce genre d'entretien et, quand cela arrivait, il y avait toujours une raison sérieuse.

— Je vous écoute.

— Voilà ! Nous avons un problème avec Karine. Comme vous le savez, depuis l'évacuation de Syrie, le commandant de Kergellec est en arrêt maladie.

— Oui, je suis au courant et cela me paraît assez logique vu le traumatisme que peut représenter le fait d'être retenu en otage.

— Je dirais que c'est la partie émergée de l'affaire. Mais il y a plus grave et cela peut avoir des conséquences pour le maintien en fonction de Karine.

— Ah bon ?

— Vous allez tout de suite comprendre. Quand on a rapatrié nos deux combattants sur la base d'Akrotiri, où vous m'aviez envoyée par acquit de conscience, tout un chacun pouvait remarquer combien Karine semblait absente. Certes, elle n'a jamais été loquace, mais là, on atteignait un certain paroxysme. Dans un premier temps, j'ai laissé faire les choses, tout en l'observant très attentivement. Il était évident pour moi que le traumatisme allait plus loin que ce que l'on pouvait imaginer. Par conséquent, j'ai attendu que nous rentrions en Suisse et que nos combattants soient hospitalisés à notre clinique de Montreux pour un check-up complet, afin d'effectuer un entretien psychologique de débriefing.

— Et cela a donné quoi de si particulier pour que vous soyez là ?

— En fait, Karine doit faire face à d'autres traumatismes que l'enlèvement et la claustration. Elle a subi les pires sévices que l'on peut imaginer. Je précise à ce stade que son compagnon d'infortune, Nathan, ne va pas beaucoup mieux qu'elle en ce moment, car il est en pleine crise de culpabilité.

— Je n'y comprends plus rien, dit Mark.

— C'est normal, laissez-moi finir. Pour gagner du temps, je vais être directe : Karine a été violée pendant sa captivité.

— Quoi !

— Ce n'est pas tout ! Karine a accepté que Nathan me révèle toute l'affaire. Sa seule inquiétude est d'être relevée de ses fonctions, et que ses collègues ne la respectent plus s'ils étaient informés de ce qu'elle a subi.

— Il est bien clair que cela n'arrivera pas.

— Je vous connais assez bien pour ne pas en douter une seconde, c'est pourquoi je suis ici pour trouver la solution adéquate. Je poursuis mon exposé, si vous n'y voyez pas d'inconvénient. J'ai appris par Nathan que Karine a tenté de s'enfuir une nuit pour alerter le Sword. Elle a été rattrapée au dernier moment par une sentinelle cachée. Pour la punir, le chef de cellule l'a donnée en pâture à ses hommes, et elle a donc subi toute une nuit de sévices sexuels tous aussi dépravants les uns que les autres, sans parler du fait qu'il s'agissait de ce qu'on appelle une tournante. Elle ne peut dire combien l'ont chevauchée tout au long de la nuit.

— Nom d'un chien !

Mark était blême, comme s'il avait reçu un coup de poignard. La responsable du soutien psychologique reprit.

— Je ne vous cacherai pas que l'équipe du docteur Morel a dû pratiquer de la chirurgie gynécologique réparatrice. Heureusement, les séquelles seront minimes, à ce niveau-là en tout cas ! D'un point de vue psychologique, je ne peux me prononcer pour le moment.

— J'imagine que c'est assez grave pour que le commandant de Kergellec reste en indisponibilité le temps nécessaire pour se soigner, réussit à dire enfin le patron du Sword, encore sous le coup de l'émotion et de la colère.

— C'est précisément pour ça que je désirais m'entretenir avec vous. Karine ne veut pas que ce qui lui est arrivé joue un rôle quelconque dans sa carrière au sein des Faucons. Elle est célibataire et se raccroche totalement à son activité professionnelle. En fait, je suis ici pour intercéder en sa faveur et je crois qu'elle a raison.

— Vous pouvez préciser votre pensée, Amanda ?

— J'y viens. Je tiens à dire que je suis impressionnée par les capacités de résilience du commandant de Kergellec. D'une part, elle est totalement consciente du traumatisme qu'elle a subi et donc, de la nécessité d'être prise en charge dans le cadre d'une thérapie post-traumatique adaptée, qu'elle a d'ores et déjà commencée. D'autre part, elle veut garder ses fonctions au sein des Faucons, et elle vous demande votre accord. Elle aurait pu en parler avec Paul mais, étant donné que vous êtes le patron, elle a considéré, et je la soutiens dans ce choix, qu'il était plus simple que ce soit vous qui soyez informé de la situation.

— Je comprends. Ma position est des plus claires. Qu'est-ce qui est le mieux pour le bien-être du commandant ? Le reste m'est totalement égal. De toute façon, le Sword a assez de ressources financières pour faire face aux besoins de ses membres.

— Je m'attendais bien à cette réponse, dit la psychologue en souriant amicalement.

— Amanda, dites-moi exactement quelle procédure nous devons suivre dans l'intérêt de la guérison du commandant de Kergellec.

— Même si Karine est forte, ce qu'elle a vécu est innommable et il lui faudra du temps pour s'apaiser. Je préconise qu'elle poursuive sa thérapie. Comme j'appartiens au Sword, je l'ai fait prendre en charge par une collègue spécialiste du stress post-traumatique, afin qu'il n'y ait pas de conflit d'intérêt, si l'on peut dire. Par ailleurs, je suis d'avis que l'on laisse Karine gérer elle-même ses besoins en matière professionnelle, y compris son emploi du temps. Bien évidemment le secret médical doit être préservé en dehors de vous et moi. Elle accepte que vous en informiez le colonel de Séverac, son chef direct, mais de façon elliptique, dirais-je.

— Pour moi c'est OK. Je ne demande que deux choses : si elle a un quelconque souci, qu'elle m'en parle, ou, si elle préfère, qu'elle s'adresse à vous. Par ailleurs, je souhaite que vous me teniez régulièrement informé de son état de santé.

— Pour moi, c'est parfait.

— On fait comme cela, donc ! Et comment va Nathan ?

— La problématique est différente, mais grave malgré tout. Il est en plein dans la culpabilisation. Il se reproche de ne pas avoir su protéger son commandant, même si, en réalité, il a essayé et s'est fait défoncer une pommette par un coup de crosse, puis il s'est pris un coup de couteau au bras. Il a été opéré, et tout va bien d'un point de vue chirurgical. Il est bien entendu en thérapie post-traumatique avec un de mes autres confrères. Et maintenant, il faut du temps, pour les deux d'ailleurs. Je pense que si Karine va mieux, Nathan se remettra, lui aussi. Ils sont parfaitement pris en charge et il faut à présent les laisser se rétablir à leur rythme. Ils sont solides, vous savez.

— Ça c'est certain, mais ils n'en restent pas moins homme et femme.

— C'est pourquoi toute mon attention est mobilisée.

— Merci pour votre engagement, Amanda.

— Je ne fais que mon boulot ! Si ce que j'ai appris dans mon expérience professionnelle permet de soutenir des gens qui ont été broyés, alors tant mieux.

— Merci quand même. Tenez-moi informé.

— Je n'y manquerai pas. Et merci à vous d'être aussi compréhensif face à ce genre de situation.

— C'est mon boulot, conclut-il en souriant.

38

Une fois son entretien avec le professeur Johns achevé, Mark Walpen avait encore un quart d'heure avant de rejoindre le *Board* en salle de réunion pour le brainstorming du lundi soir. Il jeta un coup d'œil sur sa boîte de courriels et sur son téléphone mobile.

Sur ce dernier, il aperçut un texto de Rebecca demandant de participer au meeting depuis le consulat d'Israël de Saint-Pétersbourg avec son propre ordinateur *S*word. Elle réapparaissait soudainement et semblait avoir besoin de soutien.

À l'heure dite, Mark Walpen quitta son antre et parcourut les dizaines de mètres qui le séparaient de la salle des opérations et de réunion. Tous les membres du *Board* résidant en Suisse étaient présents. Les visages des autres, dont celui de Rebecca, s'affichaient au mur d'écrans, Sven s'étant chargé de la connexion sécurisée.

Mark commença :

— Bonsoir ou bonjour à tous. Merci, de vous être déplacés, car nous avons du grain à moudre ce soir, me semble-t-il. Avant d'aborder les différents ordres du jour, je voudrais céder la parole à Rebecca, que nous n'avons pas entendue depuis longtemps et qui m'a dit par texto avoir des choses à nous communiquer. Rebecca, à vous.

— Hello à tous, et merci, Mark, de me donner la priorité dans cette réunion.

— Rebecca, puis-je vous demander si tout va bien ? Pourquoi vous trouvez-vous à Saint-Pétersbourg ? Êtes-vous en sécurité ? Avez-vous des nouvelles d'Avram ?

— Ne vous inquiétez pas pour moi, patron, tout va bien, si je puis dire. Je poursuis ma quête pour retrouver mon père. Je n'ai eu aucun contact avec lui jusqu'à présent. Le peu que j'ai appris se résume à ceci : le général est à la poursuite d'un des oligarques les plus puissants de Russie.

— Et vous savez pourquoi il s'est lancé dans cette chasse à l'homme ?

— Je n'en ai aucune idée. Tout ce que je sais, c'est qu'il a un rôle de conseiller auprès du président d'Israël, mais je pense que cela n'a rien à voir avec sa disparition. Par ailleurs, j'ai appris avant de partir en Russie qu'il militait au sein d'une association qui recherche et débusque, entre autres, les criminels de guerre sous le nom de « Justice et Paix ».

— Cela ne m'étonne pas de votre père qui, tout en étant un héros militaire, est convaincu de la nécessité de trouver un terrain d'entente et de faire la paix, y compris avec le Hamas et l'OLP.

— En effet. Si je vous ai contactés, c'est que mon parcours, qui a connu des hauts et des bas, vient de prendre une tournure dramatique.

— Ah bon ! s'inquiéta Alexia.

— Salut, Alex... Je me suis fait envoyer sur les roses par le chef d'antenne du Mossad de Moscou. Mais par chance j'ai été contactée par un de ses agents que je connaissais bien. Elle m'a fourni pas mal d'informations sur le fameux Viktor Grylov, qui n'apparaît que récemment sur les radars. À mon avis, c'est ce qui a titillé Avram. Natacha, c'est le nom de mon contact, m'a annoncé que l'Institut craignait que ce magnat soit à l'origine du trafic d'armes à grande échelle. C'est pourquoi elle est devenue sa maîtresse. Étant juive d'origine russe, et jolie, elle n'a eu aucun mal à le séduire. Lors de notre rencontre à Moscou, Natacha m'avait promis de faire son enquête, mais elle m'avait aussi avertie que cet homme était le plus pointilleux au sujet de sa sécurité qu'elle a vu de toute sa vie d'espionne. Et, malheureusement, elle avait raison !

— Vous pouvez nous préciser les choses, s'il vous plaît ? demanda Mark avec douceur, réalisant, au visage de sa collaboratrice, que quelque chose de grave s'était passé.

— Je suis venue à Saint-Pétersbourg parce que c'est ici que Grylov réside le plus souvent possible. Natacha l'y avait suivi pour cette même raison. Elle m'avait donné rendez-vous ce midi par code. Quand je suis arrivée, il y a avait une foule qui s'amassait autour d'un corps sans vie dans une ruelle, à deux pas du café où nous devions nous retrouver. Devinant bien la réalité, je me suis approchée de son cadavre avant que les forces de police ne débarquent rapidement. Elle avait la gorge tranchée nette, visiblement avec un couteau de commando. Ce n'était pas l'œuvre d'un marlou des rues. Par chance, dans la cohue ambiante, j'ai pu la palper et j'ai trouvé un papier où le mot « Nakhodka » était écrit en tout petit. Voilà donc pourquoi je vous contacte. Je n'ai plus grand soutien ici, et j'ai une clé dont je ne sais pas quoi faire.

— Je suis désolé pour votre amie Natacha, Rebecca. Est-ce que vous préféreriez rentrer ?

— Non, je veux poursuivre les salopards qui ont fait cela. Et retrouver mon père, car je suis convaincue que tout est lié.

— OK ! Vous faut-il du renfort pour le moment ?

— Je ne crois pas. L'agent responsable du Mossad à Saint-Pétersbourg semble apprécier les membres de la famille Leibowitz, en tout cas bien plus que celui de Moscou.

Elle rit, afin de se détendre de toute la pression accumulée depuis son départ de Lutry.

— Je ne pense pas être en danger pour le moment, et je peux compter sur mes compatriotes ici en cas de coup dur. Si jamais cela changeait, je ferais appel à mes amis les Faucons, soyez-en sûr. Est-ce que Nakhodka vous dit quelque chose de plus qu'à moi ? Je sais seulement que c'est un port de l'Extrême-Orient russe où Grylov possède une usine.

— Pour une fois, c'est moi qui devrais pouvoir vous livrer le chaînon manquant, affirma Mark. On m'a parlé de Nakhodka, il y a peu de temps, car figurez-vous que votre oligarque a un quartier général là-bas pour le retraitement des matières toxiques et radioactives. Et comme le hasard fait bien les choses, je sais par Greenpeace Zurich qu'une de leurs équipes de militants y a lancé un assaut, il y a une semaine. Et ils ont tous disparu. La majorité d'entre eux est russe, mais il y a aussi des Européens, dont deux Suisses.

— Qu'est-ce qu'ils foutaient là-bas ces zozos ? demanda le colonel de Séverac, qui trouvait que ces organes prenaient beaucoup de risques, et n'était pas particulièrement porté sur la cause écologiste.

— Après plusieurs articles relatifs à la signature de gros contrats de retraitement de déchets toxiques par la holding Rodina, ils voulaient s'assurer que cela s'effectuait dans les règles de l'art. Chose dont ils doutaient fortement. N'ayant obtenu les informations techniques réclamées au siège social de l'entreprise à Moscou, ils ont décidé d'aller vérifier par eux-mêmes cette usine de retraitement à Nakhodka.

— Si j'analyse de manière basique ce que je viens d'entendre, ils sont allés se jeter dans la gueule du loup, intervint Alexia qui était restée jusque-là silencieuse, contrairement à son habitude.

— On peut résumer la situation de cette façon, compléta le patron du Sword.

— Vous comptez faire quoi, Rebecca ?

— Ben, j'y vais !

— Ça m'étonne de toi, dit Paul de Séverac en souriant à sa collègue.

— Ne faites pas comme les militants de Greenpeace. Aujourd'hui, on peut raisonnablement penser que l'usine est ultra sécurisée et que se lancer à l'assaut de celle-ci, seul, est une pure folie.

— Je suis d'accord avec vous, rétorqua la combattante israélienne. Je vais juste renifler ce qu'il s'y passe. De toute façon, je ne serais pas surprise que des gars du FSB soient dans les parages si ce Grylov est si important et si proche du pouvoir qu'il en a l'air.

— Pour moi, c'est OK, affirma Paul, convaincu que Rebecca ferait ce qu'elle avait annoncé.

— Pour moi aussi, confirma Mark Walpen. Bon, puisque nous sommes dans le dur, je propose que nous continuions avec la situation en République démocratique du Congo.

Quelque chose est arrivé là-bas ?

— Je dirai oui et non.

— Patron, vous pouvez être plus clair ? réagit Alexia, qui donnait l'impression de sortir de sa léthargie précédente.

— On sait maintenant depuis plusieurs jours que les malformations constatées par l'équipe médicale à laquelle le professeur Kammermann participe sont dues à des matières chimiques toxiques et des déchets nucléaires.

— Mais qu'est-ce que ça vient faire en Afrique, ce bazar ! s'exclama le professeur Pictet.

— C'est pourquoi une équipe d'experts de Greenpeace et du WWF Suisse a rallié ce pays pour déterminer la cause exacte de cette pollution. Je rajouterai au passage que les médecins ont tous été testés positifs à la radioactivité, entre autres.

— Mais, pardonnez-moi d'entrer dans la sphère privée, le bébé va comment ? demanda Alexia, inquiète pour la compagne de son patron.

— Pour ne rien vous cacher, je n'en sais rien. On pense qu'il a certainement été touché, mais dix fois moins que sa mère, qui lui sert de rempart, pour l'instant. Il était convenu qu'Anook rejoigne rapidement la Suisse une fois que le lieu de stockage de ces matières dangereuses serait détecté.

— Et alors ? demanda Rebecca, inquiète pour Anook, qu'elle appréciait beaucoup.

— Le hic, c'est que je n'ai aucune nouvelle d'elle depuis plusieurs jours. Greenpeace et le WWF sont dans le même cas que moi.

— Ils se sont tous volatilisés ? s'enquit Alexia qui n'en revenait pas.

— En gros, oui.

— Mais, Mark, vous aviez l'intention de nous en parler quand ? interrogea le colonel de Séverac.

— Ce soir, en l'occurrence. Je voulais attendre jusque-là. Vous avez tous assez à faire dans le monde, et je n'ai pas à vous mêler à des affaires de famille.

— Mais, Mark, reprit Amanda Johns, Anook fait partie de notre famille, du Sword, qu'elle y travaille ou pas. On la connaît et on l'apprécie tous. Sans parler du fait qu'elle attend un enfant. Il faut bouger au plus vite, Paul.

— Patron, Amanda a raison, insista l'interpellé. On doit aller fouiner là-bas. Je monte une opé cette nuit.

— Vous êtes dans le vrai, dit le stratège en chef, touché par la solidarité du *Board*. Je vous laisse gérer l'affaire.

— Affirmatif ! On lance la procédure d'urgence dans cinq minutes. Je vous tiens tous au courant par mémo comme d'hab !

— OK, répondirent en chœur tous les participants.

39

Une fois le brainstorming achevé, Mark Walpen et Alexia Pictet quittèrent rapidement les bureaux du Sword et marchèrent le long du lac, suivis comme leur ombre par un des Faucons, Abelardo. Cinq minutes plus tard, ils atteignaient le petit port de plaisance de Lutry, où Greg Hassler venait de poser son Alouette III sur un terre-plein gazonné.

Les trois hommes et femmes s'engouffrèrent dans l'hélicoptère qui décolla et prit aussitôt la direction de l'aéroport de Belp Berne où Ulli et son Challenger 604 les attendaient. Quand l'engin se posa le long de l'appareil, dont les réacteurs tournaient déjà, les passagers se dépêchèrent de rejoindre l'échelle et montèrent à bord, où ils retrouvèrent Barbara. Vincent, qui servait de copilote cette fois-ci, ferma aussitôt la porte et Ulli manœuvra. Il n'y avait pas de temps à perdre, Mark Walpen et les autres passagers étaient attendus à Prague pour un entretien de la plus haute importance.

Une heure et quart plus tard, le Challenger de Swiss Rescue se posait et était dirigé vers la zone VIP, où un véhicule de l'ONU, escorté par la police tchèque, attendait. Les passagers de l'aéronef rejoignirent rapidement le centre de la capitale et pénétraient finalement dans l'hôtel Golden Wells, au pied du château, où se situait le restaurant La Terasa U Zlate Studne et Ian Anderson qui les y attendait.

Cette réunion était prévue depuis quelques jours, mais le planning du brainstorming avait été modifié en raison des dernières nouvelles. Wendy en avait informé l'assistante du Secrétaire général, qui avait maintenu le rendez-vous et simplement fait décaler le repas dans ce restaurant gastronomique, connu dans toute la République tchèque et au-delà.

Mark Walpen, Barbara Apfelbaum et Alexia Pictet prirent l'ascenseur et rejoignirent la salle du restaurant, qui donnait sur la vieille ville. Ils repérèrent, au fond, Ian Anderson, buvant un verre de vin blanc, son garde du corps un peu plus loin. Ils s'approchèrent et le Secrétaire général se leva, souriant.

— Bonsoir à vous. Avez-vous fait bon voyage ?

— Parfait, merci monsieur le Secrétaire général, répondit Mark.

— On avait dit que ce serait « Ian ».

— Oui, en effet. Je ne suis pas encore habitué, excusez-moi. Je suis navré pour ce retard d'une heure, nous avons eu un contretemps de dernière minute au bureau.

— Le restaurant n'a pas changé de place pour autant et moi non plus, dit le diplomate suédois avec humour. Alors, tout est pour le mieux.

— Merci pour votre indulgence.

— Allez, asseyez-vous et détendez-vous un peu. Nous aurons le temps d'entrer dans le vif du sujet plus tard.

Ils s'installèrent tous pendant que le Faucon rejoignait son confrère de l'ONU à l'écart de la table. Le maître d'hôtel chargé du service de ses hôtes prestigieux vint s'enquérir de leur commande. Ils décidèrent d'imiter le Secrétaire général en choisissant une coupe de champagne tchèque, et, suivant la suggestion d'Ian Anderson, commandèrent tous le menu gastronomique composé de sept plats.

L'atmosphère se détendait peu à peu, chacun oubliant le stress de la journée pour profiter de l'instant présent et du lieu enchanteur, d'où l'on admirait la cathédrale de Prague illuminée.

Quand les amuse-bouches furent servis, le Secrétaire général de l'ONU commença :

— Merci à vous d'être venus jusqu'ici. Je sais combien vos activités aux uns et aux autres vous prennent du temps. Cependant, j'avais un besoin urgent de faire le point sur la situation en Syrie et en Ukraine, car dans les deux cas, la crise atteint, il me semble, son paroxysme, et il n'est pas question que l'ONU et moi-même restions spectateurs. Même si des rapports précis de situation s'entassent sur mon bureau de New York, j'aimerais entendre votre point de vue en direct.

Mark Walpen attendit quelques secondes, laissant ainsi la possibilité à la cheffe du Réseau Ambassador ou à son intrépide responsable des stratèges du Sword de prendre la parole. Quand le regard de celles-ci se fixa intensément sur lui, il saisit qu'il devait intervenir :

— Je comprends bien que vous soyez inquiet de la situation dans ces deux pays que sont la Syrie et l'Ukraine, puisque nous le sommes aussi. Je vais essayer de résumer certains points et je laisse ces dames compléter ou me contredire, dit-il, non sans leur adresser un sourire complice.

— Je vous écoute.

— Tout d'abord, la Syrie. Comme nous l'avions annoncé précédemment, le Sword a envoyé des équipes sur place afin de neutraliser le ciel syrien. À ce jour, c'est chose faite ou presque, puisque le pouvoir a peu de moyens aériens pour imposer sa loi dans les bastions rebelles.

— J'ai remarqué en effet que les représailles gouvernementales avaient largement diminué ces dernières semaines. Cependant, ce qui m'inquiète, c'est d'une part la progression des différents mouvements djihadistes, et de l'autre, l'arrivée, semble-t-il, de renforts russes à l'ouest de la Syrie. Le président Sokolov ne cache plus son intention de soutenir Bachar el-Assad coûte que coûte et affirme à qui veut l'entendre que c'est pour éviter que la Syrie ne tombe aux mains d'extrémistes.

— Monsieur, si je peux me permettre, intervint le professeur Pictet, la situation est un peu plus complexe qu'elle n'y paraît.

— J'écoute attentivement vos explications, professeur.

— Que la Russie utilise l'argument de lutter contre des terroristes pour justifier sa présence accrue en Syrie et l'envoi de renforts, c'est, dirais-je, de bonne guerre. La Russie veut peser dans le jeu mondial et ne va pas lâcher un allié de toujours à travers la famille el-Assad. Là où tout se complique, c'est au niveau de l'ASL, armée syrienne de libération, et de toutes les composantes de la révolution syrienne.

— Et pourquoi donc ? Il s'agit quand même d'une population opprimée, non !

— Ce n'est pas aussi simple qu'il y paraît au premier coup d'œil. Mes spécialistes du monde arabo-musulman ont travaillé intensément, ces dernières semaines, sur le sujet, et m'ont transmis ce rapport que je vous remets.

Le professeur tendit alors un document de plusieurs dizaines de pages reliées au Secrétaire général de l'ONU.

Elle reprit :

— Mes collègues ici présents en ont reçu une copie dans l'avion. La difficulté réside dans le fait que la révolte spontanée d'une partie de la population civile s'est fait rapidement polluer par des éléments fondamentalistes très proches des Frères musulmans, d'AQMI ou de l'État islamique. Certains personnages se sont infiltrés au plus haut niveau des représentations des insurgés, y compris auprès de l'ONU. Cela explique en partie la méfiance des États-Unis à soutenir fermement ces organisations depuis le début. Je dois reconnaître que la CIA a fait du bon boulot. Nous nous trouvons depuis des mois dans une situation ambiguë : si nous armons les rebelles, nous armons aussi des groupes musulmans fondamentalistes qui ne rêvent que d'une chose, imposer un califat de Bagdad à Beyrouth en passant par Alep et Damas.

— Je dirais donc que nous sommes coincés entre deux maux, compléta le patron du Sword. C'est la raison pour laquelle nos combattants ont neutralisé les forces aériennes de Bachar el-Assad, afin de l'empêcher de prendre le dessus et de réprimer encore plus sa population. Mais laisser les groupuscules comme al-Nosra, qui soit dit en passant a pris deux de nos Faucons en otages et les a torturés, il n'en est pas question. Aujourd'hui, il y a un relatif équilibre des forces, qui ne durera pas au vu de l'activité russe sur sa base de Tartous, à proximité du fief baasiste de Lattaquié.

— Si je vous comprends bien tous les deux, il n'y a aucune solution afin de résoudre cette crise humanitaire.

Le découragement se lisait sur le visage du diplomate.

— D'un point de vue militaire, en tout cas ! jugea bon de préciser Barbara qui jusque-là était restée discrète préférant laisser les stratèges s'exprimer.

— Est-ce à dire que vous avez, vous trois, une idée derrière la tête ? demanda le Secrétaire général, retrouvant soudainement le sourire.

— Moi pas, Ian. De par ma position gouvernementale, je n'ai que peu de latitude d'action, à part renseigner au mieux le Sword par mon Réseau Ambassador.

— Qui nous est, d'ailleurs, indispensable, surenchérit le professeur Pictet.

— Mais alors, vous deux, qu'avez-vous concocté ?

— Nous travaillons sur un plan de résolution politique, répondit succinctement Mark.

— Mais c'est ce que nous essayons de faire en vain depuis deux années en discutant avec le régime syrien et la Russie.

— Ce n'est pas du tout ce que nous souhaitons faire, réagit le professeur Pictet.

— Alors, quoi ?

— Notre plan définitif est en cours de mise en place. Je peux donc vous tracer les lignes directrices de notre projet. Avant d'aller plus loin, je vous dois une précision de taille qui, à mon avis, vous est inconnue : le Sword a été mandaté par les monarchies de la région pour trouver une solution pérenne et juste, et éviter que tout le Moyen-Orient ne sombre dans le chaos.

— Wouah...

— L'idée qui sous-tend nos réflexions est la suivante : laisser les djihadistes de tous poils imposer la charia, et un régime dictatorial encore pire que celui qui est déjà au pouvoir, est impossible. Laisser le président actuel écraser son opposition est tout aussi inimaginable.

— Il n'y a donc aucune solution, le coupa Ian Anderson.

— Vous allez trop vite pour moi, Ian, répliqua Mark Walpen. Je reconnais que le chemin est mince, mais il y a une voie à explorer. Nous devons trouver un modus vivendi avec les Russes et là, Barbara a son rôle à jouer dans les prochains jours. Il est évident que toute tentative contre le pourvoir des el-Assad sera combattu violemment par Sokolov et consorts. Notre objectif est d'imaginer une solution qui ne contrarie pas de façon catégorique le Kremlin.

— Je suis d'accord sur le principe, mais je ne vois pas où vous voulez en venir.

— Je résumerais la chose ainsi : Bachar el-Assad n'est au final que le représentant d'une frange de la population syrienne, les Alaouites, et d'un clan au pouvoir depuis des décennies. Faire comme le président George W. Bush en Irak, nous savons à quoi cela a abouti, et nous le savions déjà avant sa croisade contre Saddam Hussein. Par contre, nous avons appris par le général Tlass qui a fui la Syrie pour se réfugier en France, qu'il y a dans la famille plus ou moins proche du président actuel des gens qui ne le soutiennent que du bout des lèvres par instinct de survie. Ces personnes seraient considérées comme plus modérées, et disposées à un régime laissant plus de place à l'opposition. Je ne parle pas forcément de démocratie telle que nous tous l'entendons, mais d'un progrès notable.

— Vous voulez donc éliminer Bachar el-Assad et le remplacer par un autre, qui deviendra dictateur à son tour...

— Stop ! s'exclama Alexia avec son franc-parler devant la tirade abusive du diplomate suédois. On n'a jamais affirmé cela et ce n'est pas du tout dans les habitudes du Sword. Laissez Mark aller au bout de ses explications. C'est déjà assez compliqué, non ?

Alexia restait égale à elle-même, spontanée et cash dans ses propos.

— Oups, *sorry* ! Je ne voulais pas être agressif, fit le patron de l'ONU.

— Pour moi, il n'y a aucun souci. Je poursuis, donc : éliminer Bachar el-Assad, de quel droit, et pour mettre qui à sa place ? On se doit de tenir compte des réalités de la région, que cela nous plaise ou non. Ces pays vivent dans des régimes où la démocratie telle que nous, Occidentaux, la concevons n'est pas la réalité quotidienne. À mon avis, nous devons accepter cela et faire en sorte qu'un nouveau leader prenne les rênes en main tout en s'engageant clairement à assouplir considérablement le régime. En l'occurrence, nous savons par Sergueï Lioukov que Moscou nous soutiendrait là-dessus. Je ne dis pas que ce serait parfait, mais certainement mieux que ce qu'ont vécu les Syriens depuis une quarantaine d'années.

— Bon, pourquoi pas, si vous pensez y arriver. Mais quand, comment et avec qui ?

— Le plus vite possible, puisque nous avons commencé. Pour les deux questions restantes, on vous le dira quand tout sera finalisé, il est encore trop tôt.

— Cela devient urgent !

— Laissez-nous agir, on vous tiendra informé au plus vite.

— D'accord. Mangez pendant que c'est chaud, dit Ian Anderson alors que le maître d'hôtel et des serveurs s'approchaient avec le filet de cerf.

— Humm, c'est magnifique ! s'exclama Alexia, ravie.

— Oui, en effet. Bon appétit, ajouta Barbara, afin de détendre l'atmosphère.

Le plat était succulent et les convives restèrent un certain temps silencieux. Ils savouraient ce moment gastronomique à sa juste valeur, et en profitèrent pour échanger des banalités. Une fois le dessert servi et dégusté, ils commandèrent des expressos et le Secrétaire général reprit la conversation de plus belle :

— Après ce repas des plus agréables pour le palais, revenons un peu à des considérations géopolitiques plus tendues. Je veux parler, bien entendu, de l'Ukraine. Malgré les différents accords de cessez-le-feu, la situation s'enlise totalement. Chaque camp accuse l'autre de méfaits et une partie de la population de l'est de l'Ukraine vit dans un véritable état de guerre. J'ai eu l'occasion d'évoquer cela rapidement avec vous, Mark, mais là, cela devient urgent. Ce que je constate, c'est que les troupes russes introduites dans le territoire ukrainien progressent de plus en plus et sont très nombreuses. Le nouveau président ukrainien ne cesse d'appeler au secours et réclame une résolution du Conseil de sécurité de l'ONU, qui ne sera jamais votée à cause du veto russe. Les Occidentaux ont pris des sanctions économiques contre la Russie, celle-ci a fait de même envers les pays de l'UE, et le président Sokolov n'a visiblement nulle intention de céder à ces menaces et poursuit son avancée. Je répète ma question : que fait-on ?

— Cher Ian, je ne peux que reformuler ma pensée sur le sujet. Les sanctions économiques sont pour moi inadaptées et contre-productives. Le président Sokolov, qui est rusé, a déjà expliqué à sa population que c'est l'Occident qui en veut à la grandeur de la Russie, et ça marche à tous les coups. L'opposition est totalement muselée ou éliminée, voilà ! Pour le moment, je sens une valse-hésitation de la part de Sokolov de s'emparer de l'Ukraine, car, soyons clair, s'il l'avait vraiment voulu, il l'aurait envahie en deux jours maximum et les Occidentaux hurleraient comme des orfraies, mais resteraient impuissants. Ce qui est sûr c'est qu'il ne faut pas prendre de risque, et je crois qu'il faut agir pour éviter que l'envie d'annexer l'Ukraine prenne le Kremlin, pour de bon.

— Je préciserai encore une chose, intervint le professeur Pictet : certes, les troupes russes bafouent allègrement la frontière, mais le président Lyssenko ne se gêne pas non plus pour crier au loup en permanence et désigner Moscou comme agresseur, quand lui-même a allumé la mèche ! Nous sommes face à deux nationalismes d'Europe de l'Est très forts. Je rejoins Mark sur les sanctions économiques : elles ne servent au final qu'à faire croire aux électeurs occidentaux que les dirigeants agissent avec vigueur, ce qui est une absurdité totale.

— Au risque d'être cynique, vous conseilleriez de laisser faire les choses ainsi ?

— Je dis clairement non, répondit Mark. Pour une simple raison : la dynamique actuelle est du côté russe qui a au moins vingt mille hommes surarmés dans l'est de l'Ukraine. L'armée ukrainienne, qui a été quasiment démantelée depuis la chute du mur et ne possède aucune arme dissuasive aujourd'hui, ne fait pas le poids. On ne peut courir le risque de laisser la porte ouverte aux troupes de Sokolov.

— On fait quoi, alors ?

— Il faut que ce petit jeu cesse. Pour le moment, les Russes peuvent faire tout ce qu'ils désirent en Ukraine, même si Lyssenko aboie, la caravane passe ! Je n'ai pas une confiance aveugle dans les dirigeants ukrainiens, mais il faut donner les moyens à une partie de l'armée ukrainienne, la former, lui fournir des armements du XXIe siècle et l'encadrer, dans le seul but de servir de contrepoids à la Russie toute puissante.

— Mais aucun pays n'acceptera d'envoyer ses hommes au front et de risquer d'être désigné par Moscou comme un ennemi. Il faut éviter un affrontement bille en tête.

— C'est exactement ce que je suis en train de vous exposer. Quelle est la politique de Sokolov ? Il envoie ses meilleures troupes incognitos et surarmées en Ukraine et, quand un journaliste ou un militaire affirme, photo à l'appui, qu'il y a des Forces spéciales russes en Ukraine, Sokolov répond : impossible. Ou bien que ce sont les

Ukrainiens qui ont pénétré le territoire de la Russie. Que cela soit vérifiable ou non, on ne change rien à la dialectique du Kremlin. La communication sera toujours la même, on l'a vue dans l'interview donnée à CNN : « La Russie est un pays respectueux, démocratique et paisible ». Et pendant ce temps, les Spetsnaz affluent. Je dis donc : faisons exactement la même chose. Envoyons un détachement surarmé de 2 à 300 hommes incognito, avec des armes tchèques, bulgares, chinoises, russes, et jouons les innocents comme Sokolov. L'objectif n'était en aucun cas d'aider Kiev à entrer en guerre contre Moscou, mais bien de neutraliser les forces qui ont pénétré illégalement sur le territoire ukrainien, en encadrant 2 à 3.000 hommes des Forces spéciales locales.

— Je pense que la stratégie de Mark tient totalement la route, intervint Alexia. Par ailleurs, je préciserai qu'il ne s'agit pas pour le Sword de mettre toute la faute sur la Russie. Il est évident que, si les Occidentaux avaient plus tenu compte de la sensibilité de ce pays auparavant, il n'y aurait pas cette guerre froide larvée. Le bombardement de Belgrade sans mandat de l'ONU a été la goutte qui a fait déborder le vase, et je n'oublie pas la Libye. Depuis, la Russie s'est lentement mais sûrement repliée sur elle-même, comme au bon vieux temps de la confrontation entre URSS et Occident.

— En tant que Secrétaire général des Nations Unies, et vieux briscard de la diplomatie, je dois reconnaître que votre analyse est pertinente. Je reste convaincu qu'il faut discuter avec la Russie et que c'est une grande nation. On ne peut la considérer comme quantité négligeable.

— Je partage totalement votre opinion générale. Cependant, il y a un bémol : nous ne sommes plus au stade de définir quelle politique mettre en œuvre avec la Russie. Il y a un conflit qui ne dit pas son nom et nous devons agir avant que cela ne pète pour de bon, si vous me permettez l'expression. Éteignons le feu et amenons ensuite la Russie à la table des grands de ce monde. Montrons-lui que nous la respectons, et que sa voix est écoutée.

— Mark a raison, intervint Barbara.

— Je suis de votre avis, très chère. Est-ce que le Sword serait prêt à mettre en place un dispositif pour empêcher l'avance des troupes russes ?

— Seul, non ! Mais avec des Forces spéciales, sous uniformes neutres et armées, encadrées par nos hommes, c'est certainement faisable. Car je le répète : il ne faut pas que les armements tombent aux mains de nationalistes ukrainiens qui n'attendent qu'un prétexte pour en découdre avec leurs voisins. Je préconise d'ailleurs que mon groupe se charge d'introduire des systèmes miniaturisés afin de neutraliser les armes si elles nous échappaient. C'est assez facile, de nos jours, avec l'électronique.

— Est-ce que vous accepteriez le mandat, Mark ?

— Je dois d'abord en discuter avec mon *Board*. Cependant, il y a deux conditions non négociables : l'ONU et ses membres doivent financer l'opération, et mettre en place un système de prise en charge totale des blessés, des morts au combat et de leurs familles, jusqu'à la fin de leurs jours. Nous avons un fond de ce type, au Sword.

— C'est jouable. C'est une question plus technique que politique. Vous pouvez compter sur moi.

— Dans ce cas, je vais voir cela en rentrant, avant que mes hommes se rendent en Afrique résoudre un problème. D'ailleurs, si vous n'avez pas d'autre demande prioritaire, je souhaiterais repartir au plus vite.

— Je comprends, Mark. Merci de faire vite et de me tenir informé dans les deux semaines, si possible.

— On s'en occupe. Dans ce cas, merci encore et à bientôt.

Le directeur salua le Secrétaire général et, suivi de ses deux collègues, se hâta de rejoindre son véhicule, puis son aéronef, pour regagner la Suisse.

40

Une fois le Challenger en vol, bien qu'épuisé, Mark Walpen rédigea un rapport de synthèse sur ce qui s'était dit pendant le repas. Il le montra à Barbara et à Alexia pour approbation, puis l'expédia aux membres du *Board* en leur demandant leur accord sur la suggestion de l'ONU d'envoyer un corps d'armée pour encadrer les Forces spéciales ukrainiennes.

Il s'assoupit ensuite dans son fauteuil en cuir. Il fut réveillé par le choc du train d'atterrissage à Berne, une escale nécessaire pour déposer la directrice du Réseau Ambassador, puis sur le tarmac de Sion. Le repos avait été de courte durée. Les passagers laissèrent les pilotes et rejoignirent les Faucons avec tout leur barda dans l'aérogare.

Il était presque deux heures du matin, et Paul de Séverac se trouvait avec ses hommes au pied d'une des libellules du colonel de Silguy, en stand-by permanent dans le Valais. Une Alouette III avait déjà été chargée, et l'avion de transport de troupe attendait le feu vert du Sword pour décoller. Le colonel de Séverac, ne pouvant participer à aucune mission depuis son accident grave au Tibet, délégua son commandement d'opération à Nibs van de Merwe, le commandant le plus expérimenté pour le terrain africain. Mark et Paul en profitèrent pour saluer leurs combattants avant leur départ pour le Congo.

À 2 h 27, le Transall C-160, avec Vincent comme pilote et un de ses collègues de la base de Payerne comme copilote, s'élançait à toute vitesse.

Mark, Paul et Alexia furent ramenés à Lutry par la seconde Alouette III, avec Markus aux manettes. Le professeur Pictet décida de se reposer dans le canapé de son bureau avant de reprendre son véhicule et de partir pour Genève donner son cours de 10 h 30.

Le directeur du Sword avait sommeil, mais l'inquiétude sur le sort d'Anook et la nécessité de mettre en place le plan décidé la veille à Prague l'amenèrent à rester à son bureau, accompagné du colonel de Séverac. Ce dernier leur tira un café serré à chacun et rejoignit son patron.

— Mark, on en est où des réponses à votre mémo sur l'Ukraine ?

— Il ne m'en manque que deux pour le moment. Sur ce que j'ai reçu, j'ai une majorité de oui et juste une abstention, comme désormais cela arrive souvent quand nous sommes en réunion. Intervenir militairement refroidit toujours quelqu'un et je le comprends.

— Ça veut dire que l'on va envoyer du monde en Ukraine ?

— Très certainement.

— Mais, patron, qui va diriger les Faucons et les Forces spéciales qui nous seront confiées ? Ce ne sera pas du gâteau.

— Je ne connais qu'une seule personne qui ait les épaules assez larges pour assumer le commandement de près de 3.000 hommes. C'est vous !

— C'est flatteur, mais vous avez zappé le fait que ma mobilité d'aujourd'hui n'est plus la même et que, par conséquent, je suis trop diminué pour aller au combat efficacement, même en retrait.

Paul restait lucide, même si avouer cela restait à ses yeux un acte de capitulation.

— Ce que vous affirmez était exact pour tous ces derniers mois de convalescence. Certes, vous ne gagnerez jamais la finale du 100 m des JO, mais votre acharnement à vous remuscler vous permet aujourd'hui de retrouver une mobilité bien meilleure qu'espérée par le professeur Langlois lui-même. Par ailleurs, je vous ai dissimulé ma botte secrète qui m'a été livrée hier après-midi.

— Pardon ! Vous parlez de quoi ?

— Venez avec moi dans la salle de réunion.

— OK.

Les deux hommes posèrent leurs tasses de café vides et se dirigèrent vers ce que certains appelaient « l'aquarium », en raison de toutes ses baies vitrées blindées. Mark alluma les lumières, gagna le fond de la salle et s'arrêta net devant une caisse en bois d'un mètre cube environ.

— Paul ouvrez cette caisse, s'il vous plaît.

— C'est quoi ce truc ? Pendant la réunion, je l'ai remarqué. Votre nom est indiqué comme destinataire.

— Ouvrez-la quand même. C'est moi qui l'ai commandé, mais le contenu est pour vous.

Fatigué, le colonel de Séverac n'y comprenait rien. Son patron avait quelquefois l'art d'être énigmatique, à presque l'énerver jusqu'à ce qu'il découvre ce qu'il avait préparé. Il se décida à ouvrir la caisse. Il coupa les feuillards en Nylon qui maintenaient le couvercle fermé, puis le souleva et vit quelque chose qui ressemblait à de puissants bras articulés en métal.

— Sortez l'animal de sa boîte et posez-le par terre, s'il vous plaît, dit Mark.

Paul, toujours intrigué, s'exécuta. La chose était composée d'une partie centrale en forme de harnais de Nylon épais, d'une ceinture métallique et de deux longs bras articulés.

— Alors, Paul, cela vous dit quelque chose ?

— Ça ressemble à une armature super solide.

— Je ne vais pas vous faire lambiner plus longtemps. C'est un prototype d'exosquelette conçu uniquement pour vous.

— Wouah ! Vous avez fait comment ?

— En fait, avec mes relations à l'École de guerre à Paris, j'ai négocié un accord en expliquant la situation vous concernant et mon objectif de vous apporter une mobilité équivalente ou supérieure à celle qui était la vôtre avant les coups de feu chinois. La DGA* et la société RB3D ont mis en place un partenariat pour créer un exosquelette pour l'armée française, comme toutes les grandes armées aujourd'hui, qu'ils ont dénommé HERCULE. Il est d'ailleurs toujours en développement. Ils m'ont cédé un prototype, à charge pour l'EPFL de l'améliorer pour vous et de fournir aux Français toute information technique pouvant les aider par la suite. L'EPFL pouvant, bien entendu, breveter ses découvertes.

— Vous avez fait tout ça pour moi ?

— Eh bien, oui. C'est bien normal. Vous n'aurez pas la mobilité d'un commando de 20 ans, mais qui sait ? L'EPFL a travaillé sur la motorisation, l'autonomie avec des piles longue durée et, enfin, elle a utilisé les techniques de réadaptation médicale qui, par de petites électrodes sur vos jambes, connectent l'exosquelette à vos nerfs, et donc votre volonté. Ils ont travaillé d'arrache-pied pendant ces neuf mois, et voilà le résultat.

Le colonel n'en revenait pas. Il allait pouvoir suivre ses hommes quasiment partout. Il touchait toutes les parties de la machine comme s'il désirait se l'approprier.

— Je peux l'essayer, Mark ?

— Ils dorment tous, mais pas nous, répondit en souriant le directeur du Sword, heureux de sa trouvaille.

Ni une, ni deux, le colonel, après avoir jeté un coup d'œil sur une page A4 expliquant la pose des électrodes et la prise en main rapide de l'engin, s'en équipa. Un quart d'heure plus tard, ayant bien ajusté les sangles d'attache, Paul s'élança dans la pièce. Heureusement

---

* *Direction générale de l'armement, organe chargé de développer les nouveaux équipements militaires des armées françaises.*

qu'elle était vaste, car à peine avait-il commencé à marcher que sa foulée augmenta et s'accéléra.

— C'est complètement dingue ce truc ! Je cours quasiment. Ce sont les bottes de sept lieues ! s'exclama le colonel.

— C'est ça, l'astuce. L'engin pèse une grosse vingtaine de kilos, mais par contre il est totalement motorisé. Il permet d'atteindre une vitesse de marche de neuf kilomètres à l'heure pendant cinq heures. Par ailleurs, il supporte une charge de cinquante kilos, en plus de votre propre poids.

— C'est cool !

Paul parcourut les couloirs pendant plusieurs minutes, comme un gamin.

— Bon, Paul, maintenant que vous vous êtes bien amusé, on peut boire un café et préparer la mission en Ukraine ? Vous partirez avec votre nouvel ami. Je vous conseille de l'essayer le plus possible avant la prochaine mission, afin de le maîtriser parfaitement et d'être à l'aise avec sur le terrain.

— C'est clair ! Merci du fond du cœur, Mark.

Paul avait la larme à l'œil.

Mark se dirigea vers son bureau. Il s'aperçut que le commandant des Faucons le suivait avec son exosquelette comme si de rien n'était. « Apparemment, il lui plaît ! » se dit Mark, heureux.

Les deux hommes utilisèrent les dernières heures de la nuit pour affiner les préparatifs de l'opération. Totalement pris par l'action, le militaire avait oublié qu'il portait toujours son exosquelette, et fit beaucoup rire les employés du Sword qui, dès 7 h, arrivaient au travail.

Paul partit dans son bureau s'atteler à la mise en place de l'opération en Ukraine qui, compte tenu de son ampleur, prendrait pas mal de temps. De toute façon, l'urgence absolue restait la recherche du professeur Kammermann et de ses collègues.

Sous les coups de 9 h, Sven fit son apparition sur le pas de la porte de Mark. C'était pour lui une heure des plus normales quand il n'y avait aucune priorité absolue relevant de son domaine. Après tout, il ne quittait le bureau que très rarement avant 20 h.

— Bonjour, Mark ! Notre rendez-vous de 9 h 30 tient toujours ?

— Oui, oui ! On peut même commencer maintenant.

— Laissez-moi cinq minutes. Je pose mes affaires, je me tire un double expresso et je prends mes croissants au beurre, hum.

— Apportez-moi aussi un double expresso pendant que vous y êtes s'il vous plaît, j'en aurais bien besoin.

— OK, chef.

L'artiste de l'informatique partit de ce pas et revint rapidement.

— Il faut que je vous fasse le point sur tout ce qui s'est passé avec les données volées à la banque Boissier Naville & Cie.

— Je vous écoute, Sven.

— Cela nous a pris du temps, mais au final, mon équipe a réussi son coup.

— Vous pouvez être plus clair ?

— Oups, *sorry*. Notre priorité consistait à accéder aux données Internet de Spalding. On s'est débrouillé pour se mettre en contact avec lui et lui proposer une transaction pour les obtenir, en se faisant passer pour quelqu'un des services fiscaux de Grèce. Il a mordu à l'hameçon et on lui a suggéré un rendez-vous à Paris dans un premier temps. Il a accepté. On a envoyé Takis, qui lui a parlé en prenant un accent grec. Leur entrevue s'est parfaitement bien déroulée et il a été convenu d'une autre rencontre pour l'échange des données contre deux millions d'euros cash. Comme elle a eu lieu dans un hôtel de luxe de la capitale française, mon équipe de hackers était sur place, et on a pompé toutes ses coordonnées de son Smartphone grâce au Wi-Fi. On a récupéré les adresses IP de son PC. Donc, nous possédons maintenant tous ses mails, ses messages WhatsApp, etc.

— Wouah ! Et cela nous avance ?

— Par chance, c'est un véritable amateur en matière de sécurité informatique. Ses données nous ont permis d'établir une liste de personnes régulièrement contactées. On s'est alors aperçu qu'un

Américain était très souvent en relation avec Spalding et qu'il résidait au Delaware, ce qui nous a interpellés.

— En effet !

— Ce n'est pas fini ! D'adresse IP en adresse IP, on a suivi notre piste. On a pu recenser un groupe d'une quinzaine de magnats du monde de la banque, tant du Delaware que de New York. Il s'avère que le ministre de la Justice américaine appartient à une grande famille de Manhattan, très active sur le marché boursier à Wall Street.

— Bravo, Sven ! Votre équipe a super bien avancé.

— Ce qui est bien, c'est que nous avons maintenant repéré tous ceux qui ont participé, de près ou de loin au projet de mise en cause de la banque Boissier Naville & Cie. Leur but était clairement de discréditer la place bancaire suisse, car Laurent n'était pas leur première victime. Tout ce que nous avons découvert a été contrôlé par vos avocats de Boston et de San Francisco.

— Vous avez une idée derrière la tête ?

— Je suis démasqué ! Avec l'équipe, on a préparé un plan de représailles, mais j'ai besoin de votre aval, car pour être franc, on sera plutôt dans l'illégalité.

— Sven, si je ne me trompe pas, toutes vos recherches d'adresses IP sont juridiquement contestables, non ?

— Oui, mais vous m'avez autorisé à les faire si c'était pour la bonne cause.

— Je l'admets.

— De toute façon si on veut faire un exemple, on n'a pas le choix, car la justice américaine ne reconnaîtra jamais le préjudice subi par Laurent Boissier ou d'autres.

— Je vous taquinais, Sven ! Je me doute que, dans ce cas, il n'y a pas d'alternative. Expliquez-moi votre projet.

Le chef de la cellule informatique exposa ses intentions pendant plusieurs minutes. Il craignait que Mark pose son veto, car l'ensemble des propositions était du hacking pur et dur. À sa grande surprise, le patron du Sword lui donna son accord et résuma sa pensée ainsi : « Après tout, la NSA ne se gêne pas pour espionner tout et tout le monde, alors, comme dirait Rebecca, ce sera œil pour œil ! ».

Après les quelques semaines de palabres qui suivirent les entrevues de Paris, un consensus avait été trouvé avec le clan alaouite au pouvoir. Une majorité était en faveur d'un règlement politique de la crise et soutenait le changement à la tête de l'état syrien, sous certaines conditions.

La famille el-Assad avait proposé le neveu du président, à savoir Hassan Chaoukat. Il présentait l'avantage d'être très proche de la famille régnante tout en étant très distant. Son père, Assef Chaoukat, qui avait dirigé les services secrets syriens, ne s'entendait guère avec ses beaux-frères et était mort dans un attentat. Sa mère, sœur de Bachar el-Assad, connue pour avoir été une pure et dure du clan deux décennies auparavant, avait pris du recul avec sa famille et s'était exilée à Dubaï.

Il présentait donc un profil parfait. Le Sword avait établi un cahier des charges des réformes d'ouvertures démocratiques indispensables à mettre en œuvre, avec un agenda des plus précis. Son respect total était la condition à la paix et au maintien des Alaouites au pouvoir. Dans le cas contraire, la guerre reprendrait de plus belle, avec les monarchies du Golfe qui entreraient dans le bal.

Ces négociations avaient été menées de main de maître et en un temps record par Barbara Apfelbaum.

Les contacts avec le général Tlass facilitèrent grandement les choses, et le plan était des plus simples. Bachar el-Assad se rendait régulièrement dans son fief d'al Qadarah berceau de la famille et lieu de sépulture de son père, au sud-est de la ville portuaire de Lattaquié. Là-bas, les el-Assad étaient en terrain conquis, et se souciaient moins de leur sécurité.

Lors de son dernier déplacement, des hommes de la garde présidentielle administrèrent à Bachar une dose massive de sédatif et le chargèrent sur un pick-up. Le président fut conduit de nuit jusqu'à une crique du village de Bustan al-Basha, à proximité de l'aéroport international, au sud de Lattaquié. De là un bateau pneumatique piloté par les Faucons du Sword rejoignit les eaux territoriales et un navire de la marine saoudienne.

Le lendemain, le clan el-Assad annonça la renonciation de Bachar el-Assad au poste suprême pour raison médicale, et proposa Hassan Chaoukat comme président par intérim. Il était encadré par trois régents chargés par les parties signataires de l'accord du respect à la lettre de celui-ci.

Quelques jours plus tard, la monarchie saoudienne fit savoir que le président Bachar el-Assad avait élu résidence dans son royaume et que sa femme et ses enfants l'avaient rejoint. Ils vivraient désormais en périphérie de la ville de Jeddah.

Au final, tout le monde était content. La Russie gardait son allié de plusieurs décennies et un pied au Moyen-Orient. Les opposants sunnites avaient droit de cité et pouvaient s'exprimer sans finir au fond du désert. Les Alaouites, bien que minoritaires, restaient à la tête du pays, mais avaient bien retenu la leçon et se savaient sous haute surveillance.

41

Après un peu moins de dix heures de vol, le Transall parti de Sion se posa à Abidjan, base d'Air Trans Afrique du colonel à la retraite de Silguy, pour une escale technique d'une demi-heure. Hommes et femmes à bord en profitèrent pour se dégourdir les jambes, pendant que l'équipe au sol se chargeait des contrôles et du ravitaillement. Quand tout fut prêt, Yann de Silguy et son fidèle copilote Mamadou prirent le commandement, Vincent et son collègue rejoignirent les combattants pour se reposer.

L'avion de transport de troupe atterrit finalement sur la piste de Kolwezi peu avant 18 h. Aussitôt, les Faucons sortirent de leur boîte de conserve et attendirent les ordres de leur commandant. Celui-ci prit contact avec Monseigneur Célestin Kabunga, qui les attendait.

Mark, se rappelant que le docteur Barnabé Luengue soutenait Anook et Laura, avait pris soin de contacter l'évêché de Lubumbashi auparavant, afin de vérifier s'il était plus informé de la situation. Le père Célestin était tombé des nues, car il n'avait aucune nouvelle de son médecin. Il avait tenté de le joindre par téléphone, mais en vain. Quand le patron du Sword lui avait signifié qu'il envoyait une force combattante afin de vérifier ce qui se passait, le père Célestin décida de rejoindre ces hommes et femmes à Kolwezi.

Nibs salua chaleureusement l'ecclésiastique :

— Monseigneur, merci d'être venu.

— Appelez-moi Célestin, ou père Célestin, s'il vous plaît, c'est bien plus simple.

— OK. On va d'abord regagner le campement de base de l'équipe de MSF, qui se situe au sud. On verra bien ce qu'on y trouve. Avez-vous réussi à réunir quelques pick-up comme mon patron vous l'a suggéré ?

— Oui, j'en ai rassemblé cinq, dans un état moyen.

— C'est parfait. Vous grimpez dans le dernier et, quand mes gars sautent pour sécuriser le camp, vous restez dans le véhicule.

— D'accord.

— OK ! *Let's go* !

Les Faucons prirent leurs bardas et saisirent leurs fusils-mitrailleurs, prêts à l'assaut. À partir de ce moment, la mission commençait et le danger les guettait de partout.

Une demi-heure plus tard, les véhicules s'approchaient lentement de l'endroit désigné par les coordonnées GPS. Il n'y avait pas âme qui vive. À quelque 300 mètres du campement, que l'on apercevait déjà à l'œil nu, Nibs fit halte. Tous les Faucons sautèrent à terre en laissant leur barda dans les pick-up. Armés jusqu'aux dents, ils se positionnèrent en suivant les instructions de leur chef d'opération. Les combattants progressèrent lentement, évitant les branches et les feuilles, pour ne pas se faire repérer.

Quand Nibs arriva à hauteur de ce qui restait du camp, il ne put que constater que seuls des corps jonchaient le sol. Les Faucons se répartirent sur toute la superficie. Il n'y avait aucun ennemi en vue. Tout n'était que désolation. Nibs intervint :

— Je veux des gars en sentinelle et, les autres, vous évaluez la situation. Ensuite, vous enterrez les corps. Je doute que nous trouvions beaucoup de vivants.

Ce fut à ce moment que le lieutenant-colonel sud-africain perçut un léger bruissement. Il tourna lentement la tête et repéra, aux abords du campement, des yeux hagards qui les observaient depuis des arbrisseaux. Il fit quelques pas pour se rapprocher de Célestin Kabunga.

— Père Célestin, on nous surveille. Ce sont certainement des survivants de cette attaque, et ils sont à coup sûr congolais. Pourriez-vous leur parler dans leur langue natale ? Ils auront plus confiance en un prêtre qu'en un soldat armé, surtout après cette boucherie.

— OK, Nibs.

Célestin s'avança lentement dans la direction indiquée par le commandant des opérations. Puis il s'adressa en lingala aux buissons :

— Je suis le père Célestin. Nous sommes venus vous aider. Nous recherchons les médecins qui étaient ici. Savez-vous où ils sont ?

Le prêtre fit une pause et attendit. Quelques secondes s'écoulèrent avant que ses compatriotes survivants, apeurés, sortirent un à un des fourrés où ils s'étaient cachés. Il s'approcha lentement d'eux. Quelques minutes plus tard, rassurés, les hommes et femmes, réfugiés auprès de l'équipe médicale de MSF Suisse se regroupèrent et racontèrent enfin les événements.

Ils avaient été attaqués quelques jours auparavant par de nombreux hommes armés. La majorité d'entre eux était africaine, mais les plus virulents étaient blancs et massacraient tous ceux qu'ils croisaient, raison pour laquelle ils s'étaient tous terrés.

Nibs et Célestin apprirent ainsi que les mercenaires et les rebelles en avaient visiblement après les médecins et les chercheurs. Quand ils s'aperçurent qu'ils n'étaient pas dans le camp, ils s'en étaient pris aux réfugiés à portée de leurs mains, et les avaient battus jusqu'à ce qu'ils leur indiquent où se trouvaient ces hommes et femmes qu'ils poursuivaient.

En fait, la veille de l'attaque, les experts de Greenpeace et du WWF étaient rentrés de leurs dernières inspections en amont de la rivière. Ils étaient persuadés d'avoir enfin repéré le lieu d'où tout avait commencé. Ils avaient convenu d'y retourner le lendemain, accompagnés de l'équipe médicale, ce qu'ils firent. Les survivants ne les avaient jamais revus.

Nibs se fit indiquer sur sa carte la direction qu'avaient prise les médecins et les experts en écologie. La nuit tombant, il décida qu'ils s'installeraient au camp et partiraient à l'aube. Les Faucons s'organisèrent. Après avoir mangé leurs rations militaires de campagne, ils s'endormirent, non sans laisser deux sentinelles.

Le lendemain, aux premiers rayons de soleil ardents, tout le campement se mit en branle. Quelques minutes plus tard, les combattants montaient à bord des pick-up. Ils feraient le maximum du trajet possible à quatre roues. Ils roulèrent lentement en observant les environs, gardant les oreilles grandes ouvertes. Deux heures après, la jungle avait repris ses droits et les véhicules n'étaient d'aucune utilité. Les Faucons les abandonnèrent et commencèrent leur ascension.

Nibs, prudent, avait décidé de n'envoyer que deux éclaireurs en avant. Les autres suivaient à une cinquantaine de mètres. Ils avancèrent ainsi pendant presque une heure, jusqu'à ce que les deux Faucons de tête appellent leur commandant.

Tous les combattants se retrouvèrent dans une partie totalement désertique. Il y avait là encore quelques cadavres au sol. En regardant de près, ils remarquèrent un groupe d'indigènes. Ils entouraient un corps. Le père Célestin s'approcha spontanément et s'aperçut que ses compatriotes protégeaient un homme armé d'origine africaine. Il portait les mêmes vêtements que les autres Faucons. Il fit signe à Nibs.

Il reconnut immédiatement Kathlélo qui délirait et geignait de douleur. Nibs demanda aussitôt à Moira de le prendre en charge. Quelques minutes plus tard, le Faucon blessé reposait sur une civière légère. Le commandant, ayant ratissé l'endroit, considéra qu'il n'y avait rien de plus à y faire, d'autant plus que le père Célestin, en discutant avec ses compatriotes, avait appris que les commandos adverses avaient déboulé, tiré, puis enlevé les Occidentaux et le médecin africain.

Les Faucons rebroussèrent chemin et rejoignirent le campement au sud de Kolwezi. Kathlélo fut pris en charge par l'hôpital de la ville et son médecin responsable, un généraliste. Bien que cet établissement fût des plus sommaires, le soldat fut parfaitement traité. Par ailleurs, les combattants du Sword transportaient partout avec leurs bardas une pharmacie adaptée à des soins d'urgence. Kathlélo reçut les médicaments indispensables, et le docteur Adrien Kabole lui retira la balle de kalachnikov qu'il avait prise dans la cuisse.

Finalement, les Faucons décidèrent de rester là où ils avaient dormi la veille. Nibs voulait que son compatriote profite de sa nuit pour récupérer de sa blessure. Il serait temps, le lendemain, de l'interroger sur les événements. Le père Célestin, souhaitant se rendre utile, demeura à l'hôpital au chevet de Kathlélo et des autres patients.

Le lendemain, Nibs rejoignit le centre de Kolwezi avec son pick-up.

— Bonjour, Célestin, tout s'est bien passé ?

— Bonjour, Nibs, oui. Kathlélo est réveillé et il va mieux. Les antibiotiques font leur effet.

— Nickel. Je vais lui parler tout de suite, nous saurons quoi faire après. En tout cas, c'est ce que j'espère.

Les deux hommes rejoignirent la chambre du Faucon. Il avait les yeux ouverts. Ils entrèrent.

— Salut, Kath, comment ça va ? demanda Nibs.

— Mieux, merci.

— Désolé de te secouer ainsi, mais je n'ai pas beaucoup de temps devant moi. Où sont les autres ? Qu'est-ce qui s'est passé ?

— C'est moi qui suis désolé. Je n'ai pas su les protéger. Mark et toi m'aviez demandé de veiller sur eux, et sur le professeur en particulier. J'ai failli.

— Laisse tomber, veux-tu ! Avec la balle que tu as reçue, et le coup de crosse sur ton crâne, je pense bien que tu ne t'es pas laissé faire. Peux-tu m'aider ?

Le Faucon, malgré la douleur encore présente, se redressa dans son lit et raconta ce qu'il avait vécu.

Comme prévu, la veille de l'attaque, les experts venus de Zurich et les médecins étaient partis vers le point d'origine de la contamination. Arrivés sur place, les écologistes avaient montré une surface importante de terre retournée. Par acquit de conscience, ils avaient commencé à creuser avec des pelles et, assez rapidement, buté contre des fûts métalliques. Ils en avaient dégagé plusieurs en assez bon état, et remarqué qu'il s'agissait, si l'on en croyait les étiquettes, pour certains de déchets radioactifs, et pour d'autres de produits chimiques.

Les scientifiques avaient constaté que le lieu d'enfouissement était assez éloigné de toute activité humaine, mais à proximité immédiate d'une source. La cause de tout cela était à présent identifiée. Quelqu'un utilisait ce lieu pour cacher des déchets hautement dangereux.

La cheffe des experts avait voulu vérifier l'effet de ces matières sur l'eau. Son compteur Geiger s'affola dès qu'elle s'approcha du ruisseau. Ce fut à ce moment-là que les coups de feu retentirent. Kathlélo et Cathy Mundine, tout à leur concentration, avaient complètement baissé leur garde. Leurs armes étaient en bandoulière.

Le Sud-Africain avait reçu une balle puis, quand il avait voulu se redresser, il avait été battu à coups de crosse. Cathy, encerclée et mise en joue par une cinquantaine d'assaillants, n'avait pu saisir son arme.

— Dis-moi, Kath, c'était qui ces gars-là ? Et pourquoi en avaient-ils après vous ?

— Il y avait des rebelles du Katanga et des blancs. Pour moi, ce sont des mercenaires russes issus des Forces spéciales. Ils étaient costauds, brutaux et sans foi ni loi. De mon point de vue, nous avions découvert quelque chose que nous n'aurions pas dû voir, le tombeau des déchets. Moi je m'étais évanoui et par chance, ils m'ont laissé pour mort et je n'ai pas été achevé. Tous les autres ont été enlevés.

— Tu sais où ils sont ?

— Du peu que j'ai entendu, ils faisaient mention de leur patron sous le nom de Grylov. Ils devaient ramener les scientifiques à leur QG au Zimbabwe, vers Victoria Falls. Où précisément, je n'en ai aucune idée.

— C'est déjà pas mal, répliqua le commandant. Repose-toi pour le moment. Je vais faire le point avec Mark et on va te rapatrier rapidement sur Montreux.

Nibs van de Merwe fit exactement comme convenu. Il s'attendait bien à ce que son patron n'apprécie que modérément son rapport. Ce qui fut le cas. Mark n'en voulait à personne, mais il s'inquiétait pour les otages et pour bébé Walpen. Il trouvait qu'avant même de naître, il avait une vie des plus chaotiques.

Il fut convenu qu'Ulli partirait immédiatement avec le médecin du Sword pour Abidjan, où le Transall ramènerait Kathlélo. Ce serait le Challenger, bien plus rapide, qui se chargerait du rapatriement sanitaire sur la Suisse. Par ailleurs, Mark voulait conserver tous ses effectifs en Afrique.

42

Rebecca, suite à son intervention au brainstorming de Lutry, avait utilisé les bus et le train pour rejoindre l'Extrême-Orient russe et le port de Nakhodka, après plus de quatre jours de voyage dans des conditions des plus spartiates. Elle s'installa dans une petite pension à proximité du port et attendit patiemment que la nuit tombe pour rôder autour de la fameuse usine.

Il ne fallut que peu de temps à l'espionne pour constater que c'était une véritable forteresse imprenable. Jamais elle n'aurait osé y pénétrer seule.

Elle décida de passer une bonne partie de la nuit à observer les allées et venues, raison pour laquelle elle était aussi arrivée incognito, avec un vélo en main, en fin d'après-midi. Elle souhaitait évaluer les forces en présence : quand rentrait et sortait le personnel ? À quelle cadence ? Tout détail utile.

Au matin, après l'échange d'équipe, Rebecca décida de rejoindre l'hôtel, de prendre une douche, un petit déjeuner, et de s'assoupir quelques heures. Elle referait une ronde aux mêmes heures que la veille, afin de s'assurer qu'elle ne s'était pas trompée.

Après une seconde nuit blanche, rien n'avait changé. À 8 h, l'équipe de jour vint remplacer celle de nuit. Le commandant des Faucons s'était positionné quelque peu à l'écart et observait les gens qui sortaient. C'était essentiellement des hommes pressés de rentrer chez eux. Elle en repéra un qui semblait ressembler plus à un cadre qu'à un ouvrier et se mit à le suivre à distance.

L'homme marchait lentement vers le centre-ville. L'espionne attendit de le voir pénétrer dans une petite maison, non loin du port et du centre, et regagna sa chambre.

En fin d'après-midi, alors que la luminosité déclinait fortement, la combattante israélienne sortit de sa pension et se posta à proximité de la maison repérée le matin même. Comme un coucou suisse, l'individu, un sac à la main, se dirigea vers l'usine. Rebecca le suivit, puis accéléra pour contourner un pâté de maisons, et tomba net sur l'homme qui ne s'y attendait pas. Elle lui asséna un coup brusque à la tempe, et il tomba d'un coup.

Rebecca le saisit par les mains, le traîna à l'écart de toute activité, le menotta aux pieds et aux mains et le réanima. Quand il ouvrit les yeux et vit son agresseur, il fit un mouvement pour s'évader, sans succès. Elle composa un numéro sur son téléphone satellite crypté Intelsat et tint l'appareil en position pour qu'il entende.

Ses yeux tournèrent dans leurs orbites de surprise. Une voix douce lui parlait dans sa langue natale et le rassurait sur son sort, à condition qu'il réponde vite et honnêtement aux questions posées. Sinon, le monstre qui l'avait attaché le jetterait en morceau dans la mer. Rebecca perçut un des rares mots russes qu'elle connaissait « Da, Da ! ». Elle se dit alors que tout allait comme prévu. Après une bonne dizaine de minutes, elle reprit l'appareil où la douce voix s'était tue.

— Hello, c'est Rebecca. Est-ce qu'on a les renseignements voulus ?

— Oui, je pense qu'on a tout, répondit la douce voix féminine. Je résume : à l'usine ils ne s'occupent que des déchets ménagers classiques du pays. Les substances chimiques et radioactives sont embarquées dans un cargo qui s'amarre à proximité immédiate de l'usine et là, on charge des fûts hermétiques. Ensuite, ces containers sont transportés jusqu'en Afrique, pour être ensevelis en totale sécurité, selon les dirigeants de l'usine. L'homme m'a confirmé qu'un bateau est parti la semaine dernière en urgence, avec à son bord une cargaison importante de fûts toxiques, mais également des hommes et des femmes. Sa destination finale est le port de Makadi, sur le fleuve Congo, à cent cinquante kilomètres à l'intérieur des terres. Il a aussi parlé d'un vieil homme et de containers d'armes. Je lui ai dit qu'il aurait une récompense de la valeur de 1.000 euros.

— Merci d'avoir procédé comme prévu. À bientôt.

Rebecca interrompit son appel au professeur Olga Shevtsova, qui s'était merveilleusement prêtée au jeu de la gentille, alors qu'elle-même adorait tenir le rôle de la méchante. Toujours était-il qu'elles avaient obtenu toutes les informations qu'elles espéraient. Rebecca coupa les liens de l'homme, puis lui remit une enveloppe, qu'il glissa dans sa veste. Il ne demanda pas son reste et partit en direction de l'usine, heureux de s'en sortir à si bon compte.

Les événements s'étaient soudainement emballés, tant en Afrique qu'en Russie. Mark Walpen était pressé de faire libérer Anook et ses compagnons, mais il était conscient que ce ne serait pas une sinécure et que le Sword devrait compter sur tous ses effectifs, et même sur ceux des Forces spéciales, sous leurs autorités depuis quelques semaines.

Il préféra donc faire le point avec Paul, Nibs et Rebecca. Sven avait travaillé au repérage du cargo de la holding Rodina. Le Volga devait s'approcher des côtes d'Afrique du Sud d'ici deux à trois jours. Paul, de son côté, estima que l'opération en Ukraine était en cours de mise en place et qu'elle pouvait attendre une à deux semaines.

Il fut donc convenu que la priorité serait donnée à l'assaut du Volga quand il serait dans les eaux internationales, au large du Cap. Tous les Faucons disponibles rallièrent en urgence l'aéroport d'Abidjan, puis celui de la base aérienne d'Ysterplaat, au nord-ouest du Cap. Pendant ce temps, Rebecca se débrouilla pour atteindre le Japon et se trouva dans la ville sud-africaine deux jours plus tard.

La surveillance du Volga signala qu'il allait bientôt passer le cap Agulhas, le point le plus méridional d'Afrique, et commencerait sa remontée vers le nord pour rejoindre la RDC. Aussitôt, l'opération d'abordage et de prise d'assaut s'enclencha. Les Faucons devaient arraisonner le cargo cette nuit-là. Paul divisa ses troupes en deux groupes bien distincts. Le premier regagna le port du Cap et s'engouffra dans des bateaux pneumatiques semi-rigides surpuissants qu'ils avaient empruntés à Manuel Mendes, propriétaire d'un chantier naval à l'ouest de Waterfront, le quartier touristique. Pendant ce temps, la seconde équipe se tassait dans les deux Alouettes III amenées à pied d'œuvre par les Transall C-160. Les pilotes, synchronisés avec les barreurs des canots, se positionneraient de chaque côté du Volga et laisseraient les combattants glisser le long d'une corde fixe.

À minuit moins le quart, alors que le navire se situait à la hauteur de la ville, mais très au large, le « GO » fut donné par Paul, qui dirigeait un des canots d'assaut. Dix minutes plus tard, les hélicoptères, phares éteints, encadraient le cargo. Un branle-bas se fit entendre et des coups de feu retentirent. Les Faucons avaient déjà glissé par grappes de cinq et se tenaient couchés sur le pont, alors que les Alouettes disparaissaient dans la nuit noire.

Les canots pneumatiques s'étaient collés contre la coque et les Faucons, ayant une formation de nageur de combat, avaient profité du bruit des hélicoptères pour lancer leurs grappins et se hisser au plus vite sur le pont.

Une bataille rangée se déclencha. Certains marins avaient saisi leur kalachnikov et arrosaient abondamment le pont alors que, malgré un quartier de lune, l'obscurité était profonde. Les Faucons, qui s'étaient mis à l'abri dès leur arrivée car ils s'attendaient bien à ce genre d'accueil, guettaient le bon moment pour neutraliser ces hommes. Quand ces derniers réalisèrent que leurs coups de feu ne servaient à rien, ils commencèrent à chercher plus précisément l'ennemi. C'est à ce moment-là que chaque combattant, ses lunettes de visée nocturne sur le nez, s'activa. Les Faucons éliminèrent les porteurs de kalachnikovs un par un, avec leurs armes de poing munies de silencieux. Les opposants tombaient au fur et à mesure, sans avoir le temps d'alerter des renforts. Quand il n'en resta plus que deux, la vingtaine de Faucons se leva, les aveugla avec leurs torches et l'un d'entre eux, parlant russe, leur intima de se rendre, ce qu'ils firent.

L'assaut avait duré un peu moins d'une demi-heure, et les corps d'une quinzaine de mercenaires jonchaient le sol métallique. Paul monta à bord par une échelle de coupée. Sur ordre des combattants, le capitaine stoppa les machines, et les matelots sortirent de leurs bannettes pour rejoindre le pont. Liora interrogea le commandant. Celui-ci, étant un marin avant d'être un employé de Rodina, décida de révéler ce que souhaitaient savoir ces soldats surarmés.

Les nouvelles ne plurent pas particulièrement à Rebecca. Les hommes et femmes de Greenpeace et le vieil homme avaient été transbordés la veille à la hauteur de Durban. Un des responsables de l'usine de Nakhodka avait averti que le Volga était suivi. Il n'y avait à bord que les containers d'armes russes et les tonneaux métalliques contenant des matières toxiques en tous genres. Il révéla par la même occasion que son patron avait son quartier général en amont de Victoria Falls, sur les rives du Zambèze côté Zimbabwe. Il possédait la Matetsi Private Game Reserve.

Une heure plus tard, les Faucons obligèrent le commandant à redémarrer les moteurs et à faire route vers le Cap. Nibs appela les gardes-côtes sud-africains et leur exposa la situation. Ces derniers prirent la mer aussitôt pour rejoindre le cargo à son entrée dans les leurs eaux territoriales. Les Faucons quittèrent le bord du navire juste avant et s'évanouirent dans la nuit noire.

43

L'Afrique du Sud ayant accepté la présence des deux avions d'Air Trans Afrique et de ses combattants à condition qu'ils n'interviennent pas sur son sol, les Faucons se retrouvèrent à la base aérienne d'Ysterplaat pour faire le point sur la situation et préparer l'intervention de libération des otages du côté de Victoria Falls.

Sven et les analystes de Lutry avaient commencé à réunir tous les renseignements possibles nécessaires à une opération militaire. Ce n'était pas sa première ni sa dernière, et le crack de l'informatique savait pertinemment ce dont avaient besoin les commandants.

Trois heures après l'assaut du Volga, les détails de la résidence de Viktor Grylov étaient entre les mains de Paul et de ses adjoints. La demeure de l'oligarque se situait dans une réserve animalière privée, au cœur du Parc national du Zambèze, au Zimbabwe. Elle longeait le fleuve sur une quinzaine de kilomètres. Pour éviter de focaliser les regards, la Matetsi Game Reserve était gérée comme toutes les autres et offrait un Lodge de plusieurs cabanons de luxe aux touristes.

Paul se doutait bien que l'accès aux bâtiments recherchés serait soit piégé, soit âprement défendu. Au final, le plan d'attaque fut rapidement élaboré et mis en place. Les Faucons allaient gagner le Zambèze au plus vite.

Pendant ce temps, Mark quitta la Suisse pour rejoindre le théâtre des opérations avec le Challenger 604 piloté par Ulli. Il devait rallier l'aéroport de Livingstone, en Zambie, au nord de la bourgade sise autour des chutes d'eau si célèbres. Il se retrouverait à une trentaine de kilomètres des Faucons. Il n'était pas question qu'il participe à la mission, pour sa propre sécurité. Il serait juste en contact par téléphone et Internet avec leurs commandants.

Les deux Transall se posèrent en douceur, l'un après l'autre, sur la piste de terre dure de l'Imbabala safari Lodge. La zone d'opération se situait aux confins du Zimbabwe, de la Zambie et du Bostwana. Après réflexion, Nibs, qui dirigeait l'opération en raison de sa connaissance du terrain africain, avait opté pour la réquisition de ce lodge. Il comportait de nombreux avantages pour le projet de nos protagonistes. Tout d'abord, il se situait en amont du Matetsi Water Lodge, dans le même parc national. Atterrir dans une zone privée évitait des questions des autorités nationales. Les Faucons bénéficiaient ainsi de toute une structure hôtelière pour préparer tranquillement leur assaut. Par ailleurs, le parc national étant ouvert, les Faucons pourraient pénétrer facilement dans la réserve privée voisine et pour ce faire, ils utiliseraient les Land Rover de l'Imbabala Safari Lodge comme s'ils étaient de simples touristes.

Il était convenu que les combattants resteraient en repos les deux prochains jours, ce qui leur permettrait de se remettre des efforts des 48 dernières heures. Dans le même temps, Nibs avait contacté de nombreux collègues mercenaires d'Afrique Australe, de l'époque où lui-même en était un, pour lui servir de renfort. Paul avait pensé tout d'abord à leurs amis des Forces spéciales, mais le Sud-Africain l'avait convaincu que seuls des hommes les plus habitués au combat dans le bush seraient adaptés.

Une quarantaine d'hommes se présenta au fur et à mesure à la réception de l'Imbabala. Quand tous les effectifs furent complets, Paul et Nibs organisèrent une réunion de tous les combattants. L'assaut aurait lieu au plus vite.

Grylov s'était fait bâtir une immense résidence, à quelques centaines de mètres du fleuve. Une fois de plus, la tactique d'attaque était à la fois simple et logique. Il fallait distraire l'ennemi d'un ou de plusieurs côtés et le surprendre par un autre angle. La situation de l'Imbabala Lodge était parfaite. Elle permettait de mettre facilement en place la stratégie de pince. Un groupe se dirigea vers le nord et longea le fleuve sur une vingtaine de kilomètres en plein dans la réserve Matetsi. Le second partit par le sud et s'installa à l'aplomb du premier. La paire de tenailles était en place. Une fois les deux groupes principaux positionnés, ils se divisèrent en cinq équipes de six hommes chacune. Cela permettait d'encercler la demeure de Grylov sur dix fronts en même temps, sachant que les attaquants du sud seraient les premiers à partir à l'attaque de la forteresse, laissant croire aux assaillis que tout ne viendrait que de là.

À 13 h 20, Nibs donna le feu vert aux équipes des Land Rover du sud. Paul, Rebecca et Olwetu commandaient de concert les hommes concernés. Les véhicules se mirent en route lentement, convergeant vers leur cible, mais empruntant des pistes différentes. Ils franchirent aisément l'entrée du Lodge et poursuivirent leur chemin plein nord en direction du fleuve. Quand les véhicules s'approchèrent de la résidence, ils purent vérifier ce que les images satellites leur avaient montré : elle était encerclée d'une clôture en fil de fer.

Paul fit signe à ses hommes de se répartir. C'est à ce moment-là que les tirs nourris commencèrent. Ni une ni deux, Paul, qui conduisait une des Jeeps, enclencha la première vitesse et enfonça la grille. « Maintenant qu'ils savent qu'on est là, autant y aller ! » se dit le colonel de Séverac. Aussitôt, les quatre autres véhicules pénétrèrent à leur tour dans l'enceinte.

Pendant ce temps, les patrouilleurs de Nibs venant des rives du Zambèze s'étaient avancés doucement et avaient l'immense maison en visuel. Nibs décida de donner un coup de main à ses collègues du sud et désigna à trois de ses Faucons les véhicules du Matetsi Safari

Lodge. Il ne fallut pas deux minutes de plus pour qu'une roquette fasse exploser chacune des Land Rover.

Vu comme les choses se présentaient, Nibs suggéra à Paul d'aller jusqu'au bout. Personne ne savait où se trouvaient les otages et, compte tenu de la résistance opposée, il fallait foncer. Le chef des Faucons acquiesça, même s'il s'inquiétait des dégâts collatéraux pour les personnes prisonnières.

Aussitôt, Nibs donna ses ordres et se lança dans la bataille à corps perdu. Une soixantaine de combattants convergea vers la demeure. Les tirs ne cessaient pas une seconde. Deux équipes de trois hommes se formèrent, dont la mission était de pénétrer dans la maison et de trouver les otages. Les autres occupaient le terrain pendant ce temps.

Après une demi-heure d'assaut, les derniers défenseurs se rendirent. Les éclaireurs sortirent des caves, accompagnés des otages. Rebecca accourut et les examina un à un. Son visage se défit.

— Nibs, Avram n'est pas là. Et ce salopard de Grylov, il est où ?

Barnabé, affaibli par la contamination toxique de ces derniers mois, eut néanmoins la force de lui répondre :

— Il a pris le général avec lui et est passé par des tunnels.

— Merci, dit Rebecca. Nibs, on fait comment ?

— On avait prévu le coup, vu le personnage. Sven a repéré des tunnels et a suivi des traces thermiques. Il a prévenu Paul, qui se trouve actuellement avec Cathy Mundine. Il a décidé d'essayer son fameux exosquelette, aujourd'hui.

Quand Paul avait reçu l'information cruciale, alors que les combats faisaient encore rage, il avait choisi de partir dans le local technique qui servait aussi de garage aux Jeeps, et dans lequel débouchait le tunnel, avec l'aborigène d'origine, et de guetter si quelqu'un sortait de nulle part.

Bien lui en avait pris, car Grylov apparut avec le général Leibowitz, sous la menace d'un Glock. Paul l'interpella en anglais, convaincu que l'homme comprendrait.

— Vous avez l'intention d'aller jusqu'où comme cela, monsieur Grylov, si c'est votre véritable nom ?

— Laissez-moi passer ou je le descends. Je n'ai rien contre vous.

— J'espère bien. Mais je dois vous dire que vous ne sortirez pas d'ici.

— Vous croyez vraiment que les restes d'un soldat vont m'en empêcher ?

Grylov se mit à rire en dévisageant le colonel de Séverac, dont la colère ne pouvait s'exprimer.

— Poussez-vous ! hurla-t-il.

— Essayez donc de m'y forcer, on verra si je suis si négligeable que cela.

Paul pointait son Five-seveN vers l'oligarque. Sûr de lui, Grylov visa le commandant des Faucons avec son arme de poing, et son index droit se contracta. Soudainement, l'homme se raidit, se tourna légèrement et aperçut l'aborigène qui venait de lui planter son Ka-Bar en pleine moelle épinière au niveau des cervicales. Il s'effondra.

Au même moment, un brouhaha se fit entendre. Tous les Faucons, Rebecca en tête, avaient envahi le local, depuis le tunnel.

— C'est bon, les gars. Baissez les armes, le job est fini, intervint Paul.

Rebecca se précipita sur son père, assez mal en point. Il s'assit afin de récupérer des forces.

L'assaut était terminé et tous les otages libres.

— Patron, vous pouvez venir avec le toubib, tout est OK, dit le colonel de Séverac par téléphone satellite.

— Et Anook ?

— Ils vont tous bien, si l'on peut dire, avec ce qui leur est arrivé. Barnabé et Avram semblent les plus atteints.

— On est en route.

— Allez directement à l'Imbabala. On fait le ménage ici et on vous y retrouve.

Une heure plus tard, Mark, Ulli, Vincent et Jacques, le médecin attitré des Faucons, rejoignaient le Lodge comme convenu. Cinq minutes après, les Faucons débarquaient avec les Land Rover.

— Emmenez les otages dans le salon, que Jacques puisse s'occuper d'eux, ordonna Paul.

— OK, chef, répondirent les combattants.

— Vous avez mis du temps, Paul.

— On devait aseptiser derrière nous. Tous les corps ont été déposés dans la forteresse et celle-ci est à présent en feu. Si vous jetez un coup d'œil de ce côté, indiqua le colonel en montrant l'est, vous verrez des volutes de fumée.

— OK. Jacques va maintenant examiner l'état des otages et nous quitterons l'Afrique dès que possible.

Le docteur Jacques Durer s'occupa de chacun. Il discuta tranquillement avec ses patients, tout en prenant les mesures de base comme la pression, le rythme cardiaque, etc. Son diagnostic confirma que Barnabé et Avram étaient les plus affaiblis, ce qui semblait normal compte tenu de ce qu'Anook et Laura lui avaient raconté.

Constatant que rien n'empêchait ses malades du jour de voler, Jacques donna son accord pour un transfert immédiat. Anook, Laura, Avram, Rebecca et Barnabé rejoignirent l'aéroport de Livingstone, où le Challenger était garé, et, aussitôt, Ulli déposa un plan de vol. Une demi-heure plus tard, il décollait pour la Suisse.

Les deux Transall embarquèrent les experts de Greenpeace et WWF Suisse, les Faucons et les commandos Greenpeace qui avaient attaqué l'usine Nakhodka. Ils feraient halte à Abidjan, où les Russes prendraient des vols commerciaux vers Moscou. Les autres repartaient vers Sion.

44

L'ensemble des ex-otages arriva à la Swiss Aesthtetic Clinic de Montreux en pleine nuit. Ils furent aussitôt pris en charge par le docteur Christian Morel et son équipe. Étant informé des pathologies recherchées, il lança les investigations en conséquence pour chacun des patients, qui furent tous mis en quarantaine dans une aile protégée, afin qu'ils ne contaminent personne par radioactivité de contact.

Il faudrait plusieurs jours pour obtenir les résultats complets des différentes substances nocives. C'était absolument indispensable pour traiter les malades au mieux. Ils présentaient des symptômes assez similaires, mais d'intensité variable. C'était normal au sens où ils n'avaient pas tous la même constitution physique et qu'ils n'avaient pas tous été exposés aussi longtemps.

Barnabé et Avram avaient perdu quelques cheveux, ce qui confirmait une atteinte plus importante. Tous ressentaient des nausées et des maux de tête. Leur confinement devait durer le temps que les traitements médicaux fassent leur effet. Une des conséquences majeures et dangereuses était une immunosuppression temporaire, due à la diminution des globules blancs.

Heureusement, il n'y avait eu aucun contact direct avec les substances. Pas non plus d'inhalation ou d'absorption gastrique, sauf concernant Barnabé qui avait bu de l'eau du robinet comme toute la population local. Pour les médecins, c'était un avantage considérable. Après l'élimination de l'exposition à la source de contamination, puis les différents traitements par douche et les antidotes pour supprimer les radionucléides, l'amélioration devait se remarquer rapidement.

Une inquiétude concernait Anook et son enfant. Nul ne pouvait pronostiquer les conséquences sur le fœtus. Le docteur Morel fit venir une collègue gynécologue et obstétricienne de la clinique Cecil de Lausanne. Cette dernière analysa sérieusement les résultats des prélèvements de sa consœur. Les valeurs restaient très élevées. Par acquit de conscience, elle pratiqua une échographie, qui révéla que l'enfant menait sa vie tout à fait normalement.

Le chef de service de gynécologie décida de discuter avec son confrère Christian Morel, le professeur Kammermann qu'elle connaissait, et Mark Walpen, dans la chambre de la patiente.

— Alors, Carole, tu en penses quoi ? C'est mauvais ?

— Tu as été contaminée sur en gros un mois. Les valeurs restent très levées. Il faut voir si cela va baisser lors des prochaines analyses, ce qui est plus que vraisemblable.

— Tout ça, je m'en doute ! Mais le bébé ?

— Je n'en sais rien ! Je pourrais effectuer une amniocentèse. Cela va me signaler une dose de toxicité, c'est évident. Est-ce que bébé a pour autant été atteint ? Impossible de le deviner. Le côté positif est que ton exposition n'a pas été directe et que le bébé a 35 semaines sur 40. Par conséquent, il était déjà bien formé quand tu as été contaminée. De mon point de vue, la sécurité exigerait un accouchement immédiat, afin d'éviter que l'enfant ne reste dans un milieu qui a été pollué. En plus on ne peut pas te traiter pendant ce temps. Y aura-t-il des séquelles ? Je ne peux garantir le contraire.

— Vous n'êtes pas rassurante docteur, fit enfin Mark qui avait écouté attentivement. Anook, tu en penses quoi ?

— Mon sentiment profond est que la contamination n'a pas été directe pour lui. Je ne me sens pas vigoureuse comme d'habitude, mais ces derniers jours ont été difficiles pour une femme enceinte. Mes symptômes sont moins sévères que ceux de Barnabé ou du général. Mon optimisme reste le plus fort. Je suis du même avis que Carole. Il faut libérer au plus vite bébé Walpen.

— Dans ce cas, allez-y, ajouta Mark en regardant le docteur Carole Zuffrey.

— OK, ça au moins c'est du rapide. Christian, tu viens avec moi. Tu as un bloc de libre ?

— Tout est prêt, tu as une équipe qui t'attend.

— Wouah, quelle efficacité. *Let's go* !

Deux heures plus tard, une magnifique petite Norah était déposée dans une couveuse après avoir été embrassée une seconde par sa mère qui fondit en larmes de bonheur. Le docteur Zuffrey ne voulait pas prendre de risque, même si l'enfant pesait 2 kilos 400 grammes pour 48 centimètres.

— On va la surveiller attentivement ces prochains jours. Je refuse de pratiquer une quelconque biopsie sur elle, pour le moment. Je vais me contenter des mesures de radioactivité externes et des prélèvements sanguins, ainsi que des selles. On aura déjà beaucoup d'informations d'ici deux jours. Je vais vous laisser. Je reviens dans deux jours.

— Merci Carole, dit Anook, heureuse et fatiguée.

— Merci, dit Mark à son tour, ravi que tout ce soit si bien passé.

Les résultats des analyses de la petite Norah étaient arrivés et si les traces de contamination toxique étaient bel et bien présentes, les concentrations demeuraient modérées. Sans crier victoire, le corps médical, Anook en tête, se montrait résolument optimiste. Le bébé resterait en couveuse les quatre semaines à venir puis, si tous les signaux continuaient à se mettre au vert, elle rentrerait avec sa maman.

De leurs côtés, Barnabé et Avram Leibowitz étaient très fatigués. Les traitements en profondeur commençaient. Il fallait attendre encore pour savoir si les effets toxiques seraient réversibles ou non. Cependant, le repos complet leur faisait du bien. Leurs phases d'éveil étaient plus longues. Rebecca visitait son père tous les jours et sa mère l'avait rejointe.

Après quatre jours, Rebecca et Mark décidèrent de rendre visite au général et de le questionner sur cette chevauchée incroyable. Il venait de finir de déjeuner quand ils frappèrent et entrèrent dans la chambre.

— Bonjour, Papa ! Comment vas-tu aujourd'hui ?

— Bien, merci, Reb. Je suis moins fatigué. Je ressemble juste à Yul Brynner.

— Oui, y a un peu de ça. Mais ça te donne un certain look.

— C'est une conséquence immédiate de votre exposition aux matières radioactives, mais cela ne signifie pas que c'est définitif. Il faut attendre l'effet des antidotes que l'on vient juste de vous administrer.

— Je m'en doute, et à mon âge, je m'en fiche pas mal, vous savez.

Le général sourit.

— Maintenant que tu te sens mieux, tu peux nous expliquer ton périple et pourquoi tu as fait tout ça ? Nous n'avons rien compris et tu as failli y rester.

— Je suis désolé de vous avoir autant inquiétées, toi et ta mère. Mais je ne pouvais pas demeurer impassible quand j'ai découvert un secret et que j'ai pigé ce qui se tramait.

— Tu fais allusion à la photo ? Tu as fait exprès de la laisser à portée de main dans ton bureau, histoire que je tombe dessus ?

— Je savais que tu la trouverais et qu'alors tu te débrouillerais pour comprendre.

— J'ai compris que ce Grylov était la clé de tout, mais pour quelle raison ? Je l'ignore encore.

— En fait, tout cela remonte aux années soixante-dix. L'Angola était à feu et à sang. Une partie du territoire était aux mains du MPLA, proche des Soviétiques et de Cuba, et l'autre, au sud-est, sous l'influence de l'Unita de Jonas Savimbi. Les États-Unis, l'Afrique du Sud et Israël soutenaient Savimbi. Il faut se souvenir qu'à l'époque le Mossad était particulièrement présent sur le continent africain et contrecarrait beaucoup d'opérations du KGB, ou du GRU avec ses commandos de Spetsnaz. Les Soviétiques ne nous aimaient guère !

— On imagine assez bien. Je suppose donc, Avram, que vous étiez là-bas.

— Oui, en effet, Mark ! Ma mission consistait à superviser nos activités. Je venais d'être nommé général. Le hasard m'a fait croiser, malheureusement, le chemin de cet ignoble personnage. J'étais avec Jonas Savimbi dans sa capitale, Jamba, au sud-est de l'Angola, quand la rumeur au sujet d'une colonne de la mort décimant tout sur son passage est parvenue jusqu'à nous. Les populations racontaient qu'un commando de Spetsnaz faisait des incursions dans notre secteur et saccageait tout ce qu'il croisait. Un jour, on m'avertit qu'ils étaient au sud, non loin du village de N'Triquinha, que j'avais visité quelques jours auparavant. C'était un village typique de cases en terre sèche aux toits de broussaille. Il devait y avoir une cinquantaine de ces habitations. J'ai pris ma Jeep et j'ai rejoint rapidement ce village, trop tard. Quand je suis arrivé, des volutes de fumée tourbillonnaient dans le ciel. J'ai croisé cette colonne de la mort et son chef, qui quittait les lieux à bord d'une Land Rover. Je lui ai sauté dessus alors qu'il ne s'y attendait pas. Moi non plus, d'ailleurs ! Dans le corps à corps, je lui ai entaillé profondément la joue avec mon couteau de commando. Ses hommes commençaient à réagir pour le défendre quand, heureusement pour moi, Savimbi, qui m'avait suivi avec ses hommes arriva. Les Soviets partirent.

— Tu ne m'avais jamais raconté ça !

— Non, je ne t'ai pas tout raconté, ma fille. Tu en sais déjà bien assez à mon goût. Ce visage ensanglanté et en colère, je ne l'ai jamais oublié. Les habitants du village avaient été soit abattus directement, soit violés et dépecés avant que le feu ne dévore le village tout entier. Les enfants encore vivants avaient été enfermés dans les cases avant qu'elles ne soient incendiées. Les soldats russes avaient appelé leur commandant Vitali Krylov. Je m'étais juré qu'un jour, je retrouverais ce salopard. Et, plus de trente années plus tard, voilà que je le reconnais, quand il se fait prendre en photo sous le nom de Viktor Grylov. La chirurgie esthétique avait fait son œuvre, mais ma mémoire ne l'avait pas effacé. Voilà pourquoi, au début je l'ai suivi et pourchassé. Je ne savais pas encore qu'il était la face cachée du Kremlin et que son rôle était de donner les moyens à la Russie d'aujourd'hui de retrouver une splendeur perdue. Ni qu'il enfouissait des matières toxiques en Afrique au lieu de les recycler dans les règles de l'art.

— Tu étais au courant du trafic d'armes ?

— Bien entendu, j'étais informé de la recrudescence du trafic d'armes en Afrique. Personne ne savait comment ces armes dernier cri arrivaient sur le marché. On subodorait un lien avec l'industrie de l'armement russe, mais lequel ? Une fois prisonnier et mis dans la cale du Volga à côté des containers pleins d'armes neuves, j'ai tout compris. En fait Krylov jouait sur tous les tableaux : d'un côté, il touchait de l'argent pour se débarrasser des déchets toxiques, de l'autre, il se procurait des armes modernes et efficaces à bon prix sous couvert de la politique extérieure de la Russie. Enfin, il les échangeait contre de l'or et du diamant en RDC, par exemple, qui en est très riche. Il faisait ce trafic de matières premières dans tous les pays d'Afrique. Cela explique sa fortune de plusieurs dizaines de milliards de dollars.

— Comment t'es-tu fait prendre ?

— Krylov m'a dit que c'était le chef d'antenne de Moscou de l'Institut qui l'avait informé de ta venue et que tu me recherchais. Il en a conclu que j'étais sur ses traces. Il m'a piégé à Saint-Pétersbourg et m'a emmené à Nakhodka par avion privé.

— Le principal c'est que nous vous ayons récupéré vivant. On fera tout pour que votre santé s'améliore.

— Je sais, Mark. En tout cas, merci encore de m'avoir sauvé. Vos Faucons sont de sacrés lascars, j'ai pu les voir à l'œuvre.

— Merci, Avram.

Épilogue

Pendant ce temps, les Faucons n'étaient pas restés inactifs. Comme convenu, le colonel de Séverac avait mis en place sa stratégie pour l'Ukraine : pendant que des fournisseurs d'armes se chargeaient d'équiper 3.000 soldats d'élite ukrainiens aux frais de la communauté internationale, Paul et ses hommes se trouvaient à Kiev, accompagnés de trois cents hommes des Forces spéciales, issus des régiments déjà utilisés au Sahel. Ils portaient tous des uniformes identiques à ceux des Faucons et la même puce électronique de suivi.

En à peine un mois de formation intense, ces Forces spéciales ukrainiennes se répartirent sur le terrain sous le commandement de ces alliés. Les consignes d'engagement étaient claires et strictes : en aucun cas ils ne devaient rechercher l'affrontement. Leur rôle consistait à neutraliser l'avancée et l'avantage des troupes russes soutenant les habitants des régions de l'est de l'Ukraine.

Le cessez-le-feu s'appliqua au fur et à mesure que chaque camp réalisa que les forces en présence s'équilibraient.

Pendant ce temps, les diplomaties onusienne et suisse se démenaient pour obtenir une solution politique admissible par les deux parties. Le président Sokolov, ayant compris de quoi il retournait, dut se faire à l'idée qu'il n'était plus le seul maître de ce tournoi d'échecs, et accepta un compromis. Par ailleurs, les Occidentaux firent pression sur le président Schevchenko pour qu'il réforme rapidement l'État et que les régions du Donbass et d'ailleurs bénéficient de plus d'autonomie.

Ian Anderson vint signer un accord de fin des hostilités à Kiev, en présence du président Sokolov, et se félicita de la tournure des événements. Nul ne fit de commentaires sur le pourquoi de ce revirement militaire, mais tous se doutaient des raisons profondes. Une fois de plus la stratégie de Mark Walpen et du Sword avait payé.

Le plan élaboré par Sven contre une quinzaine de ressortissants américains impliqués dans l'affaire judiciaire concernant la banque Boissier Naville & Cie avait porté ses fruits.

L'équipe de hackers avait tout simplement créé de fausses connexions financières entre ces personnes et des banques suisses. Des relevés bancaires factices avaient été envoyés à des agences de presse et révélaient que de fortes sommes avaient été soustraites au fisc américain.

Le ministre de la Justice, qui s'était fait manipuler, dut remettre sa démission, et son successeur lança une enquête approfondie sur ces suspects qui n'étaient pas sortis des ennuis. Une fois de plus, le Sword avait utilisé la technique de l'arroseur arrosé.

La petite Norah était rentrée dans la famille Walpen et aucune séquelle n'était apparue. Des analyses détaillées avaient été menées et rien d'anormal n'en ressortait, au grand soulagement de tous. Ralph Walpen, qui ne savait trop comment passer ses journées, était ravi de l'arrivée de ce bout de chou, et offrit ses services à son fils, qui en fut heureux.

Le rétablissement de Barnabé et de son voisin de chambre, le général Avram Leibowitz, prit du temps. Cependant, une fois les analyses achevées, des traitements adaptés furent prodigués et, quelques semaines plus tard, les deux hommes rejoignirent leur pays, non sans être passés par la maison des Walpen.

Une mission internationale eut pour objectif de décontaminer la zone explorée en amont de la rivière Lualaba, mais aussi de vérifier si d'autres pays n'avaient pas été victimes de ce type d'agissements.

FIN

Le Niger

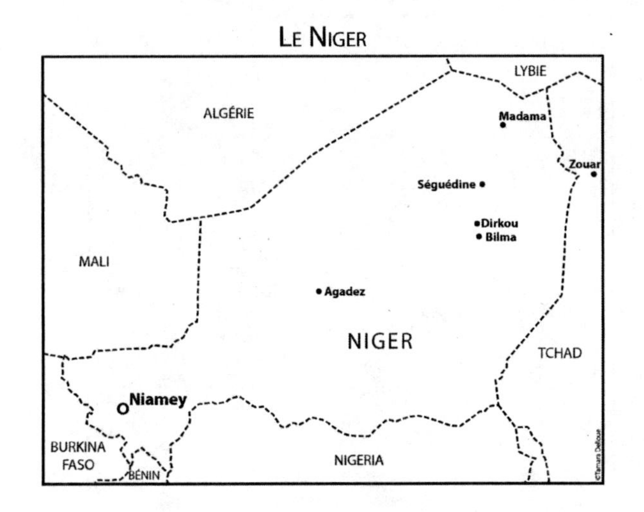

LYBIE
ALGÉRIE
Madama
Zouar
Séguédine
Dirkou
Bilma
MALI
Agadez
NIGER
TCHAD
Niamey
BURKINA
FASO
BÉNIN
NIGERIA

RÉPUBLIQUE DÉMOCRATIQUE DU CONGO

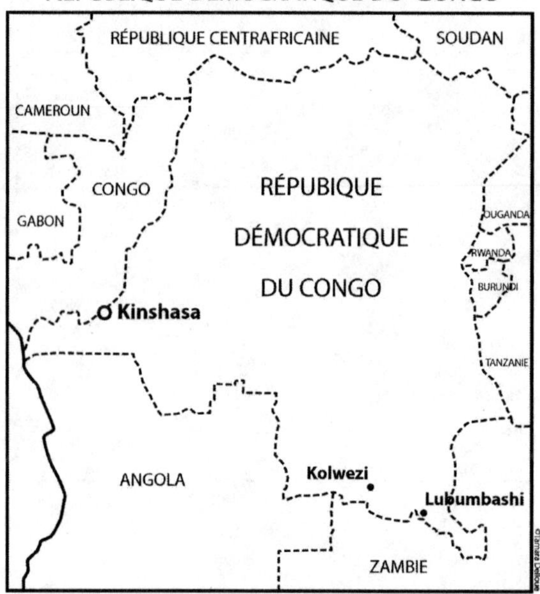

La Russie

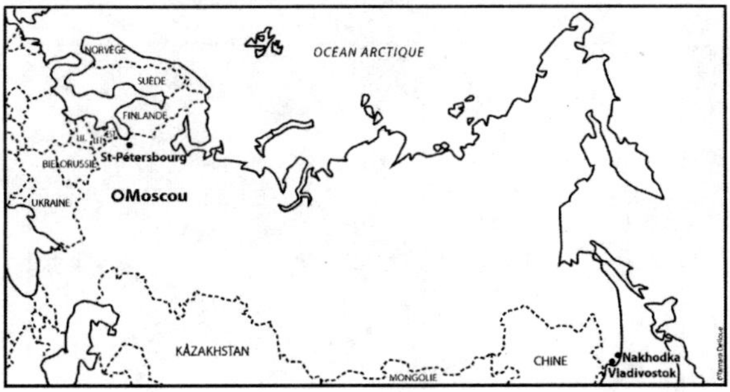

OCÉAN ARCTIQUE
NORVÈGE
SUÈDE
FINLANDE
St-Pétersbourg
BIÉLORUSSIE
UKRAINE
OMoscou
KAZAKHSTAN
MONGOLIE
CHINE
Nakhodka
Vladivostok

Le Zambèze

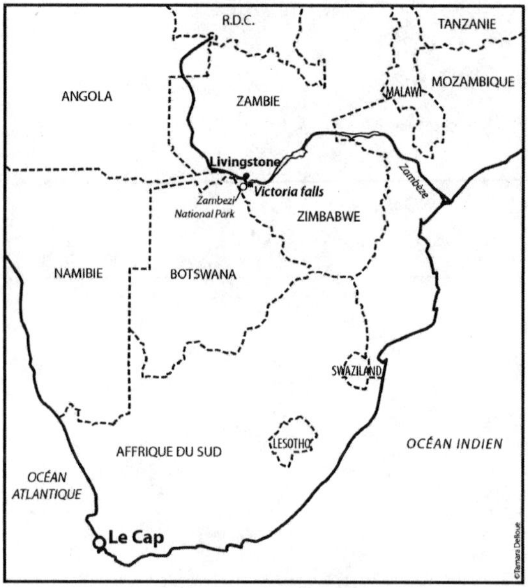
R.D.C.
TANZANIE
ANGOLA
ZAMBIE
MALAWI
MOZAMBIQUE
Livingstone
Victoria falls
Zambezi National Park
Zambèze
ZIMBABWE
NAMIBIE
BOTSWANA
SWAZILAND
LESOTHO
AFFRIQUE DU SUD
OCÉAN INDIEN
OCÉAN ATLANTIQUE
Le Cap
©Tamara Delloue

Impression : Marquis, novembre 2016
ISBN : 978-2-9700993-7-6
Dépôt légal : mars 2016
Imprimé au Canada